高等职业教育公共基础课系列教材

大学生职业生涯规划

主　编　邓念国　肖松柏　李　潇
副主编　肖　莉　韦文华　陈文婷
　　　　江　妤　喻继征
参　编　谢天和　舒歆易　杨　剑
　　　　陈　程　马士亚　李　婧
　　　　向　波　李　珊　王　雨
　　　　董雨豪　夏可为　黄　雪
　　　　李明海　罗　磊　杨淑华
　　　　樊可欣　程　琦　郭　明
主　审　胡华文

中国矿业大学出版社
·徐州·

图书在版编目（CIP）数据

大学生职业生涯规划 / 邓念国，肖松柏，李潇主编．徐州：中国矿业大学出版社，2024.10.— ISBN 978-7-5646-6497-8

Ⅰ. G647.38

中国国家版本馆CIP数据核字第2024JH4674号

书　　名　大学生职业生涯规划

主　　编　邓念国　肖松柏　李　潇

责任编辑　齐　畅

出版发行　中国矿业大学出版社有限责任公司

（江苏省徐州市解放南路　邮编221008）

营销热线（0516）83885370　　83884103

出版服务（0516）83995789　　83884920

网　　址　http：//www.cumtp.com　**E-mail**：cumtpvip@cumtp.com

印　　刷　三河市骏杰印刷有限公司

开　　本　787 mm×1092 mm　1/16　**印张**　14.25　**字数**　321千字

版次印次　2024年10月第1版　2024年10月第1次印刷

定　　价　49.80元

Preface 前言

大学既是人生中美好的时期，也是关键的阶段之一。在大学阶段，大学生不仅要为未来发展打下坚实的专业基础，还要明确职业发展方向。因此，职业生涯规划既是当代大学生在校期间必须面对的重大课题，也是高校应当承担的重要责任。我国的职业生涯规划教育经过多年的积淀，已经形成了一整套科学的理论架构和方法体系。大学生如何应对复杂多变的就业市场与日新月异的职业环境，如何科学、有效地规划自己的职业生涯，正是本书要探讨的问题。本书融入了一线教师多年对大学生职业生涯规划教育教学的实践经验，旨在为广大学子提供一本删繁就简、理论适用、方法实用、生动有趣的职业生涯规划指南。

本书摒弃了传统教材中理论灌输和案例堆砌的弊端，将“完成一份高质量的职业生涯规划书并实施”这一根本目标，细化为认识职业生涯与职业生涯规划、自我探索、职业环境与职业期望、职业决策、职业生涯规划的制订、职业生涯管理、自我管理、职业适应与发展八个项目，整个学习过程就是完成职业生涯规划并实施的过程。每个项目通过典型案例引导学生形成感性认识，通过理论介绍促使学生建立科学观念，通过“课外任务”帮助学生完成规划设计，通过“知识小结”“课外阅读”助力学生巩固学习成果；在“案例导入”中还设计了“思考与讨论”环节，让学生主动思考、充分交流，既能活跃课堂气氛，又能增强学生的学习主动性。本书采取行动导向、项目引领、任务驱动的方式，最大程度地将理论与实践、教学与教育、课内与课外有机结合，培养学生职业生涯规划意识和实际操作能力。

本书注重发挥大学教育的育人功能，通过精心挑选的部分学院“身边人”的职业生涯规划生动案例，以及古今中外成功人士的经典案例，引导学生树立正确的世界观、人生观、价值观，激励广大学子树立融入社会、奉献祖国的崇高理想，并培养立足实际、从基层成长的客观态度。本书同样注重基本理论的系统性和最新研究成果的应用，力求在理论层面做到深度与广度兼具，并与社会发展同步，帮助学生拓宽职业生涯规划视野，更深刻地理解职业生涯规划的底层逻辑，更灵活地应用职业生涯规划方法。

希望通过对本书的学习，每位大学生都能找到自己的职业发展方向，为未来的职业生涯奠定坚实基础，在职业生涯规划的道路上书写属于自己的精彩篇章！

本书由邓念国、肖松柏、李潇担任主编，肖莉、韦文华、陈文婷、江好、喻继征任副主编，谢天和、舒歆易、杨剑、陈程、马士亚、李婧、向波、李珊、王雨、董雨豪、夏可为、黄雪、李明海、罗磊、杨淑华、樊可欣、程琦、郭明参与编写。本书由胡华文任主审。

在编写本书的过程中，编者参考了国内外职业生涯发展、职业生涯规划等方面的文献资料，以及一些专家学者的理论和观点，在此向相关人士表示由衷的感谢！

由于编者水平有限，本书难免存在不足之处，敬请广大读者批评指正。

编　者

Contents
目录

项目一
认识职业生涯与职业生涯规划

学习目标

知识目标

了解职业生涯的含义、特点和职业生涯阶段理论。

能力目标

培养运用职业生涯规划基本理论认识、分析职业生涯的能力。

素质目标

培养大学生职业生涯规划的意识和认同感。

任务一　认知职业生涯

案例导入

诸葛亮的职业养成攻略

美国人际关系学大师卡耐基曾说，每个人生命中都有两个最重要的决定，它们可能造就你，也可能毁灭你，将深深地改变你的一生。这两个重大决定是什么？第一，你将选择何种职业作为人生舞台；第二，你将选择谁做你孩子的父亲或母亲。前者无疑是你的谋生方式、你的饭碗、你的职业规划。“人无远虑，必有近忧”，机会是留给有准备的人的。

职业发展是一个长期的复杂过程，如何做好规划步步为营？我们看一下职业规划的成功案例。

诸葛亮（181—234年），字孔明，号卧龙，三国时期蜀汉丞相，杰出的政治家、军事家、散文家、书法家、发明家。诸葛亮的一生充满了奉献精神，被誉为“鞠躬尽瘁，死而后已”的典范，是中国传统文化中忠臣与智者的代表人物。诸葛亮的一生近乎圆满，从现代职业生涯理论来看，在于他进行了职业生涯规划与实施。

首先，职业发展定位清晰。诸葛亮从小就胸怀大志，以春秋战国著名的“高参”管仲、乐毅为奋斗目标。榜样的力量是无穷的，你有什么样的偶像，就代表着你想成为什么样的人，你的职业兴趣就会倾向于哪方面。诸葛亮立志要做谋士中的霸主，职业目标明确。

其次，需要培养职业能力，具备相应的才干。诸葛亮自幼勤奋好学，15岁时就已经熟读《诗经》《尚书》《礼记》《易经》《春秋》等经典著作，同时研习兵法、天文、地理等。他曾拜司马徽等人为师，学习兵法、谋略等方面的知识。在名师的指导下，诸葛亮不仅学到了许多实用的知识和技能，还培养了自己的独立思考能力和创新精神。诸葛亮隐居乡间耕种之时，饱读诗书，勤学苦练，广交名士。

再次，选择“应聘公司”独具慧眼。当时有三家“公司”招聘：曹操，实力雄厚，最有资格称霸中原，但是麾下人才济济，若诸葛亮“应聘”则发挥的空间有限，顶多做个中层管理者；孙权，典型的“官二代”，是一个没经历过风雨也不想见彩虹的主，偏安自保，没什么大出息；刘备，根正苗红，光复汉室的理想与诸葛亮的价值观相同，待人宽厚、谦和，礼贤下士，其“公司”虽然弱小，但是在快速发展，最重要的是，刘备身边一群武将，没有什么谋士。

最后，“应聘准备”和“面试”做足了准备工作。躬耕陇亩，娶妻娶贤。诸葛亮在个人营销方面，打造了踏实肯干的形象。广结襄阳名士，时常与之高谈阔论，每每锋芒毕露自比管仲、乐毅，还自作了一篇《梁父吟》表明心志，诸葛亮的卓越才华与求职意向等重要信息就这样通过别人之口传到了刘备耳朵里。接下来的故事就是耳熟能详的"三顾茅庐"了，这次面试，诸葛亮测试了各"公司老板"的诚意。在面试过程中，诸葛亮向刘备陈说了三分天下之计，分析了曹操不可取、孙权可作援的形势，后世称之为《隆中对》，讲得一针见血、有理有据、铿锵有力，面试准备做得相当到位……刘备听完，大为叹服，将其奉为上宾。诸葛亮这份工作做到了什么地步？刘备临终之时托孤让位，对诸葛亮说"如果阿斗扶不起来，你就自己当皇帝吧"，对诸葛亮可谓信任至极……诸葛亮非常有职业操守，辅佐后主鞠躬尽瘁、死而后已，留下了一世英名。

三国时期，群雄逐鹿，人才辈出，多少怀才不遇者不为人所知，诸葛亮通过职业选择上的完美谋划，实现了自己的职业理想，改变了自己的命运。

资料来源　王萌:《诸葛亮的职业养成攻略》，中国大学生就业官方公众号，2017年11月6日。(收入本书时有改动)

思考与讨论

结合你身边学长、学姐的职业发展，谈谈你对职业生涯特点的理解。

____

____

____

知识学习

一、职业生涯的含义

职业生涯又称职业发展，是指一个人一辈子所从事的职业和进行的工作，是一个人的终生职业经历。职业生涯是一个动态的过程，由不同时间阶段、个体所扮演的不同职业角色、从事的不同工作组成。

职业生涯是一个复杂的过程，包括外职业生涯和内职业生涯。

外职业生涯是指看得见、摸得着的物化内容，包括职业活动中的工作单位、工作内容、工作职务、工作环境、薪酬待遇等。内职业生涯则侧重于个人在从事职业活动时所展现的内在能力和潜力的发展过程，涉及个人的知识结构、工作经验、工作素养、专业技能、心理状态，以及对工作的热情和动力等方面。

外职业生涯的构成因素通常是外界赋予的，如公司的职位安排、薪酬福利等，这些因素可能是由别人认可并提供的，也可能因外界条件的变化而被撤销或改变。内职业生涯因素主要靠自己努力学习探索获得。内职业生涯的特点在于它的独立性和可持续性，即使在外职业生涯受到挑战或变化时，内职业生涯依然可以作为一个稳定的基础，支持个人的职业发展和满足感。内职业生涯的因素一旦获得，就很难被剥夺，因为它代表了个人的人力资本和真正的价值。

外职业生涯因素和内职业生涯因素相互影响，内职业生涯因素某种程度上决定了外职业生涯因素。需要注意的是，外职业生涯因素往往与个人的实际付出不相符，尤其是在职业生涯的早期阶段，这种不匹配尤为明显。外职业生涯的发展依赖于内职业生涯基础，即个人的知识、技能、经验和心理素质的积累，同时外职业生涯因素也会促进内职业生涯因素的发展。总的来说，外职业生涯更多地关注外在的职业条件和机遇，而内职业生涯则更注重个人在职业中所培养的核心能力和自我价值的实现，两者相辅相成，共同构成了一个人的完整职业生涯。

二、职业生涯的特点

（一）可规划性

职业生涯规划的目的不是预言职业生涯发展过程中的具体细节，而是通过科学评估和工具给个人提供一个总体的职业生涯发展状态的指导和参考，战略性地把握职业生涯的发展方向。规划也有变化，但规划可以给出参照系，而不至于漫无目的、出现脚踩西瓜皮的状态。在职业生涯发展过程中，存在很多偶然性因素，职业生涯的可规划性正是表现在对职业生涯发展过程中许多偶然性因素的考量和把握上。规划的目的和结果并不是为了找到捷径，但至少可以少走弯路，避免走错路，优化职业生涯发展过程，扣好职场的第一颗纽扣。

（二）差异性

作为独特的个体，每个人在个人特质、性格、气质、能力、特点上都有差异，因而在职业目标的选择、职业规划的确定上都有所不同。在实现职业目标的道路上，个人行为方式的不同、努力程度的不同，导致最后实现目标的结果也必然有所差异。正是由于这种差异的存在，职业生涯设计才是个性化的。职业生涯设计越个性化，它对个体的职业生涯发展越具有切实的指导意义。

（三）阶段性

职业生涯的发展过程可以划分为不同的阶段，不仅要关注长远的目标，还应根据时间和顺序进行短期、中期和长期安排，以便作为行动的检查依据。每个阶段都有不同的目标和任务，各个阶段之间并不是并列关系，前一阶段的状态是后一阶段的基础，各个阶段之间具有连续性和递进性。利用好职业生涯发展的阶段性，高质量地完成各阶段的任务，对职业生涯的持续发展至关重要。

（四）发展性

职业生涯是一个动态的发展过程。一方面，由于知识和技能更新迅速，个体通过持续不断的努力来提高个人能力和职业水平，通过实现职业追求来提升个人价值，从而扮演越来越重要的社会角色；另一方面，职业生涯规划应伴随人的一生，通过不断的调整和持续的职业活动来实现目标。尤其是在人类命运共同体的价值引导下，国际间的贸易和文化交流不断加强，职业生涯不再局限于单一国家或地区，职场中人需要具备跨文化沟通能力，要有国际化视野，要树立终身学习的理念。

三、职业生涯的阶段

（一）理论背景

1. 马斯洛需要层次理论

马斯洛需要层次理论又称基本需求层次理论，是行为科学的理论之一，由美国心理学家亚伯拉罕·马斯洛（Abraham H. Maslow）提出。该理论将需要分为五种，像阶梯一样从低到高，按层次逐级递升，分别为生存需要、安全需要、情感需要、自尊需要、自我实现需要。另外，还有两种需要：求知需要和审美需要。这两种需要未被列入他的需要层次排列中，因为他认为这二者应居于自尊需要与自我实现需要之间。

2. 舒伯生涯彩虹图理论

从 1957 年到 1990 年，美国职业生涯规划大师舒伯（Donald E. Super）拓宽和修改了他的终身职业生涯发展理论，这期间他最主要的贡献是生涯彩虹图（见图 1-1）。1976 年到 1979 年，舒伯在英国进行了为期 4 年的跨文化研究，而后提出了一个更为广阔的新观念——生活广度、生活空间的生涯发展观。1981 年，舒伯加入角色理论，并将生涯发展阶段与角色彼此间交互影响的状况描绘出一个多重角色生涯发展的综合图形。舒伯将这个生活广度、生活空间的生涯发展图形命名为“一生生涯的彩虹图”，该图形象地展现了生涯发展的时空关系，更好地诠释了生涯的定义。

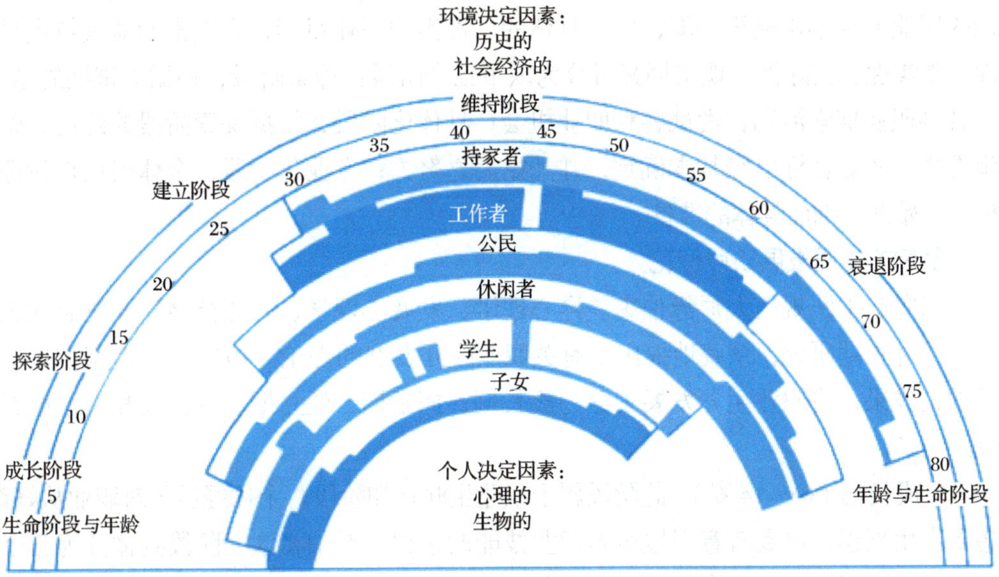

图 1-1　生涯彩虹图

（二）生涯阶段的划分

1. 金兹伯格的职业选择三阶段理论

美国职业发展理论的代表人金兹伯格（Eli Ginzberg）认为，职业生涯是一个连续的、长期的发展过程。他通过比较美国富裕家庭成员童年期、成年期职业选择的想法和行动的差异，将职业发展分为幻想期、尝试期和现实期三个阶段。

（1）幻想期。幻想期是指 11 岁之前的儿童时期。在这一阶段，儿童对他们所看到的或接触到的各类职业工作者充满好奇，对引人注目、令人激动的职业充满憧憬。这一时期，个体在职业需求上呈现的特点是：许多想法感情色彩浓厚，主要根据自己的兴趣决定职业理想，并不考虑自身的能力、社会需要与机遇，处于幻想状态。

（2）尝试期。尝试期是指 11 ～ 17 岁由少年向青年过渡的时期。在这一阶段，个体的心理和生理均迅速成长变化，开始有独立的意识和价值观念，知识和能力也显著提高，并开始对社会生产与生活的经验有所了解。个体在职业需求上呈现出的特点是：不但注意自己的职业兴趣，而且客观地审视自身的能力和价值观；开始注意职业角色的社会地位、社会意义和社会需要。11 ～ 12 岁是兴趣阶段，个体开始注意并培养自己对某些职业的兴趣；13 ～ 14 岁是能力阶段，个体开始认识到个人的能力与职业的关系；15 ～ 16 岁是价值阶段，个体开始认识到职业的社会价值性，注意到选择职业时要兼顾个人与社会的需要；17 岁是综合阶段，个体能将上述三个阶段进行综合考虑，并结合相关的职业选择资料来正确了解和判定未来的职业发展方向。这一时期是职业目标形成的最重要阶段。

（3）现实期。现实期是指 17 岁以后的青年和成年期。在这一阶段，个体即将步入社会，能比较客观地把职业愿望或要求同主观条件、能力及社会现实的职业需要紧密联系和协调起来，寻找适合自己的职业角色，力求达到主观因素和客观因素的统一。这一时期的职业需求不再模糊不清，已有具体的、现实的职业目标，表现出的最大特点是客观性、现实性、实际性。现实期又可分为以下三个阶段：探索阶段，根据尝试期的结果，进行各种职业探索活动，尝试各种职业机会；具体化阶段，根据探索阶段的经历，做进一步选择，职业目标已经基本确定，并开始为之努力；专业化阶段，个体根据自我选择目标，开始做详细而具体的准备。

2. 舒伯的生涯发展阶段理论

美国职业生涯规划大师舒伯集差异心理学、发展心理学、职业社会学及发展理论之大成，经过长期研究，系统地提出了有关职业生涯发展的理论。1953 年，他根据自己的相关理论成果，将职业生涯发展划分为成长期、探索期、建立期、维持期和衰退期五个阶段。

（1）成长期（0～14 岁）。此阶段属于职业生涯认知阶段。个体经历了对职业从好奇、幻想到产生兴趣，再到有意识地培养职业技能的过程。舒伯将这一阶段具体分为三个时期：幻想期（7 岁以前），个体对自己觉得好玩和喜爱的职业充满幻想，并进行角色模仿；兴趣期（7 ～ 11 岁），个体以兴趣为中心来理解、评价职业，开始做职业选择；能力期

（12～14岁），个体开始以能力为主要因素来思考职业问题，开始考虑自身能力与喜欢的职业是否相符，并进行能力培养。

（2）探索期（15～25岁）。此阶段属于学习打基础阶段。个体将通过参加兼职等进行职业探索，试图了解自我及职业，并根据未来的职业选择制定相应策略，进而完成择业及初步就业。此阶段又可分为三个时期：试探期（15～18岁），个体开始综合认识和评估自己的兴趣、能力，以及职业的社会价值、就业机会，并对未来职业进行尝试性选择；过渡期（19～21岁），个体正式进入就业市场或者接受职业培训，开始由一般性的职业选择转变为对特定目标的选择；尝试期（22～25岁），个体选定工作领域，开始从事某种职业，对职业发展目标的可行性进行验证。

（3）建立期（26～45岁）。此阶段属于选择、安置阶段。经过早期的试探与尝试后，不适合者会谋求变迁或重新选择，此时个体已经找到了属于自己的职业“位置”，并谋求长期发展。此阶段又可分为三个时期：尝试/稳定期（26～30岁），个体对初步选定的职业和目标进行反思，如有问题则重新选择职业，并逐渐趋于稳定；巩固期（31～40岁），个体确定属于自己的职业目标，并努力去实现；挫折/精进期（41～45岁），在这一阶段，个体可能会发现自己并没有朝着预定的职业目标靠近，在实现既定目标时遇到挫折或者发现了新的目标，因而需要重新评价、不断改进自己的需求和目标，处于一个转折期。

（4）维持期（46～65岁）。此阶段属于升迁和专精阶段。大多数人通过长期从事某一工作，在该领域已占有一席之地。个体现在要考虑的不再是锐意进取，而是力求保住现有职位，维持已取得的成就和社会地位。这一时期，大多数人将重点放在维持家庭和工作之间的和谐关系上，总结工作经验、寻找接班人，工作领域不断出现的新知识和新技术对这一时期的人来说是比较大的挑战。他们对于新知识的兴趣逐步下降，尤其是对知识和技术更新较快的行业来说，选择创新还是停滞不前直接影响着个体的职业价值。

（5）衰退期（66岁以上）。此阶段属于退休阶段。个体的健康状况和工作能力开始衰退，并将逐步结束职业生涯。在这一阶段，个体要学会接受权力和责任的减少，学会接受一种新的角色，以适应退休后的生活。

知识小结

任务二　认知职业生涯规划

案例导入

××学院毕业生案例：小李的职业规划

小李是计算机网络技术专业的学生。他从小就对科技有着浓厚的兴趣，尤其是计算机和编程知识。小李明白，要想在计算机行业获得成功，需要不断地学习和更新技能，但他也知道在职业生涯中进行规划非常重要。

小李明白，首先，要确定自己的职业目标。他的目标是成为一名计算机网络应用开发工程师，并最终晋升为一名项目经理。为了实现这个目标，他需要不断地学习和实践。

其次，小李意识到为了实现职业目标，他需要制订一个详细的计划。这个计划包括学习新的编程语言，参加相关的培训课程，寻找实习机会及积累工作经验，保持积极的心态，勇于面对挑战和失败。

在实施计划的过程中，小李也遇到了一些困难。例如，他发现有些编程语言比较难学，而且找实习机会也不容易。但是，他并没有放弃，相反，他更加努力地学习，并向老师和同学寻求帮助，最终他成功地获得了实习机会，并积累了一些工作经验。

经过一段时间的努力，小李的职业生涯有了明显的进展，他成功地找到了一份计算机网络应用开发工程师的工作，并在工作中表现出色，他开始为晋升为一名项目经理做准备。他知道这是一个长期的过程，需要不断地学习和积累经验。他相信：只要保持积极的心态并努力奋斗，最终一定能够实现自己的职业目标。

思考与讨论

谈谈你对职业生涯规划及其作用的理解。

____

____

____

知识学习

一、职业生涯规划的内涵

（一）职业生涯规划的概念

职业生涯规划是指个人结合自身条件和现实环境，确立职业目标，选择职业路线，制订相应的培训、教育和工作计划，并按照规划实施具体行动，完成职业目标的过程。

（二）职业生涯规划的基本内容

职业生涯规划的基本内容包括：自我评估、职业分析、目标设定、行动计划、反馈与调整。

1. 自我评估

职业生涯规划的起点是对大学生的兴趣、能力、价值观和个性特点进行全面的评估。这有助于大学生了解自己的优势和劣势，明确发展方向。

2. 职业分析

在自我评估的基础上，大学生对各种职业进行全面的分析，包括职业的要求、发展前景、待遇福利等，以便为自己的职业发展提供参考。

3. 目标设定

应根据自我评估和职业分析的结果，设定自己的职业发展目标。目标应该具体、可行，并具有挑战性。

4. 行动计划

为实现职业发展目标，应制订具体的行动计划。这包括学习相关知识、技能，积累相关经验，寻找合适的工作机会等。

5. 反馈与调整

职业生涯规划是一个动态的过程，需要不断地进行反馈和调整。应根据实际情况的变化，及时调整自己的职业发展目标和行动计划。

通过合理的职业生涯规划，大学生可以实现职业发展目标，提高职业满意度和生活质量。同时，设定职业生涯目标是职业生涯规划的第一步，只有确立了职业生涯的目标和发展方向，才能做好职业生涯规划的其他内容。大学生因为长期处于校园中，不能真实体验到职业环境，目标的订立可能会偏理想化。因此，大学生对目标设定要恰到好处，保证目标明确、具体，不能一味追求“宏大”而不切实际。职业生涯目标与环境联系紧密，可能因为各种因素而发生变化。因此，大学生在整个职业生涯规划的过程中还需要时刻关注内外环境的变化，调整步伐，不断地修正目标，使自己立于不败之地。大学生制订有效的职业生涯规划，可以减少自己在人生道路选择上的徘徊犹豫时间。

二、职业生涯规划的原则

（一）目标导向原则

职业生涯的规划，首先从选定目标开始，以目标为导向是大学生进行职业生涯规划的首要原则。在进行职业生涯规划的过程中，目标的设定十分重要。一般而言，职业生涯目标要明确、具体、系统且切实可行。

（二）相适应原则

随着社会的发展，职业岗位的数量和需求发生了改变，有些新兴行业出现了新的岗位，也有些岗位可能会被市场逐步淘汰或被高科技取代。因此，大学生在制订个人职业生涯规划时，一定要分析社会需求，必须把社会需求与个人愿望有机结合，这样才能顺利实现自己的职业目标。

（三）相匹配原则

大学生的专长与专业关系密切，因此，个人规划与个人专长是否匹配的评判标准之一就是职业目标与专业是否对口，但也并非绝对。例如，有学法律的同学，擅长管理；有学会计的同学，擅长营销。因此，大学生只有从自身实际出发，衡量比较出自己的专长才是最重要的。以专业代替专长，一味地通过所学专业确定自己的职业目标，有时可能会适得其反。

（四）相结合原则

职业生涯规划中的相结合原则主要包括抽象与具体相结合、确定性与非确定性相结合、质化与量化相结合、实力与挑战相结合、自己意见与他人意见相结合。

（五）实践性原则

个人职业生涯规划的目的在于指导自身的职业实践，如果没有积极的实践，规划本身就变得毫无意义。大学生确定了什么样的职业目标，就应为之不懈努力。大学生坚持个人规划的实践性原则，在制订规划时就能客观地审视内外条件，清醒地认识自我，敏锐地感知社会需求，从而量身定做出切实可行的职业生涯规划。

三、职业生涯规划的常见问题

（一）职业生涯规划意识淡薄

当代大学生普遍缺乏自我规划意识，不能针对自身所处的具体情况制订科学、合理的职业生涯规划。大学生虽然对工作岗位充满了向往，但是缺少理性的思考与规划，即使制定了职业生涯目标，也会因为对就业形势严峻性的错误预估，而缺乏竞争意识和紧迫感，不能明确职业发展的方向，从而导致制订的职业生涯规划缺乏竞争性、科学性和针对性，最终影响了职业生涯规划的实际效果。

（二）职业价值取向有偏颇

有些大学生把对职业和前途的长远期盼转化为对薪酬待遇、工作地点、环境条件、休假制度等具体条件的要求，他们更加注重的是就业的经济价值，而忽视了它的理想价值。当理想与现实错位时，大学生就会出现择业困难。

（三）自我认识不足

大学生对自我的认识往往并不全面，对事物的观察和思考容易理想化，不能准确地评价自己的优势与劣势。当所定的目标与现实相差太远时，有的大学生就会产生自责、自怨甚至自卑的心理，从而不能正视择业过程中的不合理现象，无法承受挫折和失败。还有部分大学生在择业时会过分考虑自己的兴趣、爱好和未来的发展空间等因素。

除此之外，很多大学生仍然存在“铁饭碗”“精英就业”等观念，他们对自己缺乏准确的定位，往往高估自己，很难找到与理想匹配的工作，从而失去很多理想的就业机会。

（四）缺乏对职业生涯规划的认识

职业生涯规划是一个动态的发展过程，个人在每一阶段对职业的认识、理解，乃至终极目标的实现都会有所不同。因此，大学生需要随着自身的成长，循序渐进地、动态地调整职业规划。职业生涯规划的动态过程主要体现在大学阶段与学业规划紧密结合、多个阶段规划的融合、社会实践体现职业能力、及时反馈机制四个方面。

四、职业生涯规划的类型

职业生涯规划可以根据不同的标准进行分类，以下是一些常见的分类方式。

（一）按照时间长度划分

短期规划：通常为 1 年以内或 2 ～ 3 年；个人主要关注目前的工作职位、短期目标和任务。

中期规划：一般为 3 ～ 5 年；个人更关注在特定领域或职位上的发展，如晋升到某个管理职位。

长期规划：通常为 5 ～ 10 年或更长时间，该阶段涉及个人职业目标、生活目标及价值观的实现。

（二）按照内容划分

职业发展规划：个人主要关注在特定职业领域内的定位和发展。

生活发展规划：除了职业发展外，还涉及个人生活目标，如家庭、健康等方面的规划。

教育发展规划：个人关注在教育方面的需求，如继续深造、获取新技能等。

（三）按照主体划分

个人职业生涯规划：以个人为主体，涉及个人的职业发展、生活规划等。

组织职业生涯规划：以组织为主体，涉及组织内成员的职业发展路径、培训计划等。

（四）按照目的划分

探索性职业生涯规划：主要适用于学生或初入职场的人，可以帮助他们了解各种职业，发现自己的兴趣和优势。

管理性职业生涯规划：适用于已经有一定工作经验的人，可以帮助他们制定更具体的职业发展目标。

（五）按照策略划分

开放式职业生涯规划：鼓励成员探索多种职业路径和发展机会。

封闭式职业生涯规划：成员在组织内沿着预定的职业路径发展，较少考虑外部机会。

（六）按照方式划分

自主式职业生涯规划：个人自己制订和执行职业生涯规划。

咨询式职业生涯规划：个人寻求外部专家或咨询机构的帮助来制订职业生涯规划。

（七）按照依据划分

直觉式职业生涯规划：主要基于个人的直觉和经验进行规划。

科学式职业生涯规划：主要基于对个人和职业的深入了解，采用科学的方法进行规划。

（八）按照性质划分

可行性职业生涯规划：重点评估个人和环境的条件，确保目标可行。

适应性职业生涯规划：强调个人根据环境变化调整自己的职业发展策略。

五、职业生涯规划的意义

（一）有助于深入认识自我，发掘自身潜能，提升个人综合实力

通过科学合理的职业生涯规划，大学生能够更清晰地认识自身的优势与不足，了解自己的个性特质和潜在资源，从而更有效地发挥自身优势、增强个人实力。

（二）有助于增强职业发展的目的性和计划性，增加职业目标实现的机会

职业生涯规划能够帮助大学生明确职业发展方向和目标，制订切实可行的计划和措施，使职业发展更具前瞻性和实际性，从而增加实现职业目标的机会。

（三）有助于提升应对职业竞争的能力

在日益激烈的就业市场中，大学生需要做好充分的准备。通过制订职业生涯规划，大学生能够更好地了解市场需求和竞争态势，提升自身的综合素质和竞争力，从而更好

地应对职业竞争。

（四）有助于提高就业率和就业质量

职业生涯规划能够帮助大学生明确就业目标和方向，提高求职的针对性和有效性，降低盲目性和随意性，从而提高就业率和就业质量。

（五）有助于促进个人职业的持续发展

职业生涯规划不仅关注职业初期的匹配和定位，更着眼于个人职业的长期发展。通过职业生涯规划，大学生能够更好地规划自己的职业发展路径，适应职业环境的变化和挑战，实现个人职业的持续发展。

知识小结

任务三　大学学业规划与职业生涯发展

案例导入

技能大赛　点亮职场人生

小刘，某职业技术学院 2017 届模具设计与制造专业毕业生，目前在该职业技术学院担任实训教师。

小刘先后获得过第十五届“振兴杯”全国青年职业技能大赛学生组钳工赛项第一名，第十六届“振兴杯”全国青年职业技能大赛职工组模具工（冲压）赛项第一名，享受高层次人才政策，被授予全国技术能手、全国青年岗位能手、浙江省技术能手、浙江省青年工匠、浙江省青年岗位能手、杭州市青年岗位能手等称号，并获得杭州市五一劳动奖章。小刘也是学校模具设计与制造专业毕业生留校任教的第一人。正如他所说：“技能大赛成就了我高层次人才的梦想，改变了我的人生轨迹。”

大赛点亮人生，竟“十过家门而不入”

1997年出生的小刘4岁随父母离开老家广西玉林来到绍兴生活，由绍兴的一所职业高中考入某职业技术学院。在参加“振兴杯”之前，他对于未来有着清晰的规划：毕业后先在杭州工作两年，然后回广西老家。

“振兴杯”全国青年职业技能大赛，这一被称为青年技能界“华山论剑”的比赛，在2019年第一次设立学生组，并将决赛地点定在杭州。小刘听说这一信息后，本着“试一试”的想法，与同学一起报名参加了学生组的杭州选拔赛。

2019年5月，小刘开始备赛，他一有时间就去观摩专业实训课，并积极参加各类专业技能竞赛，最终在学校选拔赛中脱颖而出，7月开始进入高压训练模式。小刘回忆道：“那段时间我每天顶着高温训练到夜里12点，训练结束后就回到宿舍看书，因为当时理论知识是我的短板。说实话我很紧张，从夜里12点看书到凌晨两三点是常有的事，但不敢更晚，因为第二天还要训练。这样的日子持续了两个月，那两个月我甚至连校门都没有出过。”

“功夫不负有心人”，在杭州市、浙江省青年职业技能竞赛中，小刘均获得了钳工组第一名，这更坚定了他迎接国赛的信心和前进的步伐。紧接着，他全身心地投入了国赛集训。小刘家就在集训地点附近，每天早上从宾馆赶到集训地点，他中途都会路过家门，但在集训期间他从来没有回过家，可以说是“十过家门而不入”。回忆起集训的那段时间，他说：“训练最明显的感受，就是手掌的茧子长了又破，破了又长。”

凭着过硬的专业技能和5个月的艰苦付出，小刘一路过关斩将，拿到了市赛第一、省赛第一，最终获得了第十五届“振兴杯”全国青年职业技能大赛学生组钳工赛项第一名。

技能改变命运，任教扎根不负韶华

“早在比赛期间，就有许多企业直接来到比赛现场进行招聘，给出的年薪均在20万元以上，对于我们应届生来说，待遇已经很好了。”在小刘面对诸多招聘信息犹豫时，母校向他抛出了橄榄枝，希望他留校任教。年仅24岁的小刘选择留校做一名专业实训教师，希望能培养出更多和他一样的技术型人才。

2020年，小刘报名了第十六届“振兴杯”全国青年职业技能大赛职工组竞赛，同时兼任本校参加学生组竞赛的学生组的指导老师。

“钳工技能大赛不但考查选手的理论知识，而且重点考查选手对工、量、刃具的操作，考查选手解决实际问题的能力。”小刘回忆，“市赛和省赛对精确度的要求非常高，要将误差控制在0.02毫米以内。到国赛时，标准就更加严格，在精确度标准不变的情况下，要求模块平面上的所有点都控制在这个误差内。”

"前功尽弃在毫分，钳工的工作里，手的稳定性是非常重要的，手臂力量必须达标，这需要大量的练习和锻炼。"小刘的获胜"秘诀"就是每天坚持做100个俯卧撑、跳绳1 000个。他每天进行着看似机械而重复的运动，就是为了锻炼手臂力量。

然而，这样的运动锻炼只是基础，除此之外，小刘每天还会练习制作模块。例如，赛程中需要自己制作45号钢的圆棒料，他就每天练习用锯子将圆棒料锯断，再用锉刀将其锉平，整个过程耗时1小时左右。备赛时，小刘每天都要完成制作4～5根圆棒料的练习。时间久了，一个平面是否平整，他只要把手放到这个平面上，就能很精确地判断出来，这是大量训练带来的"肌肉记忆"。漫长的坚持让小刘的手上布满大大小小的伤痕，"练习时磨出的茧好了又掉，掉了又好，反反复复"。

"我们不拼学历，只拼技能，在技能这方面领先，才能真正实现自己的人生价值。"小刘觉得，自己赶上了一个重视技术人才的好时代。

传承锻造工匠，金属雕刻桃李生香

为备战比赛，由小刘及学院其他实训教师组成的导师团队参与指导学生组，小刘还要每天挤出时间为职工组的比赛进行备赛。12月，大赛结果揭晓，小刘指导的学生获得了第十六届"振兴杯"全国青年职业技能大赛学生组模具工赛项第一名，小刘本人获得职工组模具工（冲压）赛项第一名，而他也成为全国青年职业技能大赛上第一个同时在学生组竞赛和职工组竞赛摘得桂冠的"双料"冠军。当被问到是否有"教会徒弟饿死师父"的担忧时，小刘说："青出于蓝而胜于蓝，徒弟越出色，师父越光荣，而且徒弟也不是一朝一夕就能成长成才的，我希望他们练好基本功，一步一个脚印，成为能工巧匠，在今后的工作中有所作为，证明自己，为学院争光。"

资料来源　陶勇，杨乐克：《"宝藏男孩"刘明杰 从金属雕刻到高层次人才》，杭州职业技术学院官方网站，2022年10月28日。（收入本书时有改动）

思考与讨论

通过案例，结合自身情况，思考大学学业与职业生涯有什么样的关系。

____

____

____

知识学习

一、大学学业规划是职业生涯的组成部分

学业生涯规划即学生对与其人生发展目标相关的学业所进行的安排与筹划。具体而

言，就是指大学生通过对自身性格、兴趣、能力、价值观及未来社会需要的深入分析和正确认识，确定自己的事业目标，进而确定学业发展方向，并结合自己的实际情况制订的学业发展计划。简而言之，即大学生通过解决学什么、怎么学、什么时候学等问题，确保自身顺利完成学业，为成功实现就业或创业打好基础。

对大学生进行学业生涯规划需要根据学校的不同阶段，建立大学生学业规划指导内容体系，加强对学业生涯辅导人员队伍的建设，有效帮助大学生增强自我约束力和自我管理的能力，增强学习积极性和主动性，引导大学生积极向上和自我完善，并有助于其进行自我定位，有效指导大学生进行学习，为今后的就业打下坚实的基础。

学业生涯规划教育逐渐被纳入课程之中，这种发展趋势也将成为一种必然。事实上，学业生涯教育可以包括个人全部的教育活动历程，通过生涯认知、生涯探索、生涯定向、生涯准备、生涯熟练等学习步骤，培养大学生的学业生涯规划能力，使个体逐渐具备自我引导、自我完善的能力。

目前，学业生涯规划教育主要从三个方面开展，即认识自我、认识社会、更好地做学业行动决策。前两个方面即生涯探索，大学生只有通过生涯探索，才能真正了解自我、发现自我，为将来的自己做好铺垫。

大学学业规划作为职业生涯的关键环节，具有不可忽视的重要性。在大学这一关键阶段，大学生逐渐明确自身的兴趣与优势，为未来的职业道路描绘出蓝图。因此，制订出符合个人职业目标的学业规划，对于提高大学生的专业素养和竞争力具有积极意义。

在制订学业规划时，大学生需要以严谨的态度全面分析自身的学习状况，确保规划的合理性与可行性。通过这种方式，大学生能够更有效地管理学习资源和时间，避免无谓的浪费，进而提高学习效率。

此外，学业规划还有助于培养大学生的综合素质。在大学期间，大学生不仅需要积累专业知识，还需要关注自身领导力、沟通能力和团队合作能力等非专业能力的培养。参与多元化的学术、文化、体育和社会实践活动，有助于大学生提升自身的综合素质，增强未来职业生涯的适应性与发展潜力。

大学学业规划对于大学生未来的职业生涯具有深远的影响。大学生应给予学业规划足够的重视，根据个人实际情况制订出合理且可行的计划，为未来的职业生涯奠定坚实的基础。

二、大学学业规划影响职业生涯规划

大学学业规划对职业生涯规划具有重要影响。在大学期间，大学生通过选择合适的专业和课程，以及参与相关的学习并获得相关的实践机会，激发学习兴趣，提高学习主动性，提升学习效果，为未来的职业生涯打下坚实的基础。

（一）夯实学业基础

1. 有助于大学生了解自己的兴趣和优势

通过深入学习专业知识，大学生可以发现自己的特长和喜好，进而明确职业发展方向。此外，大学生还可以通过实习、参加社团活动等方式，积累实际工作经验，提升职业技能，为未来的职业生涯做好准备。

2. 有助于大学生培养良好的职业素养

大学生可以参加各种讲座、研讨会等活动，拓展自己的知识面和视野。同时，通过与教师和同学的交流及学习，大学生可以培养沟通、协作、创新等职业素养，为未来的职业生涯做好准备。

3. 有助于大学生制订具体的职业目标和发展计划

通过了解市场需求和趋势，大学生可以制订具体的职业目标和计划，并在大学期间积极学习和实践，提升自己的职业竞争力。

大学学业规划对职业生涯规划具有重要影响。通过合理规划大学学业，大学生可以更好地了解自己的兴趣和优势，培养良好的职业素养，制订具体的职业目标和发展计划，为未来的职业生涯做好准备。

（二）进行自我分析

进入大学后，大学生必须思考自己的学业，究竟应该做什么？一些大学生对此感到十分迷茫。还是那句老话：大学生的天职是学习，大学是学习的天堂。人生也许很长，但只有大学这几年是可以让人充分、自由学习的时期。因此，绝不可因为感觉学的东西暂时没有发挥作用或自己不喜欢这个专业而不去学习。大学生要根据社会需要、社会发展趋势和个人的兴趣、特长及所学专业等确立自己大学期间努力的目标，根据确立的目标做好切实可行的生涯规划，并根据制订的规划及早准备，付诸行动。

（三）树立正确的学业观

大学生的学业是指在高等教育阶段进行的以学习为主的一切活动，是广义的学习。它不仅包括科学文化知识的学习，还包括思想、政治、道德、专业技术、组织管理、科研及创新等的学习。观念是行动的先导，要完成大学学业首先必须树立正确的学业观。所谓学业观，就是对所学专业、课业的态度和认识，它在很大程度上影响着大学生的学习、生活乃至人生前景。一些大学生在对待学业问题上存在着种种误区：或对学业的概念理解过窄，或对学业生活预期过高，或对学业角色定位不准，或对职业期望过高，以致学业不精甚至荒废学业。为解决上述问题，我们应正确处理以下四种关系。

1. 正确处理学业与专业的关系

珍惜并喜欢自己的学业，就该学有所得，努力培养自己的专业兴趣，把自己的爱好与国家所需、社会发展所需有机地统一起来，掌握专业知识、专业技能，具备相关能力，培养自己的专业素质。

2. 正确处理学业与职业的关系

在学习期间，大学生就应自觉地学好职业知识，培养职业技能，锻炼职业能力，以期在将来的从业竞争中立于不败之地。

3. 正确处理学业与事业的关系

大学生应将自己现在的学业、将来的职业和未来的事业联系起来，在学习的过程中，充分认识所学专业在国家建设和社会发展中的意义、作用和发展前景，立志献身其中，在工作中充分实现自己的人生价值。

4. 正确处理学业与就业的关系

学业与就业存在着密切的关系，学业决定了就业，就业是学业的导向。以就业为学业的导向，有利于大学生专业报考的选择、学业目标的调整、学习方式的改变、学习外延的拓展及综合素质的提高。同时，就业也构成了衡量学业成就的重要标志，想要有好的就业，必须具备强烈的事业心、广博精深的专业知识、较强的沟通协调能力、良好的心理素质、强健的体魄以及创新精神。这些都应当在完成大学学业过程中养成。

（四）大学生活从学业规划开始

大学学业规划就是大学生根据自身情况，结合现有的条件和制约因素，为自己确立整个大学期间的学业目标，并为实现学业目标而确定行动方向、行动时间和行动方案。对在校的大学生来说，只有及早设计自己的学业规划，明确自己的学业目标，提高素质、发挥优势，才有可能在将来激烈的竞争中把握住机会、获得成功。

1. 增强自我约束力和自我管理能力

没有学业规划，我们的时间、精力容易处于荒废和散乱之中，生活漫不经心，心态消极怠慢，很容易陷入与学业无关的琐事中，虚度大学美好光阴、浪费青春。而学业规划能让我们明白现在做的每一件事都是实现未来目标的一部分，从而重视现在、把握现在，集中时间、精力和资源，选定学业。

2. 增强生活与学习的主动性

一份有效的学业规划能够引导我们认识自身的个性特质、现有的和潜在的资源优势，对自己的综合优势与劣势进行对比分析，树立明确的学业发展目标与未来职业理想，评估个人目标与现状之间的距离，学会运用科学有效的方法，采取切实可行的步骤和措施，不断增强自己的学业竞争力，实现学业目标与职业理想。从大一开始，大学生就应该认清自己的学习发展方向，并在大学期间为自己的目标努力，而不是到快毕业了，才开始想自己究竟要做什么，要主动改变以往的被动局面，由“要我学”变为“我要学”。

3. 促使大学生积极向上和自我完善

学业规划是大学生努力的依据，也是对自己的鞭策手段。随着学业规划的每个具体目标的实现，大学生会越来越有成就感，其思维方式及心态会更积极向上。好的学业规划为大学生提供了完成学业的清晰图画，使其对学业的实现过程有清晰透彻的认识，进而更有信心、勇气，达到自我完善。

4. 有助于自我定位

大学生要不断地了解自己，发掘自己的优点，进而不断地调整与修正目标，找出自己感兴趣的领域，确定自己能做的工作即优势所在，明确切入社会的起点，最重要的是明确自我人生目标，即自我定位。学业规划确立的过程是一个有弹性的、动态的规划过程，是一个认识自身优势与劣势、机会与挑战的过程，是一个自我定位、规划人生的过程，更是明确“自己能做什么”“社会可以提供给我什么机会”“我选择做什么”的过程，进而使理想具有可操作性、为进入社会提供明确方向。

三、大学学业规划支撑职业生涯发展

大学学业规划对职业生涯发展有着重要的支撑作用。通过合理的学业规划，大学生可以为未来的职业生涯做好充分准备，提高自己的就业竞争力，更好地支撑职业生涯发展。

（一）明确职业目标

在制订学业规划时，大学生需要明确自己的职业目标，考虑自己感兴趣的领域、行业趋势、市场需求及长远的发展前景。通过深入了解自己想要从事的职业类型，大学生可以更有针对性地制订学业规划，确保学到的知识和技能与职业目标相匹配。

（二）选修相关课程

大学生应根据职业目标，选择与之相关的课程和培训项目，深入学习和掌握与目标职业相关的知识、技能，提升自己在该领域的专业素养。同时，通过参加实习、项目等方式积累实践经验，增强自己的实践能力。

（三）培养综合素质

除了专业技能外，综合素质也是职业生涯中不可或缺的一部分。在大学期间，大学生应积极参与各类社团活动、志愿服务等，培养团队合作、沟通协调、领导等方面的能力。这些软实力在未来的职业生涯中至关重要。

（四）做好时间管理

大学期间的时间管理对职业生涯发展至关重要。大学生应合理规划时间，平衡学业、实习、社团活动等各方面的时间投入，确保在有限的时间内最大化地提升自己的能力和经验。

（五）建立人际关系

大学是建立人际关系的好时机。大学生应多与同学、老师、行业内人士交流互动，建立良好的人际关系，可通过参加行业活动、校友聚会等方式拓展人际关系资源，为自己的职业生涯发展创造更多机会。

（六）持续学习与自我提升

职业生涯是持续学习和提升的过程。大学生应培养良好的学习习惯，促发自我驱动力，不断学习新知识、新技能，以适应不断变化的市场需求和职业环境。

（七）做好职业规划咨询

大学生应利用学校提供的职业规划咨询资源，与专业人士交流自己的职业规划和发展困惑。通过职业规划咨询，了解更多关于行业趋势、职业发展路径等方面的信息，为自己的学业规划提供更有针对性的指导。

大学学业规划是支撑职业生涯发展的关键因素之一。大学生通过明确职业目标、选修相关课程、培养综合素质、做好时间管理、建立人脉关系、持续学习与自我提升以及做好职业规划咨询等方面的努力，可以为自己未来的职业生涯打下坚实的基础。

知识小结

课外任务

制订三年的大学学业规划

实施时间		学业规划		能力养成规划		实践能力规划	
		目标	方案	目标	方案	目标	方案
第一年	秋季						
	春季						
第二年	秋季						
	春季						
第三年	秋季						
	春季						

课外阅读一

千里之行，始于足下

面临毕业或初入社会，有时我们都会有一点“着急”：要考到什么证、要达到什么学历、要找到什么工作、要拿到多少薪水……如同有一份必打卡的人生攻略，一步也不能错；否则，就不能达成人生的最优解。然而，人生不是一场划定范围的考试，更没有关于未来的标准答案，当迎面撞上真实的世界时，无数的机遇和挑战铺展在眼前，一旦看不清、选不定自己的前路，我们有时就会感到困惑和挫败。

其实未来不在远方，赶路人脚下就是未来。抓住了当下，就是抓住了未来。

未来是人一步步走出来的。一时还把握不了未来，却又急切地想看清未来，这往往成为许多学生“成长的烦恼”。实际上，从来都不存在人人适用的“成功模板”，偏离世俗所谓的“成功”标准也并非就不值得。一个人的成长过程总是在对各种可能性的尝试中，努力寻找着一个最适合自己的角色，并以此活出属于自己的精彩人生。千里之行，始于足下。应将目光聚焦在做好眼前、手边的事上，踏踏实实工作，积累经验，增长才干，积跬步终能至千里，视野不断拓展，未来之路越走越开阔。

一代人有一代人的使命，一代人有一代人的担当。我们看到有的年轻人专注在大国重器的攻关上奋力攀登，有的年轻人投身到农村的广阔天地里大有作为，有的年轻人逆行在抢险救灾的第一线奋不顾身，有的年轻人坚守在国境海疆的最前沿保卫祖国……行动是青年最有效的磨砺，从科技创新到乡村振兴，从绿色发展到社会服务，无数的年轻人已经在强国建设、民族复兴的历史进程中确立正确的人生目标，为一生的奋斗打下基础。

时代潮流滚滚向前，青春姿态一脉相承。任何时候年轻人总是最有生气、最有闯劲的，再多的困难都会化成成长的历练，再多的险阻都可能是开拓新局的契机。正如钢铁需要“淬火”才能获得更高的硬度和韧性，如果一个年轻人的成长必然要经历“苦其心志，劳其筋骨，饿其体肤，空乏其身”，那也是因为“天将降大任于斯人也”。不要让任何人告诉你理想不可能实现，你要做的就是用自己的行动去创造自己的未来。青年犹如大地上茁壮成长的小树，总有一天会长成参天大树，撑起一片天。青年又如初升的朝阳，不断积聚着能量，总有一刻会把光和热洒满大地。

资料来源 张璁：《千里之行始于足下》，《人民日报》，2023 年 10 月 29 日第 6 版。(选入本书时有改动)

课外阅读二

职业生涯成功的标准

在很多研究中，职业生涯成功被界定为个人在工作经历中逐渐积累和获得积极的心理感受及与工作相关的成就，并被分成客观职业生涯成功和主观职业生涯成功。客观职业生涯成功是指个体在职业生涯中获得的，能由公正的第三方可观察、可衡量、可证实的成果。主观职业生涯成功是指个体从他认为重要的维度对自己职业生涯内的理解和评估。

一、客观标准

职业生涯成功的客观标准，从本质上讲，主要集中在社会认可的“较高的薪金和职位”上，其他指标可以随“薪金和职位”的获得而拥有。毋庸置疑，以可感知和证实的“薪金和职位”作为客观成功的标准，可以使人们对职业生涯成功的评价具有可操作的评价依据，同时也有助于人们明确职业追求的目标。

但如果个体片面地追求客观成功，就可能导致其职业价值观的扭曲及其他一系列不良后果。另外，客观成功标准的局限性还在于，它忽视了职业生涯成功因个体、民族、社会和时代而具有的差异性，忽视了其评价标准所应具有的多元性和层次性。

二、主观标准

个体在强调客观成功标准的同时，不能忽视主观成功的标准。事实上，很多人在获得客观成功时，主观心理上却伴有失败感，因为“薪金和职位”并不能满足人的全部需求。

在大多时候，主观职业生涯成功可操作化的指标是指“工作或职业满意度”。成功不仅是一个社会的客观问题，也是一个人的主观问题。有些被社会认可的成功经理人其实对自己的职业生涯并不满意，甚至从主观职业生涯成功的标准来看，他们常常认为自己是失败的。因此，对于衡量职业生涯成功的标准，我们应当引入个人的自我实现和工作意义的成分，具体包含自我认同、工作满意和精神满足等主观成功的评价指标。职业生涯成功主观标准的提出，弥补了以客观标准片面地衡量职业生涯成功的某些不足。尽管如此，主观成功标准也有其自身的局限性，主观上的工作满意和精神满足只是一种个人化的心理感受，“工作或职业满意度”并不能真正反映主观成功的本质内涵。

客观职业生涯成功与主观职业生涯成功是职业生涯成功的两个方面，只考察客观成功或只考察主观成功都是片面的，大学生应从主观与客观统一的角度去评价职业生涯是否成功，兼顾主观、客观两方面，两者缺一不可。

项目二
自我探索

学习目标

知识目标

理解职业兴趣、职业性格、职业能力和职业价值观的相关知识，并掌握自我测评的相关步骤。

能力目标

运用相关知识对自己的职业兴趣倾向、职业性格、职业能力和职业价值观进行测评和认知；能结合自己的实际情况和未来发展规划进行科学合理的分析。

素质目标

树立职业生涯规划自我认知意识。

任务一　兴趣与职业兴趣

在人生的道路上，我们总会面临许多选择，其中最重要的莫过于职业选择。选择一份符合自己兴趣和潜能的职业，不仅能让工作变得充满乐趣，还能帮助我们实现个人价值和人生目标。因此，进行职业兴趣探索显得尤为重要。

案例导入

××学院毕业生案例：从音乐到市场营销的转变

小李是音乐专业的学生，他对音乐充满热情，并希望将来能够在音乐领域发展自己的事业。然而，随着时间的推移，他逐渐意识到音乐行业的竞争激烈，并且收入不稳定。因此，他开始考虑探索其他职业方向，以实现自己的职业发展。

第一，了解自己的兴趣和优势。小李意识到，要想成功地探索其他职业方向，先需要了解自己的兴趣和优势。他回顾了自己的学习和工作经验，发现自己在音乐方面拥有出色的表演技巧和创作能力，同时在学习过程中也展现出了良好的组织和沟通能力。

第二，研究潜在职业方向。基于自己的兴趣和优势，小李开始研究与音乐相关的职业方向。他发现市场营销是一个与音乐密切相关的领域，并且拥有良好的职业前景。他进一步了解市场营销的职业特点、工作内容和发展前景，认为这个领域与自己的兴趣和能力相符合。

第三，寻找相关实习机会。为了更好地了解市场营销领域的情况，小李开始寻找相关实习机会。他通过招聘网站和社交媒体平台搜索市场营销实习生职位，并积极投递简历。最终，他成功获得了一家音乐公司的市场营销实习生职位。

第四，实践和学习。在实习期间，小李努力学习和实践市场营销的知识和技能。他主动向同事请教，参加了公司内部培训和行业会议，不断提升自己的专业能力。通过实践，他逐渐掌握了市场营销的技巧和方法，并对这个领域有了更深入的了解。

第五，规划未来职业发展。经过一段时间的实习，小李更加坚定了自己向市场营销方向发展的决心。他计划进一步学习市场营销相关的知识和技能，并争取更多的实践机会。未来，他希望能够成为一名专业的市场营销经理，为音乐行业和其他领域提供优质的市场营销服务。

思考与讨论

你的兴趣是什么？你未来会从事与兴趣相关的职业吗？

____

____

____

知识学习

一、兴趣概述

（一）兴趣的含义

兴趣是指人们对于某事物或活动的喜好和倾向性，它可以驱使人们主动地、积极地探索和参与相关活动。兴趣能够激发人们的内在动力，促使人们持续投入时间和精力，追求更高层次的需求和满足。人的兴趣是在需要的基础之上、在活动之中发展起来的，而且它还是推动人们去寻求知识和从事活动的巨大的内在动力。一个人在从事自己感兴趣的活动时，注意力会更加集中，思维会更加活跃，行为会更为持久稳定，更能产生愉快的心理状态。

按照兴趣的不同，我们可以将其分为表现在对衣食住行、生活环境与条件的追求之上的物质兴趣，以及表现在对学习、研究等认识活动的追求之上的精神兴趣。按照兴趣所指向的目标不同，它又可以分为对活动过程表现出来的直接兴趣和对活动结果表现出来的间接兴趣。由于个体之间存在差异，个人的兴趣也表现出很大的不同。这不仅有内容上的区别，也有范围和持久性上的明显差异。

人的兴趣在广度、深度、稳定性和效能方面所表现出的不同特点称为兴趣的品质，具体如下。

（1）兴趣的广阔性。兴趣的广阔性是就兴趣范围大小而言的，有的人样样都乐于探求，有的人兴趣比较单一。

（2）兴趣的中心性。兴趣的中心性是指兴趣的深度。人不可能对所有的事物都抱有浓厚的兴趣，只能是对某些方面特别感兴趣。因此，只有广泛的兴趣与中心兴趣相结合，才能促使人更好地发展；否则，什么都知道，又什么也不深入，浅尝辄止，博而不专，这样的人很难有大的发展。

（3）兴趣的稳定性。兴趣的稳定性是指兴趣的持久性与稳固程度。人与人之间的差异很大，有的人能长期地对他们从事的工作或研究的问题保持浓厚的兴趣，无论在工作中遇到什么困难都能克服，因此，在事业上较易取得成功。

（4）兴趣的效能性。兴趣的效能性是指兴趣对活动产生的效果大小。凡是能促使人积极主动地学习和工作并产生明显效果的兴趣，都是积极的、有效能的。

（二）兴趣的形成过程

根据发展程度的不同，可以把兴趣的形成过程划分为三个阶段：有趣、乐趣和志趣。有趣是兴趣形成的第一个阶段，处于这一阶段的兴趣，与对事物的新奇感密切联系，非常不稳定，往往新奇感消失了，兴趣也就没有了。乐趣是兴趣发展的第二个阶段，在这个阶段，人对兴趣会更加专一、深入。当乐趣与社会责任感、理想奋斗目标结合起来时，兴趣就进入了第三个发展阶段——志趣。志趣是个体取得成就的根本动力，是成功的重要保证。

二、职业兴趣

（一）职业兴趣的含义

职业兴趣是指个人对特定职业的喜好和倾向性，是选择职业的重要参考因素之一。职业兴趣能够影响一个人的工作满意度、职业稳定性和职业成就。

（二）职业兴趣培养的方法

1. 从注重间接兴趣培养开始

人在最初接触某种职业时，往往对职业本身缺乏强烈的兴趣，必须从间接兴趣着手培养职业兴趣。可以通过了解职业在社会活动中的意义、对人类活动的贡献等激发兴趣，也可以通过了解某项职业的发展机会激发兴趣，还可以通过实践逐步提高间接兴趣。

2. 从社会实践活动中培养

人只有通过实践活动才能认识社会，了解社会职业。实践活动不能仅限于参观访问等“走马观花”的形式，要注重参与性。要参加职业活动的全过程，了解该职业活动中人与人之间的关系、人与物之间的关系以及职业对社会产生的影响等。

3. 从提升从业者的能力角度来培养

对某项职业有浓厚的兴趣是成功的前提，但事业要取得成功也必须具备该职业所要求的能力。因此，我们在培养职业兴趣的同时，也要客观认识到从业者需要具备的能力，在此基础上形成的职业兴趣才是长久的。

4. 从自己广泛的兴趣中寻找职业兴趣

具有广泛职业兴趣的人，不但对自己职业领域内的事物有浓厚的兴趣，而且对其他方面也有一定的兴趣。这种人眼界比较开阔，解决问题时可以从多方面得到启发，在职业选择、变动上有较大的余地。兴趣范围狭窄、涉足面小的人，对新事物的适应性要差些，在职业选择上所受的限制也多些。

5. 聚焦中心兴趣

人的兴趣应广泛，还要有一定的集中爱好。既广且精，才能学有所长，获得深邃的知识。如果只具有广泛性而无中心职业兴趣，人往往会知识肤浅，没有确定的职业方向，心猿意马，这样难以有所成就。因此，还应注重培养自己在某一方面的职业兴趣，促进自己的发展和成才。

6. 保持稳定的职业兴趣

要在某一方面有持久稳定的兴趣，不要朝三暮四、见异思迁；需持续投入更多的热情和精力，深入钻研相关内容，才会有所发展和成就。

7. 培养与现实吻合的职业兴趣

兴趣的培养要充分考虑外界的客观现实条件；否则，过分曲高必然和寡，只能是画地为牢、自缚身手。

三、霍兰德职业兴趣理论

（一）霍兰德职业兴趣理论概述

霍兰德职业兴趣理论是由美国心理学家约翰·霍兰德（John Holland）提出的。他在研究中发现，职业选择是个人人格的延伸和表现，人格特质反映在职业上就是职业兴趣，不同的人具有不同的职业兴趣和能力，不同职业兴趣和能力的人适合从事不同的职业。霍兰德认为，大多数人的人格特质可以归纳为六种类型：现实型（realistic）、研究型（investigative）、艺术型（artistic）、社会型（social）、企业型（enterprising）、常规型（conventional）。同一类型的职业通常会吸引相同人格特质的人，从而产生特定的职业氛围、价值观念、态度倾向、行为模式。工作环境也可以分为六种类型，与人格类型的分类一致。他认为，个人人格类型和职业环境之间的适配将增加个人的工作满意度、职业稳定性和职业成就感。

霍兰德的职业兴趣理论建立在以下三个假设之上：一是人可以分为六大类型，即现实型（R）、研究型（I）、艺术型（A）、社会型（S）、企业型（E）和常规型（C）；二是职业环境可以分为相对应的同名称的六大类型；三是人格与职业环境的匹配是形成职业满意度和成就感的基础。

霍兰德职业兴趣类型对比的描述如表 2-1 所示。

表 2-1　霍兰德职业兴趣类型对比

类　型	兴趣特点	具体表现	职业环境	典型职业
现实型（R）	用手、工具、机器制造或修理东西。愿意从事实物性的工作、体力活动，喜欢户外活动或操作机器，而不喜欢在办公室工作	追求具体、实际的事物，诚实、有常识	使用手工或机械技能对物体、工具、机器、动物等进行操作，与“事物”工作的能力比与“人”打交道的能力更有优势	园艺师、木匠、汽车修理工、工程师、军官、外科医生、足球裁判员

表 2-1（续）

类　型	兴趣特点	具体表现	职业环境	典型职业
研究型（I）	喜欢探索和理解事物，学习研究那些需要分析、思考的抽象问题，喜欢阅读和讨论有关科学性的论题，喜欢独立工作，对未知问题的挑战充满兴趣	对知识、学习、成就、独立的追求	分析研究问题，运用复杂和抽象的思考创造性地解决问题的能力，谨慎缜密，能运用智慧独立地工作，具备一定的写作能力	实验室工作人员、生物学家、化学家、心理学家、工程设计师、大学教师
艺术型（A）	喜欢自我表达，喜欢文学、音乐、绘画和表演等具有创造性、变化性的工作，重视作品的原创性和创意性	有创意的想法，自我表达自由	创造力，对情感的表现能力，用非传统的方式来表现自己；相当自由、开放	作家、编辑、音乐家、摄影师、厨师、漫画家、导演、室内装潢师、设计师
社会型（S）	喜欢与人合作，热情，关心他人的幸福，愿意帮助别人成长或解决困难，为他人提供服务	服务社会与他人，公正、理解、平等、理想	人际交往能力，教导、医治、帮助他人等方面的技能，对他人表现出精神上的关爱，愿意担负社会责任	教师、社会工作者、牧师、心理咨询师、护士
企业型（E）	喜欢领导和支配别人，通过领导、劝说他人或推销自己的观念、产品而达到个人或组织的目标，希望成就一番事业	经济和社会地位上的成功，忠诚、冒险精神、责任	说服他人或支配他人的能力，敢于承担风险，目标导向	律师、政治运动领袖、营销商、市场部经理、电视制片人、保险代理
常规型（C）	喜欢固定的、有秩序的工作或活动，希望确切地知道工作的要求和标准，愿意在一个大的机构中处于从属地位，对文字、数据和事物进行细致有序的系统处理，以达到特定的标准	准确、节俭、有条理	文书技巧，组织能力，听取并遵从指示的能力，能够按时完成工作并达到严格的标准，有组织、有计划	文字编辑、会计师、银行家、办事员、税务员和计算机操作员

（二）霍兰德六种人格类型的内在联系

霍兰德划分的这六种人格类型并不是并列的，也没有明晰的边界。他以六边形表示出六种人格类型的关系，同时他也提出了这些类型之间存在特定的内在联系，主要分为相邻关系、相隔关系和相对关系，如图 2-1 所示。

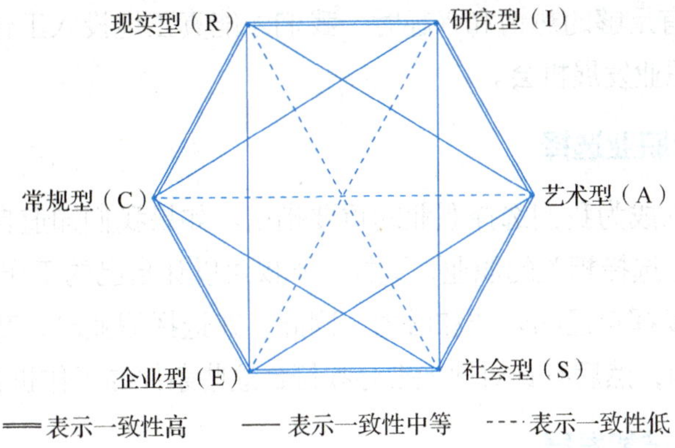

图 2-1 霍兰德的六种人格类型模型

相邻关系：如 RI、IR、IA、AI、AS、SA、SE、ES、EC、CE、RC 和 CR，这些类型的个体之间共同点较多，如现实型 R 和研究型 I 的人都不太偏好人际交往，这两种职业环境中与人接触的机会也都较少。

相隔关系：如 RA、RE、IC、IS、AR、AE、SI、SC、EA、ER、CI 和 CS，属于这种关系的两种类型的个体之间共同点较相邻关系少。

相对关系：在六边形上处于对角位置的类型之间即为相对关系，如 RS、IE、AC、SR、EI 及 CA。相对关系的人格类型共同点少，因此，一个人同时对处于相对关系的两种职业环境都感到兴趣很浓的情况较为少见。人们通常倾向选择与自我兴趣类型相匹配的职业环境，如具有现实型兴趣的人希望在现实型的职业环境中工作，可以更好地发挥个人的潜能。

霍兰德的职业兴趣理论强调个人的人格与工作环境之间的适配和对应，是职业满意度、职业稳定性与职业成就的基础。通过职业测试，可以发现个人在六种人格类型中得分较高的类型，从而找到适合自己的职业领域。

四、兴趣与职业发展的关系

（一）兴趣激发动力

兴趣是我们做某件事情的原始动力。当我们对某件事情有浓厚的兴趣时，我们就会有很强的内驱力，即使薪水不高，我们也会愿意去做。相反，如果我们没有兴趣，再高的薪水也无法激发我们去做这件事。在职业发展中，这种动力是非常重要的。当我们对自己的工作有浓厚的兴趣时，我们就会愿意去做更多的工作，不计较薪水的高低，这将对我们的职业发展产生积极的影响，正所谓“知之者不如好之者，好之者不如乐之者”。

（二）兴趣提高投入度

当我们对某件事情有浓厚的兴趣时，我们会更加专注和投入。我们会更加认真地思考和探索，并花费更多的时间和精力去完成它。在职场中，这种投入度是非常重要的。

只有当我们对工作有足够的热情和兴趣时，我们才能真正地投入工作，提高工作效率和质量，获得更好的职业发展机会。

（三）兴趣指引职业选择

我们的兴趣可以成为我们选择职业的重要指引。如果我们知道自己对什么事情感兴趣，那么我们就可以选择相关的职业，这样，不仅可以让自己的工作更加有意义和有趣，同时也可以更好地发挥自己的才能和潜力。因此，在选择职业时，我们会先考虑自己的兴趣和职业发展方向，然后有针对性地去寻找符合这些条件的工作机会。

（四）兴趣助力技能发展

当我们对某件事情有浓厚的兴趣时，我们会更加愿意学习和掌握相关的技能，不断提高自己的能力和水平。在职场中，这种技能是非常重要的。我们只有具备足够的技能，才能在职场中立足并获得更好的发展机会。因此，我们要利用自己的兴趣去学习和掌握相关的技能，不断提高自己的职业竞争力。

（五）兴趣增强工作满足感

当我们对工作有浓厚的兴趣时，我们会更加满足和幸福。我们会觉得自己的工作是有意义的，能够给自己带来成就感和自豪感。这种满足感可以激发我们的内在动力，让我们更加努力地工作，从而获得更好的职业发展机会。因此，我们应尽量让自己的工作与自己的兴趣相关，增强自己的工作满足感。

（六）兴趣增强创新能力

当我们对某件事情有浓厚的兴趣时，我们会更加愿意尝试新的方法和思路。我们会不断地探索和创新，寻找更好的解决方案。在职场中，这种创新能力是非常重要的。我们只有具备足够的创新能力，才能在职场中脱颖而出，并获得更好的发展机会。因此，我们要利用自己的兴趣去培养自己的创新能力，不断探索新的思路和方法，为职场发展打下坚实的基础。

知识小结

任务二 职业性格探索

案例导入

《西游记》中的人物性格

《西游记》是我国四大古典名著之一，以丰富的想象和深刻的社会寓意，深受人们的喜爱。它向人们展示了一个绚丽多彩的神魔世界，但又处处可见现实社会的投影。作品塑造的唐僧师徒四人具有鲜明的人物形象及个性特征，如果我们把眼光从神话转向现实，从西游团队的师徒四人中，不难发现各种鲜明的职场性格元素。通过这个故事，我们可以一窥各种职场性格的优势和劣势，以及如何在职场中取得成功。

严格执着的唐僧

小说中作者对唐僧坚韧不拔、执着追求的性格进行了细致的刻画，使其成为许多人学习的楷模。作为僧侣，他乐善好施，为民除害，为人们播撒着善良的种子；作为求学者，他拥有令人们赞叹不已的顽强意志和执着追求的精神；作为师父，他对徒弟要求很严，经常教导徒儿要以慈悲为怀。大徒弟尽管机智不凡、本领高强，但在连伤“良家”三人性命后，师父也不再顾及情面，而是将他逐回老家。他不仅对徒弟要求严格，也不允许自己懈怠。他目标坚定、意志坚强，始终坚守自己的信仰和目标，即使面临巨大的困难和诱惑，也从未动摇过取经的决心，矢志不渝的坚强信念使他终于修成正果。

在职场中，唐僧这样的人通常是决策的核心，他们不仅有强大的内心，更有实现目标的执着。他们能够凝聚团队的力量，推动团队向着共同的目标前进。

顽皮机智的孙悟空

孙悟空天资聪敏，思想跟行动都敏捷如风，学得一身高强的法术，吹一口气就能够七十二变，有法宝金箍棒，并且筋斗云一驾就能够上天入地。孙悟空仍有猴性，他精明顽皮，爱捉弄人。他故意叫猪八戒去巡山探路，自己则变作小虫，暗中监视爱偷懒的八戒，可见他心思细密和本性顽皮。孙悟空天不怕地不怕，所以他敢一闹东海龙宫，二闹阎王殿，三闹天宫，并且还和佛祖打赌，由此可见他叛逆、不愿受拘束、不墨守成规的个性特色。充沛的生命力、大无畏的精神、笃实的性格和乐观的个性，使他不怕吃苦，勇于面对挑战。他的这种冒险犯难的精神充分显现了英雄的特质，但是争强好胜、心高气傲和性急如火是他的弱点。

孙悟空是西游团队中的技术骨干和创新者。他能力出众，机智过人，常常在关键时刻发挥决定性的作用。然而，他也有桀骜不驯、喜欢挑战权威的个性。在职场中，这类人通常是团队中的明星员工，他们能够打破常规，提出新的解决方案。但同时，他们也需要在保持创新的同时，学会控制自己的情绪和态度，尊重和维护团队的秩序，以及更好地与他人合作，这样才能取得成功。

功利憨厚的猪八戒

猪八戒给人一种好吃懒做、自私自利、损人利己、见利忘义的感觉。但在随师父西去取经的曲折道路上，他虽然没有孙悟空神通广大，却也立下了不少战功。他在“智取芭蕉扇”“四探无底洞”“大战盘丝洞”中，是孙悟空斗魔降妖的好帮手。猪八戒是作者笔下的一个戏剧性的人物，虽然有许多缺点，但我们一点儿也不觉得他丑陋。相反，在他的这些缺点背后，透露出来的憨厚、老实、富有人情味的一面，给我们留下了深刻的印象。

在职场中，猪八戒代表了那些乐观、随和的员工。他们或许不是最出色的，但却是团队中不可或缺的润滑剂。他们擅长协调人际关系，使团队氛围更加和谐。然而，猪八戒有时也表现出懒散和缺乏决心的特点，这在职场中可能会影响到团队的效率和凝聚力。

忠心耿耿的沙僧

沙僧是唐僧取经途中的一个忠诚卫士，也是让师父操心最少的一个徒儿，千里肩挑重担，没有半句怨言。师兄闹矛盾时，他从中调停和解；师父遇难时，他挺身而出，以死相救。沙僧尽管平时少言寡语，但在保护师父的战斗中冲锋陷阵、英勇无比。沙僧忠心耿耿、任劳任怨的态度值得我们学习和借鉴。

在职场中，沙僧则是那种踏实肯干、任劳任怨的人。他们往往是团队中的执行者，默默无闻地承担着大量的基础工作，不求回报。他们忠诚可靠，但相对缺乏创新和突破的能力。沙僧在职场中的成功，关键在于他能够坚持不懈地努力工作，但同时他也要学会在工作中发挥自己的特长，不断提高自己的能力。

从《西游记》的人物特征看职场性格，我们可以发现：唐僧师徒四人各有自己的角色和价值，每个人的性格也各有优势与劣势。在职场中，我们应该学会认识和理解自己与他人的性格特点，发挥优势，弥补不足，找到最适合自己的岗位、角色，才能成就最好的自我。

思考与讨论

结合案例，请说一说《西游记》中唐僧、孙悟空、猪八戒、沙僧都有哪些鲜明的性格特征，并分析和阐述这些性格特征对其职业决策和职业生涯有哪些重要影响和作用。

____

____

____

知识学习

“性格决定命运，选择改变人生”。选择的职业究竟是否合适，判定的尺度有很多，但最基本的原则是是否适合自己的性格。

一、性格的含义

性格是指个人对客观现实稳定的态度和与之相适应的习惯化的行为方式。它是一种个体内部的行为倾向，具有整体性、结构性、持久稳定性等特点，是个人特有的，可以对个人外显的行为和态度提供统一的、内在的解释。例如，有的人总是热情周到，有的人总是沉默寡言。性格的形成是一个长期的、复杂的过程，不仅受遗传因素的影响，也是一个人生活环境和生活经历的反映。

二、性格形成的影响因素

性格的形成、变化与人的遗传、环境等因素有着密切的关系。

遗传因素通过什么途径来影响人的性格呢？这是一个非常复杂且争议颇大的问题。一般理论倾向认为，遗传因素通过气质和智力影响人的性格。例如，同样是助人为乐的性格特征，多血质的人在帮助人时动作敏捷、热情溢于言表；而黏液质的人则沉着、冷静，情感蕴含在心。气质为人的高级神经活动类型所决定，影响性格的形成和发展速度。

不同气质类型的人在性格形成时是具有倾向性的。例如，多血质的人容易形成热情好客、机智开朗的性格特征，而黏液质的人则难以形成这种性格。性格也反映一个人的气质，性格内向的人往往总体表现出黏液质或抑郁质气质，而性格外向的人往往表现出多血质或胆汁质的气质。

气质更多地体现了人格的生物属性，性格则更多地体现了人格的社会属性。气质没有好坏之分，不决定一个人成就的高低，任何气质类型的人都可能成为优秀的人，也可能成为碌碌无为的人；而性格受社会历史文化的影响，有明显的社会道德评价的意义，直接反映一个人的道德风貌。个体之间的人格差异的核心是性格差异。

遗传因素对智力的影响早已被科学家研究证明。无论儿童是由亲生父母抚养还是被收养或由寄养家庭抚养，他们与亲生父母之间在智商上总有显著的相关性。美国遗传学家詹森把此归因于遗传对智力的影响。进而言之，智力和性格都受高级神经活动的特性与类型的影响，而智力对人的性格的形成有一定的作用。这种作用会在人的发展过程中显示出来。人们运用自己的聪明才智，掌握相应的知识和技能，冷静地审时度势，使自己的行为符合客观规律，这样就会促使自己勇于克服困难，在艰难险阻中表现出自觉、大胆、果断和坚毅等良好的性格特征。因此，大凡政治家、发明家、作家、艺术家，虽然从事不同的职业，但他们都兼有高度发达的智力、创造力和优良的性格特征。

此外，环境也是性格发展形成的一个决定性因素。环境的作用主要是通过家庭、学校、社会活动圈子及工作实践来发生效应的。

性格的成熟是相对的，绝对的成熟是不存在的。环境的变化也可能引起性格的变化。但是，除非较大刺激（如失恋、对自己重要的人发生意外、重大失败或挫折等），一个人的性格一旦形成，就基本稳定了。

三、自我职业性格分析

自我职业性格分析是指大学生根据自己的专业、兴趣、爱好、特长、性格、思维方式、综合素质、价值观、情商、潜在能力等要素，并结合外在整体就业环境和就业趋势进行的对未来职业的分析。

可以通过回答以下问题，对自我职业性格进行系统、全面、实事求是的分析。

第一，我喜欢做什么，主要包括自己的兴趣、爱好、特长、性格、职业价值观等。

第二，我能够做什么，主要是指根据自己所掌握的专业知识、专业技能和工作经验，以及个人优势、综合素质、潜能等，考虑自己的优势与强项。经验告诉我们，心若改变，态度跟着改变；态度改变，习惯跟着改变；习惯改变，性格跟着改变；性格改变，人生跟着改变。

第三，环境支持或允许我做什么，主要指社会环境和就业形势能够给自己提供的机会和条件。

第四，我应该做什么，主要通过对就业环境，以及个人义务、兴趣、爱好、能力等的分析，明白自己应该做什么。

第五，我做什么，这是自我分析最重要的一步，也是职业人生最关键的一步，是最终实现职业目标的初步规划，也是职业生涯的初步定位。

通过自我职业性格分析，明确自己能做什么、不能做什么、应该做什么，以实现人职匹配或人岗匹配。

四、MBTI 人格理论

（一）理论背景

MBTI 人格理论建立在著名心理学家卡尔·荣格（Carl Jung）个性类型学说基础之上。卡尔·荣格在 1913 年提出了个性态度类型：内倾（也称内向）和外倾（也称外向）。1921 年，他在《心理类型学》一书中提出了四种功能类型，即理性功能的相互对立的两种类型——思维功能与情感功能，非理性功能的相互对立的两种类型——感觉功能和直觉功能。1942 年，美国心理学家伊莎贝尔·迈尔斯（Isabel Myers）和她的母亲凯恩琳·布莱格斯（Katherine Briggs）在此基础上，又增加了判断和知觉两种类型，提出了更加完善的性格类型。这样就有了 4 个维度、8 种行为风格、16 种性格类型，从而形成了人格测量工具 MBTI。

这个理论可以帮助解释为什么不同的人对不同的事物感兴趣、擅长不同的工作，并且有时不能互相理解等问题。在世界 500 强企业中，有 80% 的企业有 MBTI 的应用经验。

（二）MBTI 的四维八级

1. 能量指向方式

根据能量指向方式不同，MBTI 将人分为外向型和内向型。外向型的人注意力和能量主要指向外部世界的人和事，从与人交往和行动中得到活力。内向型的人注意力和能量集中于自己的内心世界，从对思想、回忆和情感的反思中得到活力。如图 2–2 所示。

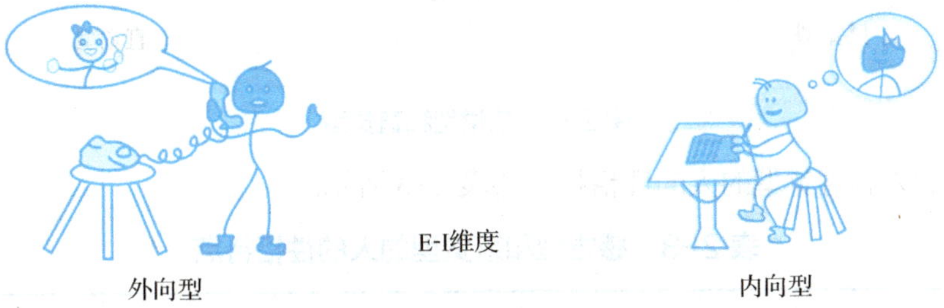

图 2–2　外向型和内向型

外向型的人和内向型的人的性格特点如表 2–2 所示。

表 2–2　外向型和内向型的人的性格特点

外向型的人	内向型的人
关注外部环境	关注自己的内心世界
喜欢人多的场合	喜欢独自消磨时间
朋友圈比较大	朋友不多，但比较固定
用实际操作或讨论的方式能学得最好	用思考、在头脑中练习的方式学得最好

表 2-2（续）

外向型的人	内向型的人
兴趣广泛（关注问题的广度）	兴趣专注（关注问题的深度）
自由地表达情绪和想法	情绪和想法不轻易流露
先行动后思考	先思考后行动
在工作和人际关系中都积极主动	当情景或事件对他们具有重要意义时会采取主动

2. 信息的获取方式

根据信息的获取方式不同，MBTI 将人分为感觉型和直觉型。感觉型的人用自己的五官来获取信息；喜欢收集实实在在的、确实已出现的信息；对于周围所发生的事件观察细微，特别关注现实。直觉型的人通过想象、无意识等超越感觉的方式来获取信息；喜欢看事件的全貌，关注事实之间的关联；想要抓住事件的模式，特别善于看到新的可能性。如图 2-3 所示。

图 2-3　感觉型和直觉型

感觉型的人和直觉型的人的性格特点如表 2-3 所示。

表 2-3　感觉型和直觉型的人的性格特点

感觉型的人	直觉型的人
着眼于当前的实际情况	着眼于未来的可能性
基于事实、经验	基于想象、灵感
关注真实的、实际存在的事情	关注事物背后的意义
注意力敏锐，并能记住细节	当细节与某一模式相关时才能够记起
经过仔细周详的推理，一步步得出结论	靠直觉很快得出结论
相信自己的经验	相信自己的灵感
喜欢从事实际性的工作	喜欢从事创造性的工作

3. 做决策的方式

根据做决策的方式不同，MBTI 将人分为思考型和情感型。思考型的人注重进行客观的逻辑推理，注重因果关系并寻求事实的客观尺度，较少受个人情感的影响。情感型的人注重主观的情感和价值，期望自己的情感与他人保持一致，做决定的基石是何者对他们自己和他人是最重要的，其理性判断的依据是个人的价值观。如图 2–4 所示。

图 2–4　思考型和情感型

思考型的人和情感型的人的性格特点如表 2–4 所示。

表 2–4　思考型和情感型的人的性格特点

思考型的人	情感型的人
行为冷静、公事公办	行为温和、主观、仁慈
关注事情的客观公平	关注个人感受与价值观
言语比较平实、生硬	言语比较友善、注意委婉
理智、冷酷、坚定、自信	犹豫、情绪化、善解人意
遵照客观逻辑推理	倾向主观想法与道德评判
人际关系不敏感	注重社交细节
法不容恕	情有可原
公平意味着每个人都能得到平等的对待	公平意味着每个人都被作为独立的个体来对待

4. 日常的行动方式

根据日常的行动方式不同，MBTI 将人分为判断型和知觉型。判断型的人属于随时对任务完成的程度做出判断的人，喜欢将事情管理得井井有条，过一种有计划的、井然有序的生活；做事目的性比较强，追求果断、有条理的生活方式。知觉型的人偏好知觉经验，喜欢以一种灵活的、自发的方式生活，更愿意去体验和理解生活，而不是去控制；详细的计划或最后的决定会使他们感到被束缚。如图 2–5 所示。

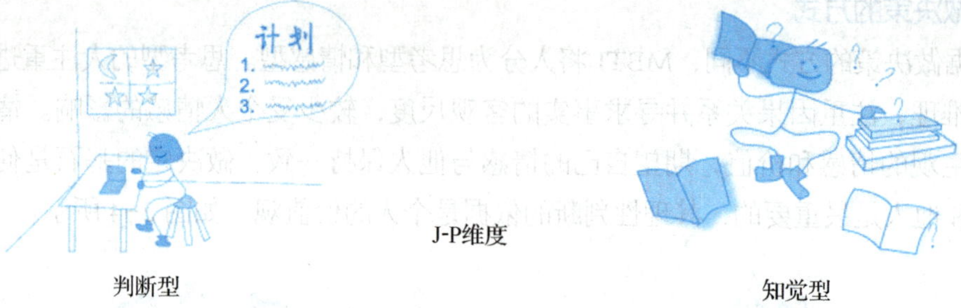

图 2–5　判断型和知觉型

判断型的人和知觉型的人的性格特点如表 2–5 所示。

表 2–5　判断型和知觉型的人的性格特点

判断型的人	知觉型的人
按部就班，随时控制	随遇而安，不断体验
明确规则和结构	确定基本方向
条理清楚，计划明确	不太喜欢明确的计划，保持弹性
遵守制度、规则与组织	常常感觉到被束缚
看重工作结果	看重工作过程
喜欢确立目标，并努力去实现	经常改变目标，偏好于新的体验
外表整洁，环境干净	着装以舒服为标准，不太在意环境
尽量避免“燃眉之急”的压力	一般从最后关头的压力中得到动力

（三）职业性格类型

MBTI 将 4 个维度两两组合，便得到了 16 种职业性格，其特点及适合的职业领域如表 2–6 所示。

表 2–6　MBTI 各种性格类型的表现和职业匹配

性格类型	性格表现	适合职业
ISTJ 检查员型	安静、严肃，通过全面性和可靠性获得成功；实际，有责任感；做决定时有逻辑性，并一步步地朝着目标前进，不易分心；喜欢将工作、家庭和生活都安排得井井有条；重视传统和忠诚	首席信息系统执行官、天文学家、数据库管理人员、会计、房地产经纪人、侦探、行政管理人员、信用分析人员

表 2-6（续）

性格类型	性格表现	适合职业
ISFJ 照顾者型	安静、友好，有责任感和良知；坚定地致力于履行义务；全面、勤勉、精确，忠诚、体贴，留心和记得他们重视的人的小细节，关心他人的感受；努力把工作和家庭环境营造得有序而温馨	内科医生、营养师、图书／档案管理员、室内装潢设计师、客户服务专员、记账员、特殊教育教师、酒店管理人员
INFJ 博爱型	寻求思想、关系、物质等之间的意义和联系；希望了解什么能够激励人，对人有很强的洞察力；有责任心，坚持自己的价值观；对于怎样更好地服务大众有清晰的远景；对于目标的实现有计划且果断坚定	特殊教育教师、建筑设计师、培训经理／培训师、心理咨询师、职业策划咨询顾问、网站编辑、作家、仲裁人
INTJ 专家型	在实现自己的想法和达成自己的目标时，有创新的想法和非凡的动力；能很快洞察到外界事物间的规律并形成长期的远景计划；一旦决定做一件事就会开始规划并直到完成为止；多疑、独立，对于自己和他人的能力及表现的要求都非常高	首席财政执行官、知识产权律师、设计工程师、精神分析师、心脏病专家、媒体策划人员、网络管理员、建筑师
ISTP 冒险家型	灵活、忍耐力强，是个安静的观察者，只要有问题发生，就会马上行动，以找到实用的解决方法；分析事物运作的原理，能从大量的信息中很快地找到关键的症结所在；对于原因和结果感兴趣，用逻辑的方式处理问题，重视效率	信息服务业经理、计算机程序员、警官、软件开发员、律师助理、消防员、药剂师
ISFP 艺术家型	安静、友好、敏感、和善，享受当前；喜欢有自己的空间，喜欢按照自己的时间表工作；对于自己的价值观和自己觉得重要的人非常忠诚，有责任心；不喜欢争论和冲突，不会将自己的观念和价值观强加到别人身上	室内装潢设计师、按摩师、客户服务专员、服装设计师、厨师、护士、牙医、旅游管理人员
INFP 哲学家型	理想主义，对于自己的价值观和自己觉得重要的人非常忠诚；希望外部的生活与自己内心的价值观是统一的；好奇心重；寻求理解别人和帮助他们发掘潜能；适应力强、灵活，善于接受，除非是有悖于自己的价值观的	心理学家、人力资源管理人员、翻译工作者、大学教师（人文学科）、社会工作者、图书管理员、服装设计师、编辑、网站设计师
INTP 学者型	对于自己感兴趣的任何事物都寻求找到合理的解释；喜欢理论性的和抽象的事物，热衷于思考而非社交活动；安静、内向、灵活、适应力强；对于自己感兴趣的领域，有超凡的集中精力深度解决问题的能力；多疑，有时会有点挑剔，喜欢分析	软件设计师、风险投资家、仲裁人、金融分析师、大学教师（经济学）、音乐家、知识产权律师、网站设计师

表 2-6（续）

性格类型	性格表现	适合职业
ESTP 挑战者型	灵活、忍耐力强，实际，注重结果；觉得理论和抽象的解释非常无趣；喜欢积极地采取行动解决问题；注重当前，自然、不做作，享受和他人在一起的时刻；喜欢物质享受和时尚；认为学习新事物最有效的方式是通过亲身感受和练习	企业家、股票经纪人、保险经纪人、土木工程师、旅游管理人员、职业运动员 / 教练、电子游戏开发员、房产开发商
ESFP 表演者型	外向、友好、接受力强；热爱生活和物质上的享受；喜欢和别人一起将事情做成功；在工作中讲究常识和实用性，并使工作显得有趣；灵活、自然、不做作，对于新的任何事物都能很快地适应；认为学习新事物最有效的方式是与他人一起尝试	幼师、公关专员、职业策划咨询师、旅游管理者或导游、演员、促销员、海洋生物学家、销售人员
ENFP 公关型	热情洋溢、富有想象力；认为人生有很多的可能性；能很快地将事情和信息联系起来，并很自信地根据自己的判断解决问题；总是需要得到别人的认可，也总是准备着给予他人赏识和帮助；灵活、自然、不做作，有很强的即兴发挥的能力，言语流畅	广告客户管理人员、管理咨询顾问、演员、平面设计师、艺术指导、公司团队培训师、心理学家、人力资源管理人员
ENTP 智多星型	反应快、睿智，有激励别人的能力，警觉性强，直言不讳；在解决新的、具有挑战性的问题时，机智而有策略；善于找出理论上的可能性，再用战略的眼光分析；善于理解别人；不喜欢例行公事，很少会用相同的方法做相同的事情，倾向于一个接一个地发展新的爱好	企业家、投资家、广告创意总监、市场管理咨询顾问、文案专员、广播 / 电视主持人、演员、大学校长
ESTJ 管家型	实际、现实主义；果断，一旦下决心就会马上行动；善于将项目和人组织起来将事情完成，并尽可能用最有效率的方法得到结果；注重日常细节；有一套非常清晰的逻辑标准，会系统性地遵循，并希望他人同样遵循；在实施计划时强而有力	公司首席执行官、军官、预算分析师、药剂师、房地产经纪人、保险经纪人、教师（贸易 / 工商类）、物业管理人员
ESFJ 主人型	热心肠，有责任心，善于合作；希望周边的环境温馨而和谐，并为此果断地执行；喜欢和他人一起精确并及时地完成任务；事无巨细，保持忠诚；能体察到他人在日常生活中的所需，并竭尽全力提供帮助；希望自己和自己的所为能得到他人的认可和赏识	房地产经纪人、零售商、护士、理货员、采购员、按摩师、运动教练、饮食业管理人员、旅游管理人员

表 2-6（续）

性格类型	性格表现	适合职业
ENFJ 教导型	热情，为他人着想，有责任心；非常注重他人的感情、需求和动机；善于发现他人的潜能，并希望能帮助他们实现目标；能成为个人或群体成长和进步的催化剂；忠诚，对于赞扬和批评都会积极地回应；友善、擅长社交；在团体中能很好地帮助他人，并有鼓舞他人的领导能力	广告客户管理员、杂志编辑、公司培训师、电视制片人、市场专员、作家、社会工作者、人力资源管理人员
ENTJ 统帅型	坦诚、果断，有天生的领导能力；能很快看到组织的程序和政策中的不合理性与低效能性，能实施有效、全面的措施来解决问题；善于做长期的计划和目标的设定；见多识广、博览群书，喜欢拓宽自己的知识面，并将此分享给他人；在陈述自己的想法时非常强而有力	公司首席执行官、管理咨询顾问、政治家、房地产开发商、教育咨询顾问、投资顾问、法官

注：I 表示内向，E 表示外向，S 表示感觉，N 表示直觉，T 表示思考，F 表示情感，J 表示判断，P 表示知觉。

五、性格对职业的影响

一个人的性格特征不同，其行为习惯就不同，行为习惯的差异会决定职业的选择差异。性格类型与职业之间具有一定的相关性，不同性格类型适应不同的职业要求。同时，从事某种职业的特定人员，会按照职业要求不断巩固或调整原有的性格特征。

当不同性格的人选择了与之相匹配的职业或岗位时，才能更好、更快地发挥自己的独特性。例如，从事财会工作的人，应具有的性格是独立性强、具有怀疑精神、聪慧、富有才识，还需要具有敏感性和恒心；从事医护工作的人，应具有的性格是细心严谨、责任心极强、有爱心、有耐心；从事教育工作的人，应具有的性格是富有耐心和爱心，善于表达和沟通，有责任感和奉献精神。只有职业岗位选择与自己的性格相匹配，一个人的潜力才能源源不断地被挖掘。

性格类型并不能解释一切，人的性格会更加复杂。认识性格类型的目的是帮助你更了解自己，促进你和别人的关系。每个人都会在某种程度上运用某一种倾向，这代表我们的性格类型是我们所偏好的倾向。哪一种性格类型最符合你，是由你自己来做最后的判断的。性格类型没有对与错，在工作或人际关系上也没有更好或更坏的组合。每一种性格类型给每个人都能带来独特的优点。你可以用性格类型去理解和原谅自己，但不能以它作为任何事情的借口。

知识小结

任务三 能力与职业能力

案例导入

××学院毕业生案例：一名大学生的成长之路

小张是教育专业的学生，他对教育行业充满热情，希望成为一名优秀的教育工作者。他的目标职业是教师。在确定目标职业后，小张开始深入了解教师职业的要求。他了解到，作为一名教师，需要具备专业知识、教学技能、沟通能力、组织能力和良好的个人品质。

小张对自己的能力进行了评估，他发现自己已经具备了一定的专业知识和教学理论知识，但在教学实践和组织能力方面还有所欠缺。同时，他也意识到自己的沟通能力和人际交往能力对于成为一名优秀的教师至关重要。

根据自我评估的结果，小张确定了以下几个方面的能力需求：在教学实践能力方面，需要掌握教学技巧和方法，能够有效地传授知识，激发学生的学习兴趣和积极性；在组织能力方面，需要具备课堂管理和组织能力，能够合理安排教学计划和活动，确保教学的顺利进行；在沟通能力方面，需要加强自己的口头和书面表达能力，与学生、家长和其他教育工作者建立良好的沟通关系；在个人品质方面，需要具备耐心、细心、责任心和热爱教育事业等良好的个人品质，为学生树立榜样。

根据所需能力的要求，小张制订了一份提升计划。在教学实践方面，通过参加教育实习、观摩优秀教师的教学活动等方式，积累教学实践经验，提高自己的教学实践能力。在组织能力方面，通过参与学生组织或担任班级干部等方式，锻炼自己的组织和管理能力。在沟通能力方面，通过参加演讲比赛、担任学校活动的主持人等方式，提高自己的口头表达能力；通过写作训练、阅读教育心理学书籍等方式，提高自己的书面表达能力。在个人品质方面，通过参加志愿者活动、关注教育新闻和学术动态等方式，培养热爱教育事业的个人品质。

小张积极参与各种实践活动，如教育实习、支教活动等。他通过这些实践机会，锻炼自己的教学实践能力、组织能力和沟通能力。同时，他还主动参加学校举办的教学技能比赛和演讲比赛等，展示自己的才华和增强能力。此外，他还加入了学生组织并担任干部，培养自己的团队合作和领导能力。

在实践过程中，小张不断地接受来自老师、同学和实习指导老师的反馈意见，并根据反馈意见调整自己的学习计划和实践方向。例如，在教育实习中，指导老师指出他的课堂管理能力还有待提高，于是他加强了这方面的训练和实践。同时，他主动收集同学、老师对他教学实践的评价和建议，不断改进自己的教学方法和技巧。通过不断反馈和调整，小张的职业能力得到了全面的提升和发展。

思考与讨论

请结合自身实际，分析自己具备了哪些职业技能。

____

____

____

知识学习

一、能力概述

（一）能力的含义

能力是顺利、有效地完成某种活动所必须具备的条件。能力是与完成某种活动相联系的，能力的发展会受到遗传、环境和教育因素的影响，因此，能力的发展会出现个体差异，如智商的高低、能力类型的异同、能力发展的早晚等。能力是不断发展、永不停滞的，因此，时时刻刻都要加强对职业所需能力的培养。

能力与智力不能混淆。智力是从事任何活动所必须具备的最基本的条件，即认识、理解事物并运用知识、经验解决实际问题的能力。例如，敏锐的视觉是美术创作所必需的，但不是音乐创作所必需的，所以它是一种能力。观察力、记忆力和思维力是从事任何活动都必须具备的，所以它们属于智力范畴，而思维力是智力的核心，代表着智力的发展水平。

（二）能力的分类

1. 认知能力

认知能力涉及个体在信息处理、思考、理解和判断方面的能力。认知能力包括记忆力，即存储和回忆信息的能力；注意力，即专注于特定任务并过滤掉无关信息的能力；逻辑思维能力，即通过分析、归纳和推理来解决问题和做出决策的能力。

2. 实践能力

实践能力是指个体在执行、操作和完成实际任务时展现出的能力。实践能力涵盖动手能力，即实际操作和完成物理任务的能力；操作技能，即熟练执行特定技术或过程的能力。

3. 社交能力

社交能力是指个体在人际交往、沟通和团队协作中展现出的能力。社交能力包括沟通能力，即有效地传达和接收信息的能力；团队协作能力，即与他人合作、共同完成任务的能力；领导力，即引导团队、影响他人并激励团队实现目标的能力。

4. 情感能力

情感能力涉及个体在情感管理、情绪调节和自我认知方面的能力。情感能力包括自我管理能力，即掌控自己的情感状态并做出恰当反应的能力；情绪调节能力，即有效管理和调节自身情绪，以及理解和应对他人情绪的能力。

5. 创新能力

创新能力是指个体在思维、创意和变革中展现出的独特能力。创新能力涵盖创造力，即提出新观点、产生新想法或创造新产品的能力；创新思维能力，即采取新的思维方式，通过不寻常的视角来解决问题和发现新机会的能力。

（三）能力的影响因素

能力的影响因素主要体现在素质、知识与技能、教育、社会实践和主观努力五个方面。

1. 素质

素质是有机体天生具有的某些解剖和生理特征，主要是神经系统、脑的特征及感官和运动器官的特征。素质是能力发展的自然前提，离开这个物质基础就谈不上能力的发展。素质是能力发展的自然基础，但不是能力本身。素质不能直接决定能力，只是为能力的发展提供了最初的可能性。

2. 知识与技能

知识是人类社会历史经验的总结和概括，从心理学的观点来说，是头脑中的经验系统以思想内容的形式为人所掌握。技能是操作技术，是对具体动作的掌握，它以行为方式的形式为人所掌握。知识、技能与能力有着密切的关系。知识是能力形成的理论基础，技能是能力形成的实践基础。能力的发展是在掌握和运用知识、技能的过程中实现的；

同时，能力在一定程度上决定着一个人在知识、技能的掌握上可能取得的成就。能力和知识、技能密切相关，它们之间既相互联系又相互制约。这种关系主要体现为：掌握知识、技能以一定的能力为前提，能力制约着掌握知识与技能的快慢、深浅、难易和巩固程度，而知识的掌握又会促进能力的提高。当然，知识、能力的发展与技能的发展是不完全同步的。

3. 教育

教育是掌握知识和技能的具体途径与方法。教育不仅在儿童和青少年的智力发展中起着主导作用，而且对能力的发展起着主导作用。教育不但使大学生掌握知识和技能，而且通过知识和技能的传授，能促进其心理能力的发展。学校教育对大学生能力的培养是至关重要的，但是在他们走上工作岗位以后，原来已经掌握的知识和技能就显得不够用，有些甚至已经过时了。因此，在组织中，对在职员工的教育和培训就显得特别重要，他们必须掌握多种知识、多种技能，并能进行综合运用。

4. 社会实践

能力是人在改造客观世界的实践活动中形成和发展起来的，劳动实践对各种特殊能力的发展起着至关重要的作用。不同职业的劳动制约着能力发展的方向，不同的实践向人们提出不同的要求，人们在实践和完成任务的活动中不断地弥补薄弱环节，从而使能力得到相应的发展和提高。

5. 主观努力

主观努力是获得成功的必由之路。要使能力获得较快和较大的提升，没有主观的勤奋努力是根本不可能的。世界上有许多政治家、科学家和发明家，无论他们从事的领域有多么不同，他们的共同点都是长期坚持不懈、刻苦努力、顽强地与困难作斗争。没有刚毅、顽强、百折不挠的意志力，任何成就都不可能取得，能力的发展也无从谈起。

二、职业能力概述

（一）职业能力的含义

职业能力是个体在特定职业领域内所掌握的核心专业技能和关键素质，这些能力与素质使个体能够高效完成任务，实现职业目标和成功。在现代职场中，职业能力已成为衡量个体价值的核心标准，同时也是个体实现自我价值、推动事业发展的坚实基石。

（二）职业能力的分类

在当今快速发展的社会中，职业能力对于一个人的成功至关重要。通过了解专业能力、技能掌握能力、学习能力、沟通与协作能力、解决问题的能力、抗压能力、自我管理能力、心理调适能力等八个方面，大学生能全面了解自己的职业能力。

1. 专业能力

专业能力是指一个人在特定领域内的知识和技能。无论大学生从事哪个行业，都需要具备一定的专业能力，以完成工作任务并取得成功。不断提升自己的专业能力，可以增强在职场中的竞争力。

2. 技能掌握能力

技能掌握能力是指一个人在特定领域内所具备的实践操作能力。除了专业能力外，技能掌握也是非常重要的。掌握相关技能，能够让个人更好地完成工作任务，提高工作效率，并在职场中脱颖而出。

3. 学习能力

学习能力是指一个人在学习过程中的吸收、理解、应用知识的能力。随着科技的快速发展和知识的不断更新，强大的学习能力已经成为现代人必备的素质。不断提高自己的学习能力，可以让大学生更好地适应不断变化的工作环境。

4. 沟通与协作能力

沟通与协作能力是指一个人在工作中与他人交流、合作的能力。在职场中，良好的沟通与协作能力是必不可少的。通过有效的沟通，个体可以更好地理解他人的需求和意图，提高工作效率；通过良好的协作，个体可以与团队成员共同完成任务，取得更好的工作成果。

5. 解决问题的能力

解决问题的能力是指一个人在面对问题时能够迅速找到解决方案的能力。在职场中，遇到问题是不可避免的。具备强大的问题解决能力可以帮助个体迅速找到问题的根源，提出有效的解决方案，并应对工作中的各种挑战。

6. 抗压能力

抗压能力是指一个人在面对压力时能够保持冷静、高效工作的能力。在职场中，工作压力是不可避免的，具备强大的抗压能力可以帮助个体更好地应对工作中的挑战和压力，保持高效的工作状态。

7. 自我管理能力

自我管理能力是指一个人对自己的工作、学习和生活进行规划、安排和调整的能力。通过良好的自我管理，大学生可以更好地规划自己的工作和生活，提高工作效率和生活质量。同时，自我管理也可以帮助个体更好地应对工作压力，保持良好的心态和工作状态。

8. 心理调适能力

心理调适能力是个体在面对挑战、困境、挫折和意外事件时，能够有效管理和调适内心压力与情绪的能力。对于求职者而言，这一能力尤为关键。生活和工作中不可避免地会遇到各种问题和障碍，缺乏心理调适能力的个体可能会在遭遇困境时陷入消极情绪，甚至影响到其职业发展的前景。

三、能力与职业的关系

（一）能力是职业选择和发展的基础

1. 职业选择

不同的职业领域对人的能力要求不同，大学生需要根据自身具备的能力来选择适合自己的职业道路。例如，技术型职业需要专业技能和理论知识，而管理型职业则更需要领导能力和组织协调能力。

2. 职业发展

能力是职业发展的关键因素。强大的能力能使个人在工作中承担重任，出色地完成任务，并为组织创造较大的经济效益。这种能力的大小与提升程度直接影响着职业发展的方向和速度。

（二）能力与职业相互匹配

1. 能力与职业选择匹配

在选择职业时，个体应考虑自己的能力与职业要求是否匹配。匹配度高的职业选择能够让个体更好地发挥自己的能力，并在职业中取得更好的成绩。

2. 能力与职业发展匹配

随着职业生涯的发展，个体需要不断提升自己的能力以适应职业发展的需要。如果个体能力与职业发展要求不匹配，则可能会面临职业瓶颈和挑战。

（三）能力对职业发展的具体影响

1. 决定职业成就

能力是职业发展中的关键因素，决定了个体在职业中的表现和成效。强大的能力使个体能够在工作中脱颖而出，获得更高的职业成就。

2. 影响晋升机会

能力决定了个体在职业发展中的晋升和提升机会。具备较高能力的人在竞争激烈的职业环境中更容易脱颖而出，得到晋升和提升的机会更大。

3. 影响工资和待遇水平

能力也直接影响着工资和待遇水平。在同一职位上，能力出众的员工往往能够获得更高的薪酬和更好的福利待遇。

（四）如何提升能力以匹配职业发展

1. 自我评估和目标设定

大学生应进行自我评估，了解自己的优势和发展需求，并根据职业目标和要求设定提升自己的能力目标。

2. 专业知识和技能提升

大学生可以通过参加行业培训课程、线上学习平台或深入阅读相关书籍等方式，不断更新和扩充自己的专业知识。

3. 沟通与合作能力发展

大学生应学习表达技巧、倾听和反馈能力，以及积极参与项目和团队合作，锻炼自己的协调能力和团队合作能力。

综上所述，能力与职业之间存在着密不可分的关系。能力不仅是职业选择和发展的基础，而且与职业相互匹配，对职业发展产生着具体而深远的影响。因此，大学生应该注重培养和提升自己的能力，以更好地适应职业发展的需求，实现自己的职业目标。

四、职业能力的培养

（一）努力学习专业知识

知识是能力的基础，要成为社会所需要的人才，就必须重视知识学习。当今社会已进入知识经济时代，知识的生产、学习将成为人类最重要的活动，特别是知识的创新，更是具有至关重要的作用。

资料
职业资格

1. 学习专业理论基础

拥有较为过硬的专业知识，是大学生获取就业机会的必备条件。有的大学生认为，只要学好技术操作就行了，对专业或其他学科的理论知识不够重视，这是极其错误的。只有学好专业理论知识，兼顾相关学科、跨学科知识的习得，才能更好地在实践中融会贯通，创新技术和产品。

2. 构建合理的知识结构

合理的知识结构，就是既有精深的专门知识，又有广博的跨学科知识，具有事业发展所需要的最合理、最优化的知识体系。因此，大学生在学好专业课的同时，还要兼顾适应科技发展和社会对人才综合性知识的要求，构建合理的知识结构，以增强对社会工作的适应性。一般来讲，专业对口是相对的，因此，大学生在大学期间除了要学好专业知识外，还应根据自己的能力、兴趣和爱好，选修或自学其他课程，扩大自己的知识面，为毕业后更好地适应工作打下良好的基础。

（二）提高实践能力

提高大学生的实践动手能力，培养大批应用型技术人才是高职高专教育健康发展的生命线，是增强我国国际竞争力的重要途径。同时，实践动手能力也是高职高专学生就业的前提条件。

1. 加强实践教学

随着社会对人才需求的变化，大学生必须转变观念，充分认识实践的重要作用。要通过实践，培养和锻炼自己的思路、技术，印证自己所学的理论知识，对发现问题、解决问题的能力进行全面训练。

2. 重视实习工作

对于大学生来说，实习是非常重要的，它是大学生理论联系实际、培养实践能力的重要途径。在实习工作中，一方面，大学生可以将所学的理论知识和生产实践有机结合，从而加深对理论知识的理解；另一方面，大学生可以获得许多在课堂或校园内无法学到的东西。只有通过大量的长时间的实习实践工作，大学生才能学会综合运用所学的理论知识去分析实际问题，从而提高解决实际问题的能力。

3. 参加其他校园或社会活动

在校期间，大学生参加学校社团或其他组织，并开展有益的活动，有目的地锻炼自己的组织能力、协调能力、沟通能力、语言表达能力等，都是非常重要的。

（三）提高社会适应能力

适应社会是指个体在社会认知和社会实践的基础上，不断地调整和改变自己的观念、态度、习惯、行为等方式与结构，以适应社会的要求和变化。过惯了单纯、清静的学生生活的大学生，投身社会后，常常会感到自身与社会之间存在着主观愿望与客观实际、学生习惯行为与社会角色要求、学校教育与社会现实、社会需要与自我完善等之间的矛盾与不平衡。在这些问题面前，大学生应采取积极的态度，如主动适应、努力学习、取长补短、完善自我等。

（四）培养坚实的人文素养

（1）大学生应敢于担当、德才兼备，成为有理想、有道德、有文化、有纪律的“四有”新人，能担当起国富民强、民族复兴之大任。

（2）大学生应志存高远、脚踏实地，勇做时代的楷模和先锋。应拥护中国共产党的领导和社会主义制度，坚定为中国特色社会主义事业奋斗终身的伟大理想和信念。应自觉学习和培育“学”和“做”的本领，成为具有创新能力和实践能力的新时代合格人才，真正满足党和国家对卓越人才的需要，为民族复兴铺路架桥，为祖国建设添砖加瓦。

（3）大学生应具有良好的思想觉悟、道德水准和文明素养，做到明大德、守公德、严私德，树立正确的世界观、人生观和价值观，把社会主义核心价值观融入生活与工作的各个方面。

（4）大学生要切实做到遵纪守法，旗帜鲜明、毫不含糊地拒绝做两面人。在大是大非和政治路线面前，保持清醒头脑，坚定正确的政治方向，坚决拥护党的领导，与党中央在政治上保持高度一致。大学生要有文化、有技术，成为德智体美劳全面发展的高素质人才，毕业后，将所学知识与技能应用到民族复兴大业中。

知识小结

任务四　职业价值观探索

案例导入

新时代大学生“最美村医”

胡飞，湖北省恩施州咸丰县清坪镇人，毕业于湖北××学院临床医学专业，在校期间曾获得××学院医学院团总支优秀社团干部、××学院优秀实习生等称号。他目前是湖北省恩施州咸丰县清坪镇原小河村卫生室负责人，兼任堰塘坪村村医。短短两年，胡飞由一个不被村民认可的“菜鸟”村医变成村民的大学生“最美村医”和健康守护者。

一、立志从医，服务百姓健康

胡飞出生在偏远山区农村，父母都是农民。自从他记事起，村民们享受到的基本医疗卫生服务就非常有限。他记得小时候有一次突发高热，由于村里没有医务室，他母亲背着他徒步几千米找隔壁村医生处理后，病情才有所缓解。从那时起，他的内心就萌发了从医的念想，他想成为一名医生，解决百姓的就医问题。

高考志愿填报，他坚定地选择了临床医学专业。进入大学后，他努力学习专业知识和技能，成绩名列前茅，课余时间积极参加社区义诊等志愿服务活动，不断提升个人综合素质。在宜昌市第一人民医院实习期间，他积极向带教老师学习，刻苦钻研临床技能，受到了老师、同事、病人及家属的一致好评。

二、义无反顾，投身农村医疗

2020年毕业后，胡飞回村在村委任职。由于堰塘坪村、小河村和渔塘湾村三村合并，缺少村医，同时堰塘坪村地广人稀，群众就医十分不便。他看在眼里急在心头，毅然决然当一名村医，弥补了该村村医的空白。

任职初期，他刻苦学习、勤奋钻研，白天出诊、夜晚读书，力求尽快适应岗位，在工作中能为人民好好服务。胡飞刚开始去村民家巡诊时，总被村民当成骗子。村民何国扬就把他赶出过家门三次。村民的闭门羹给了这个刚当上村医的年轻人“当头一棒”，但手上的工作还得继续做，他主动找到村委会寻求解决办法。跟着村书记第四次登门，他终于进了何国扬的家门。这件事以后，胡飞也开窍了许多，利用自己本村人的身份，琢磨出了一套与村民打交道的方式，工作效率明显提高了不少。从此，他便开始在平凡的工作岗位上书写一段峥嵘的人生故事。

三、无惧艰险，誓做“最美村医”

一辆摩托车，一个医疗箱，他用不到半年的时间就跑遍了本村所有的小道，熟悉了每一户村民的健康状况，为自家村里630户人家、1 500余人建立了健康档案。谁患过哪些慢性病，谁对哪些药物过敏，谁家有几个小孩，他都一清二楚。入职三年以来，他为2 000多人看病送药，骑行摩托车约8 000千米。他一直秉承着诚实守信的原则，哪怕巡诊的道路再崎岖、时间再紧迫，对于来看病的人，他也从来没有一次因为自身的原因而爽约。

他想群众之所想、急群众之所急、解群众之所困。工作之余，胡飞经常专程到邻村向前辈学习中医理疗技术，汲取经验，只为让本村村民快点享受到更加便捷的中医理疗服务，缩短来回奔波的路程。同时，他利用空闲时间不断加强专业学习，提高自身技能，练就过硬本领，力求推动本村医务室发展迈上新台阶。

他始终认为，医者仁心，医德为先。他把提高医德修养作为自身学习的重中之重，不断提升自身思想水平，规范自身从医行为，切实处理好与病人及社会之间的关系，以良好的职业修养和过硬的医学技术服务好全村百姓。

胡飞立足基层、不惧困难、服务群众的精神受到当地干部群众的高度认可，村民们都称他是大学生“最美村医”。2022年8月，胡飞被咸丰县卫生健康局评为2022年度“最美村医”；2023年3月，他被咸丰县清坪镇中心卫生院评为2022年度先进工作者。2023年7月，胡飞作为基层就业类人物入选湖北省第九届“长江学子”。在接受中央电视台《经济半小时》栏目采访时，他讲述了中国乡村大学生医生的发展现状，他认为作为基层医疗工作者肩负职责、使命在身，一定要为乡村医疗公共卫生事业添砖加瓦。他不忘初心，在助推乡村振兴事业发展的道路上砥砺前行。

资料来源　王媛：《“95后”小伙子返乡当起乡村医生，为全村1 500余人建立了居民健康档案》，极目新闻网，2023年8月29日。（收入本书时有改动）

思考与讨论

你认为的理想职业是什么样的？

____

____

____

知识学习

一、职业价值观的概念

职业价值观是人们对社会职业需求所表现出来的评价，是人生价值在职业问题上的反映。每个人的职业价值观不同，因而对某一职业的评价和取向也会不同。有的人喜欢与人打交道的工作，有的人喜欢人际交往少的工作；有的人喜欢刺激、有挑战性的工作，有的人喜欢安安稳稳、挑战性小的工作；有的人择业看重收入，有的人择业看重发展空间，有的人择业看重工作地点和环境等。不同的人有不同的职业价值观，不同的职业价值观适合从事不同的职业或岗位。如果在择业时选择了与自己的职业价值观不符的职业，就很难在这个岗位上工作下去。

职业价值观是个人关于职业选择、职业生活的意义、职业等级等问题的价值评判，是对职业乃至整个人生所形成的比较稳定的个体倾向。职业价值观属于人的价值观体系的一部分，是人们的价值观在职业生活中的具体表现和应用。通常所讲的“择业观”“就业观”的本质就属于职业价值观，职业价值观是人们对待职业的一种信念，它对每个人的自我探索、职业认知、生涯决策，乃至整个职业生活的发展都有着决定性的影响。

二、职业价值观的属性

（一）主观性

职业价值观之所以具有主观性，是因为职业价值观的形成遵循着个人的感性认识，经过实践检验上升到理性认识，再由理性认识来指导具体实践的一个过程。职业价值观属于人的价值观体系，一切价值观都是人的大脑对现实生活的外部物质世界和职业属性的具体反映。人的需求是主观性的，评价标准和个性倾向也都是主观性的。人们在依据自身需求对职业属性进行价值判断和个性选择时，总是遵循着自己内在的评价标准和个性倾向。一个人的职业价值观对自己可能选择哪些行业，乃至是否从事某一具体工作岗位，发挥着最终的决定性作用。个人需求是构成职业价值观的内部因素，人的需求始终居于个人职业价值观的主导地位。人的职业价值观不是独立存在的，而是建立在自己的需要基础之上的，人的需要改变了，其职业价值观也会随之发生改变。

（二）差异性

职业价值观是人们依据自身需求对具体职业属性进行评判、取舍时，关于职业属性对自身需求满足情况在大脑中的反应，是形成职业价值观的心理基础。需要是人们对某种稀缺却又非常渴望得到的事物的一种索求性的心理反应。人的需要是复杂多样的，每个人都有着不同的需要，有着不一样的内心世界；即使有同样的需要，在程度、水平、强弱等方面也会有所不同，各有侧重。

在现实生活中，人们在自身条件、性格特点和所处环境等方面千差万别，而各种职业就其属性来看也是各具特色、大相径庭的。人们在根据自己的需要对现实世界的各种职业做出评价和判断时，职业价值观的具体表现便呈现出丰富的内涵。

（三）稳定性

职业价值观处于人们思想意识的较高层次，是人们的一种比较稳定的人生态度。它是在人的成长过程中，随着人的能力的增强、认知水平的提高、实践经验的积累，在家庭、学校、社会及个性倾向的共同作用下，逐步形成的对职业人生的整体认识和判断。人的职业价值观需要经历一个相当长的过程才能形成。一旦形成，就会作为一种人生观植根于人的思想深处，不容易发生改变，具有持久性和稳定性。

个体通过对职业认知的不断加深，得到清晰的职业概念，并挖掘出心灵深处的价值取向以后，才能正确地认识自我、客观地评价自我，才能把对职业社会的认识、人生的意义、理想追求和自我价值结合起来，对社会职业充满信心，并形成稳定的职业态度和高尚的职业动机。在个体找到了正确的职业认同感、确立了符合自己内心真正需要的职业选择以后，其职业使命感将大大增强，个体的职业价值观会变得更加深远而稳定。

（四）阶段性

不同的人或同一个人在不同的发展阶段，其职业价值观是不一样的。人的需求、个性特点和所处的环境在发生变化，人的观念在不同的时期随着外在条件的改变而相应转变，人对职业的需求也会发生变化。

人的职业价值观并不是固化为某一种状态而一成不变的。在时代变迁、环境改变、人的阅历不断积累之后，与人相关的物质条件和思想观念也会发生变化，职业价值观也在潜移默化地发生渐进式的变化。因此，人的职业价值观具有相对的阶段性，在分析一个人的职业价值观时，必须结合特定的时代、社会环境、经济状况等具体要素才能做出确切的界定，脱离了一定阶段来谈职业价值观是毫无意义的。

三、职业价值观的分类

职业价值观决定了人们的职业期望，影响着人们对职业方向和职业目标的选择，决定着人们就业后的工作态度和劳动绩效水平，从而决定了人们的职业发展情况。哪个职业好？哪个岗位适合自己？从事某一项具体工作的目的是什么？这些问题都是职业价值观的具体表现。

根据不同的划分标准，人们将职业价值观分成了不同的种类。美国心理学家洛特克（Lockett）在其所著《人类价值观的本质》一书中，提出 13 种价值观：成就感、审美追求、挑战、健康、收入与财富、独立性、爱、家庭与人际关系、道德感、欢乐、权利、安全感、自我成长与社会交往。

我国学者阚雅玲将职业价值观分为以下 12 类。

（1）收入与财富。工作能够明显有效地改变自己的财务状况，将薪酬作为选择工作的重要依据。工作的目的或动力主要来源于对收入和财富的追求，并以此提高生活质量，显示自己的身份和地位。

（2）兴趣特长。以自己的兴趣和特长作为选择职业最重要的因素，能够扬长避短、趋利避害，择我所爱、爱我所选，可以从工作中得到乐趣与成就感。在很多时候，会拒绝做自己不喜欢、不擅长的工作。

（3）权力地位。有较高的权力欲望，希望能够影响或控制他人，使他人照着自己的意思去行动；认为有较高的权力地位会受到他人尊重，从中可以得到较强的成就感和满足感。

（4）自由独立。工作有弹性，不想受太多的约束，可以充分掌握自己的时间和行动，自由度高，不想与太多人发生工作关系，既不想控制他人也不想受制于人。

（5）自我成长。工作能够给予接受培训和锻炼的机会，使自己的经验与阅历能够在一定的时间内得以丰富和提高。

（6）自我实现。工作能够提供平台和机会，使自己的专业和能力得以全面运用和施展，实现自身价值。

（7）人际关系。将工作单位的人际关系看得非常重要，渴望能够在一个和谐、友好甚至被关爱的环境中工作。

（8）身心健康。工作能够免于危险、过度劳累、焦虑、紧张和恐惧，从而使自己的身心健康不受损害。

（9）环境舒适。工作环境舒适宜人。

（10）工作稳定。工作相对稳定，不必担心经常出现裁员和被辞退现象，免于经常奔波找工作。

（11）社会需要。能够根据组织和社会的需要响应某一号召，为集体和社会做出贡献。

（12）追求新意。希望工作的内容经常变换，使工作和生活丰富多彩、不单调枯燥。

四、树立正确职业价值观的途径

正确的职业价值观有利于大学生个人价值的实现。大学生可以通过以下途径来树立正确的职业价值观。

（一）认识社会，了解社会需要

社会是一个广阔的大舞台，供无数的社会精英尽情地展露自己的才华；同时，社会又是一个高深莫测的领域，需要人们不停地去探索。部分大学生生活经历比较单一，缺乏艰苦生活的磨炼和挫折的考验，一旦大学毕业走进社会，就会变得无所适从、捉襟见肘。大学生应积极地参与社会实践，投身到社会实践中锻炼自我。

选择职业时，要考虑社会需要这一问题。因为实现自身价值并不能一味地强调自身的愿望与志向，大学生的职业选择首先取决于当前的社会需要，如果没有社会需要，就不会有职业岗位的存在，从而也就不会有很多职业可供选择。社会需要是大学生选择职业的出发点和归宿，实现个人价值与社会需要是一致的。只有着眼于社会需要、服从社会需要，才能更好地实现个人的人生价值。

（二）了解职业，理解职业要求

大学生应摒弃传统的职业观念，接受相应的职业思想及道德教育，明白自身所学的专业具有的社会价值，进而明白未来所从事的职业的价值；学会正确地对待社会上各行各业的工作，喜爱自己未来走向的工作岗位，树立明确的学习目的和职业目标；掌握扎实的专业知识，对自己所学专业的内容要有深入透彻的理解，形成完整、系统、扎实的专业知识，懂得如何向新的学科领域转移，具有较强的应变能力；学会如何掌握最新的行业信息，了解学校公布的关于就业的有关政策、社会需求等信息；掌握一定的面试技巧，如着装礼仪、语言表达、交往过程中的行为规范等；培养团队协作精神，增强职业竞争力，摒除浮躁心理、依赖心理和恐慌心理。

当职业期望过高而无法实现时，大学生应及时进行调整，重新确定符合实际条件的目标，以增加就业机会。如果不善于灵活变通，就很容易陷入两难的境地。大学生应通过职业培训不断增加对职业的了解，充分考虑自己的专业范围、职业兴趣与实际能力，找到个人与职业的结合点，使自我逐步成为一个职业人。

（三）认识自我，了解自我特长

1. 摆正自己的位置

大学生应重新认识自我，根据自己的身体、兴趣、气质、个性及能力等方面的因素，把自己放在最合适的位置上。在择业时，大学生都不同程度地存在着自大、冷漠、坐等、自卑、依赖、侥幸等消极心态，存在着以个人为本位的观念，这必然会影响正常择业，导致择业出现偏差。大学生应以积极向上、乐观自信、勇于竞争的良好择业态度迎接就业，协调好自我与社会、奉献与索取的关系；在进行未来职业追求、规划、构思时，要做到不过高地估计自己，也不妄自菲薄，要找准自己的社会角色，确定好自己的社会位置，这样才能有利于自身价值的实现。

2. 走自主创业之路

大学生可以利用自己的才能和技术，以自筹资金、技术入股、寻求合作等方式创立新的就业岗位，依法获得劳动报酬。大学生有着较高的素质和优势，包括较高的思想道德素质、科学文化素质、身体素质，以及勇于创新、敢冒风险、大胆进取、不畏艰险的意志品质和独立的工作能力。在条件允许的情况下，大学生完全可以根据市场需要和社会需要走自主创业之路。

3. 选择适合自己的工作

大学生要懂得所选择的工作不一定是最好的工作，而应是最适合自己的工作，是最能发挥自己的专业特长和优势、与自己的兴趣爱好相吻合的工作。大学生在给自己的职业定位时，应注意不要与其他同学攀比，否则容易迷失方向，要懂得“万丈高楼平地起”，选择的工作往往需要从小事做起、从基层做起。大学生应克服“眼高手低”的毛病，脚踏实地地工作，培养自己的事业心、责任心，因为事业心和责任心是每个职业人都必须具备的基本职业素质。

知识小结

课外任务

1. 完成附录一霍兰德职业倾向自测量表，分析自己的兴趣类型及特征。

2. 完成附录二 MBTI 性格类型自测量表，分析自己的 MBTI 性格类型、特点及其对职业发展的影响。

3. 完成附录五职业能力测评，了解并分析哪些能力是自己未来的职业中最需要的核心能力，以及要怎样强化、提升自己的这些能力。

4. 分析自己的职业价值观及其对职业发展的影响。

课外阅读

兴趣岛游戏

恭喜你！你获得了一次免费度假游的机会，可以选择去下列 6 个岛屿中的一个。唯一的要求是你必须在这个岛上待满至少 1 年的时间。请不要考虑其他因素，仅凭自己的兴趣按顺序挑出你最想前往的 3 个岛屿。

R 岛：岛上保留着热带的原始植物，自然生态保持得很好，也有相当规模的动物园、植物园、水族馆。岛上居民以手工见长，自己种植瓜果蔬菜、修缮房屋、打造器物、制作工具。

I 岛：岛上人迹较少，建筑物多偏处一隅。岛上有多处天文馆、科技博物馆及科学图书馆等。岛上居民喜好沉思、追求真知，喜欢与来自各地的哲学家、科学家、心理学家等交换心得。

A 岛：岛上遍布美术馆、音乐厅，弥漫着浓厚的艺术文化气息。当地的原住民还保留着传统的舞蹈、音乐与绘画才能，许多文艺界的朋友都喜欢来这里寻找灵感。

S 岛：岛上居民个性温和、十分友善、乐于助人，社区均自成一个密切互动的服务网络，人们多互助合作，重视教育，弦歌不辍，充满人文气息。

E 岛：岛上居民热情豪爽，善于企业经营和商品贸易。岛上的经济高度发展，处处是高级饭店、俱乐部、高尔夫球场。来往者多是企业家、经理人、政治家、律师等。

C 岛：岛上的建筑十分现代化，是进步的都市形态，以完善的户政管理、地政管理、金融管理见长。岛上的人的个性冷静保守，处事有条不紊，善于组织规划，细心高效。

请把最想前往的 3 个岛屿的代码按顺序填写在下面的横线上。

①__________岛；②__________岛；③__________岛。

游戏中各个岛屿所对应的职业兴趣类型如下（重点看自己所向往的排在第一位的岛屿，然后看第二位，再看第三位，并对应查看每个类型喜欢的活动和职业）。

1. R 岛

喜欢的活动：从事事务性的工作，喜欢户外活动或操作机器，而不喜欢在办公室工作。

喜欢的职业：计算机硬件人员、摄影师、制图员，机械装配工及制造业、技术贸易业、机械业、农业、技术、军事类工作。

2. I 岛

喜欢的活动：处理信息（观点、理论）；探索和理解、研究那些需要分析、思考的抽象问题；独立工作，不善于领导他人。

喜欢的职业：工程师、生物学者、系统分析员、天文学家、药剂师、动物学者、化学家、科学报刊编辑、地质学者、医生。

3. A 岛

喜欢的活动：倾向于理想化，做事追求完美。通常情况下，艺术的测试不是指做艺术工作，而是指工作中的艺术，倾向于将事情做得漂亮、有美感、有情调、锦上添花，追求完美。

喜欢的职业：演员、导演、艺术设计师、摄影师、雕刻家、建筑师、广告制作人、歌唱家、作曲家、乐队指挥、小说家、诗人、剧作家。

4.S 岛

喜欢的活动：帮助别人，喜欢与人合作，热情关心他人，愿意帮助别人解决困难。

喜欢的职业：导游、教育行政人员、福利机构工作者、咨询人员、社会工作者、社会科学教师、学校领导。

5.E 岛

喜欢的活动：领导和影响别人，为了达到个人或组织的目的而善于说服别人；希望成就一番事业。

喜欢的职业：商业管理人员、律师、政治运动领袖、营销人员、市场或销售经理、公关人员、采购员、投资商、电视制片人、保险代理。

6.C 岛

喜欢的活动：组织和处理数据，喜欢固定的、有秩序的工作或活动，希望确切地知道工作的要求和标准；愿意在一个大的机构中处于从属地位。

喜欢的职业：会计师、银行出纳、簿记、行政助理、秘书、档案文书、税务专家、计算机操作员、投资分析员。

资料来源　霍兰德：《霍兰德兴趣岛游戏》，北京理工大学珠海学院计算机学院公众号，2022 年 3 月 25 日。（收入本书时有改动）

项目三
职业环境与职业期望

学习目标

知识目标

正确认识职业和职业环境；了解不同行业、单位和岗位的职业环境特点及职业环境中的关键要素，如公司文化、行业趋势、竞争态势等。

能力目标

理解个人兴趣、能力和价值观对职业期望的影响；学会制订和调整符合个人期望的职业发展计划；掌握适应职业环境变化的方法和策略，如调整职业期望、寻找新机会等。

素质目标

通过案例分析、模拟演练等方式，将所学理论知识应用于实际职业环境中，不断优化个人职业规划和发展策略。

任务一 职业认知

案例导入

职业发展新趋势

为期4天的第二届全国技能大赛于2023年9月19日落下帷幕。393名选手脱颖而出，荣获109个项目的奖牌。这次大赛折射出哪些职业发展新趋势？

趋势一：纷繁多彩的新职业前景广阔

从飞机维修、汽车技术、机器人系统集成，到工业4.0、云计算、数字建造，再到花艺、美发、烘焙……走进第二届全国技能大赛赛场，各种比拼令人眼花缭乱。

首次设置的新职业赛项，凸显出在中国经济高质量发展背景下，职业发展不断走向多元化、专业化。

“参赛选手较上届增加58.2%，重点增加了全媒体运营、互联网营销、智能制造工程技术、集成电路工程技术等20个新职业和数字技术技能类赛项。”人力资源社会保障部职业能力建设司副司长王晓君介绍，高学历选手大多集中在新职业和数字技术技能领域，显示技术技能融合发展的大趋势。

趋势二：职业教育水平改善

多领域人才彰显“真功夫”。

“从这几天的比赛看，选手水平整体提升明显。”担任数控车项目裁判长的北京航空航天大学高级工程师宋放之感慨地说。

“天上飞的卫星、飞机，地上跑的高铁、汽车，还有杯子、瓶子等生活用品，都要用数控车床做出模具再加工出来。”宋放之说，现在题目难度大幅提升，但选手们还能拿到很高的分数。

曾在世界技能大赛上摘金的吴鸿宇，这次作为广东省机械技师学院的教练来到赛场。他告诉记者：“能明显感觉到各省都加大了投入力度，竞争更加激烈。”

“无论是操作技法还是选手的综合素养，都有很大改进。这体现了我们办赛水平的提高，也折射了职业教育水平的改善。”焊接项目裁判长、中国工程建设焊接协会常务副会长刘景凤说。

趋势三：高技能人才市场紧缺、未来可期

这次大赛吸引了诸多企业积极参与。不少企业负责人专门来到现场观看比赛、招揽人才。

涂料行业讲究"三分料、七分工"，油漆工至关重要，但近年来一直面临人员老化断层、高技能人才缺乏等问题。立邦产业人才发展中心总经理付俊英连续几天都在场馆"蹲守"，她告诉记者，"上届大赛我们就吸纳了一些优秀选手，这次好几个分中心的负责人都来了，也已与几名种子选手明确了意向。"

"我们聚焦智能制造工程技术和工业机器人系统运维赛项，获奖选手将对标研发工程师的待遇水平。"山东中德栋梁集团有限公司负责人蒋作栋说。

大赛深远的影响，是让越来越多的人看到技能的价值、看到技能成才的前景。多位院校负责人表示，参加过技能大赛的选手，找工作时都很抢手，大企业基本直接录用，待遇也不错。

"成才道路不止一条，学一门好技术，也能让人生出彩。"刘景凤说，"技能人才特别是高技能人才缺口很大。通过大赛可以进一步提高技能人才的地位和待遇，增强全社会对技能人才的认同，一定会鼓励带动更多人学习技能、投身技能、提升技能。"

资料来源 姜琳，白佳丽：《职业发展有哪些新趋势？》，光明网，2023年9月20日。（收入本书时有改动）

思考与讨论

结合以上案例思考，职业产生和发展变革的根本原因是什么，我们应该如何看待职业，并做交流。

____

____

____

知识学习

一、认识职业

职业是个人所从事的服务于社会并作为主要生活来源的工作。它是一种社会角色，是个人在社会分工中的定位，也是个人实现自我价值和获取经济回报的方式，是社会经济发展的重要支撑。

资料
国家职业分类大典（二〇二二年版）公示首次标注数字职业

（一）职业的含义

（1）职业是个人参与社会分工的产物，是个人通过特定的劳动来为社会做出贡献的方式。

（2）职业是个人获取生活来源的重要途径，是个人实现经济独立和社会地位提升的基础。

（3）职业涵盖了各种不同的领域和行业，要求个人根据自己的兴趣、能力和市场需求进行选择。

（4）职业是一种相对长期的工作活动，不是临时性的工作，具有显著的连续性、周期性和相对的稳定性。

（5）职业的发展受到社会政治、经济、文化等因素的影响，其变化和发展趋势体现了社会发展的需要和时代的要求。

（6）职业的规范性和道德性也是其重要特征，它要求从事各种职业的人必须具备一定的职业操守和道德标准。

因此，对职业的合理界定应当包括从事职业的主体、职业的对象或个体及其社会功能、职业活动所经历的时限、职业的性质等要素。因此，本书将职业定义为：具备劳动能力的个人利用自身的知识和技能，从事社会生产活动或服务，为社会创造物质财富与精神财富，并由此获得相应的报酬，以满足自身的物质需求和精神需求的一种持续性活动。

（二）职业的特点

1. 社会性

职业是社会分工的产物，是个人参与社会的重要方式。职业的社会性体现在它为社会提供服务、满足社会的需求上，同时也受到社会政治、经济、文化等因素的影响。

2. 经济性

职业是个人获取生活来源的重要途径，个人通过从事职业实现经济独立和社会地位的提升。职业的经济性要求个人具备一定的技能和知识，以适应市场需求和获得更好的职业机会。

3. 多样性

职业涵盖了各种不同的领域和行业，从科技、教育、文化到艺术、体育等，这为个人提供了多种选择和发展的机会。

4. 规范性和道德性

职业要求个人必须具备一定的职业操守和道德标准，以保障工作的正常进行和社会公共利益。这包括遵守法律、诚实守信、尊重职业道德等方面。

5. 时代性

随着社会的发展和技术的进步，职业的内容和形式也在不断变化。新的职业不断涌现，同时一些传统的职业逐渐消失或被取代。这要求个人不断更新自己的知识和技能，以适应时代的变化和市场需求。

6. 创造性

职业要求个人具备一定的创造性和创新能力，以应对工作的挑战和市场的变化。创造性是推动职业发展的关键因素之一，也是个人在职场上获得成功的重要条件。

（三）职业的功能

1. 经济功能

人们通过职业活动获得报酬，满足个人的经济需求，同时也为社会创造物质财富和精神财富。

2. 社会功能

人们通过职业活动参与社会分工，满足社会的需求，同时实现个人在社会中的定位，以及实现自我价值。

3. 文化功能

人们通过职业活动传承和发展文化，满足个人和群体的精神需求。不同职业的文化特点较为明显地反映了其所在社会的价值观念、审美情趣和文化传统。

4. 教育功能

人们通过职业活动获得技能和知识，提升个人的素质和能力，对社会培养人才、传承技艺、普及知识等发挥了重要作用。

5. 健康功能

人们通过职业活动发挥个人的兴趣、特长和潜力，满足自我实现的需求，在促进个人的身心健康和全面发展的同时，也间接维护了社会的稳定和健康。

二、职业意识

（一）职业意识的概念及作用

职业意识是指人们对职业劳动的认识、评价、情感和态度等心理成分的综合反映，体现了一个人在职业方面的心理素质和思想素质。此外，职业意识还包括拥有胜任职业的思想品德、文化修养、专业技能等，可以作为一个人能否进入职业领域及能否胜任工作的衡量指标。总体来说，职业意识是指劳动者在职业定向与职业选择过程中，对自己现状的认识和对未来职业的理解，包括对职业角色的认知、对职位功能的诉求及对职业道德的把握等。

职业意识的作用有以下三个方面。

（1）促进大学毕业生顺利就业。当今社会激烈的竞争无处不在，要想站稳脚跟，每个职业人都要做好充分的准备，而职业意识能够让大学生意识到要提高职业竞争力，以迎接即将降临的机遇与挑战。职业意识决定着职业人的职业素质，而职业素质又决定着职业人的职业道德、工作的效率和效果。

（2）促进大学毕业生职业能力的培养。正确的职业意识是提高职业人职业素质和职业能力的基础。职业意识具有一定的能动作用和导向作用，在职业意识的驱动下，人们会自主、自愿地学习专业知识。具有强烈职业意识的大学生拥有坚强的毅力，勇于弥补自己的不足，会利用在校的各种机会努力提高自己的能力。

（3）对大学毕业生职业道德的培养。如果没有正确的职业意识，就不能形成良好的职业道德。具有高尚职业道德的人，都懂得职业的真谛——社会中只有职业的分工，没有职业的高低贵贱之分，并具有“人人为我，我为人人”的道德精神。职业道德的发展应该成为大学生个人生活的一部分；大学生应通过职业实践加深对职业的实际体验，从而产生职业道德情感，增强自我对职业的荣誉感和责任感。

（二）职业角色与其他角色的关系

职业意识的形成会促使职业角色清晰化和具象化。职业角色是指社会和职业规范对从事相应职业活动的人所形成的一种期望行为模式，即人们在一定的工作单位和工作活动中所扮演的角色，是其作为社会角色的一种类型。

1. 职业角色与社会角色的关系

职业角色是人在社会活动中所扮演的社会人物，是社会分工的产物。人的社会角色包括学生角色、家庭角色、职业角色等，其中，职业角色是基础。一个人的职业角色与其社会角色是相互关联的，职业角色的表现和定位受到社会角色的影响和制约。

2. 职业角色与家庭角色的关系

职业角色和家庭角色是个人生活中的重要组成部分，二者存在相互影响和制约的关系。一方面，职业角色的表现和定位会影响家庭角色的关系和功能；另一方面，家庭角色的关系和功能也会影响职业角色的表现和定位。

3. 职业角色与自我角色的关系

自我角色是个人的内心体验和自我认知，是个人价值观、信仰、兴趣等方面的体现。职业角色与自我角色之间存在相互作用和相互影响的关系，一方面，自我角色的认知和定位会影响职业角色的表现和定位；另一方面，职业角色的表现和定位也会影响自我角色的认知和定位。

4. 职业角色与学习角色的关系

学习角色是个人在成长和发展过程中所扮演的角色，包括学习知识、技能、经验等方面。职业角色与学习角色之间存在密切的关系，一方面，学习角色的表现和定位会影响职业角色的表现和定位；另一方面，职业角色的表现和定位也会影响学习角色的表现和定位。

（三）大学生的职业意识

1. 形成初步认识

（1）了解自己的兴趣和优势，以便更好地选择适合自己的职业。可以通过自我评估、职业测评等方式来了解自己的兴趣和优势。

（2）可以通过查阅资料、与职场人士交流等方式，了解不同职业的特点、职责、要求和发展前景，以便更好地选择适合自己的职业。

（3）了解职场文化和规则，包括职业道德、职业礼仪、职业操守

资料
职业心理测试

等，以便更好地融入职场环境。

（4）积累实践经验。个人应该积极参加各种实践活动，如实习、兼职、志愿服务等，以积累自己的实践经验，提高自己的职业适应能力。

（5）制订职业规划。个人应该制订自己的职业规划，包括职业目标、实现路径、时间安排等，以便更好地规划自己的职业发展。

（6）培养职业技能和能力。个人应该通过学习和实践，培养自己所需要的职业技能和能力，以便更好地适应职场环境。

（7）保持积极的心态和不断进取的精神。个人应该保持积极的心态和不断进取的精神，不断学习、提升能力，以适应不断变化的市场需求和职场环境。

2. 了解职业信息

（1）行业和公司信息。了解目标行业的市场情况、发展趋势和主要参与者，以及头部公司的背景、产品或服务、核心价值观以及在行业中的地位。

（2）职位要求和技能。分析招聘广告、工作描述和相关资源，了解职业所需技能和经验，以便确定自己的技能和经验与目标职位的匹配度。

（3）薪酬和福利。了解目标行业和主要几家公司的薪酬水平和福利待遇，以评估自己的市场价值。

（4）职业发展规划。了解如何评估自己的职业兴趣、价值观和长期目标，并通过持续学习、提升技能和发展人脉来实现职业成长。

（5）就业机会的信息。了解职业的招聘信息与动向，就业的方法、途径与准备等，有助于提高个人职业选择与决策的成功率。

（6）其他因素，包括职业的工作环境、工作时长、公司文化等。

3. 职业意识的稳定

职业意识的稳定主要包括以下几个方面。

（1）确定目标职业。明确想要从事的职业，了解该职业所需的能力和技能。

（2）分析现有技能。评估自己当前具备的技术和能力，确定与目标职业相关的现有技能。

资料
未来可能的职业练习

（3）制订学习计划。根据目标职业的要求和现有技能的情况，制订学习计划。这个计划应该包括要学习的课程、要获取的证书、要积累的实践经验等。

（4）获取知识和技能。通过各种途径获取目标职业所需要的知识和技能，包括上课、自学、参加工作坊、参加实习等。

（5）建立网络。与目标职业领域的专业人士建立联系，了解行业内的最新动态和趋势，可以通过参加行业会议、加入专业组织等方式实现。

（6）寻找实践机会，将所学知识和技能应用于实际工作中。这有助于加深对职业的理解，提高技能水平，并为未来的就业做好准备。

（7）持续学习和改进。随着技术和行业的发展，需要持续学习和改进自己的技能。通过参加培训、阅读专业书籍、参与行业讨论等方式，保持对新技术和新知识的了解。

（8）寻求反馈和建议。寻求同事、导师、行业专家等的反馈和建议，了解自己的优点和不足，分析如何进一步提高自己的技能和能力。

（9）保持积极的心态。培养职业技能需要时间和努力，需要保持积极的心态和耐心，不断鼓励自己，相信自己能够实现目标。

知识小结

任务二　职业信息获取与职业环境分析

案例导入

××学院毕业生案例：赵明的职业选择

“心有多大，舞台就有多大。”作为新时代的弄潮儿与主角的大学生们，从学校的“小舞台”到社会的“大舞台”，是否已经做好了准备呢？如何在聚光灯下尽情地展示自己的才华和舞姿呢？对于这个“大舞台”自己又了解多少呢？越来越多的大学生开始进行职业规划，而一份有效的职业生涯规划不仅要求我们全面认识、了解自我，也要清楚地认识、了解外部环境。为了更好地进行职业选择和职业生涯规划，必须要对职业环境进行分析，弄清环境对职业发展的要求、影响及作用，对各种影响因素加以衡量、评估，并做出反应。职业生涯规划是一个长期的复杂过程，如何做好规划步步为营？我们来看一个案例。

赵明是机电一体化技术专业的毕业生，在面临职业选择时，他深知仅仅依靠自己的专业知识还不足以做出明智的决策。因此，他决定进行一次深入的职业环境分析，以帮助自己找到最合适的职业路径。

赵明首先分析了机械工程行业的整体环境。他通过阅读行业报告和参加专业研讨会，了解到该行业正处于技术创新和智能制造的快速发展阶段。同时，他也注意到行业内对环保和可持续发展的要求越来越高。

接下来，赵明对目标职位进行了详细的分析。他通过招聘网站和社交媒体等渠道，收集了大量关于机械工程师的招聘信息和职位要求。他发现，除了专业技能外，沟通能力、团队协作能力和创新能力等软技能也越来越受到重视。此外，他还注意到一些公司在招聘时会特别注明对候选人环保意识和可持续发展理念的要求。

在了解了行业环境和职位要求后，赵明开始对自己的优势和不足进行评估。他发现自己在专业技能方面表现不错，但在沟通能力和创新能力方面还有所欠缺。为了提升自己的竞争力，他决定参加一些沟通技巧和创新思维的培训课程。

最后，赵明根据职业环境分析的结果，制订了自己的职业目标和发展计划。他决定寻找一家注重技术创新和环保理念的机械制造公司，并争取加入其研发团队。为了实现这个目标，他不仅提升了自己的专业技能，还努力提升了自己的沟通和创新能力。

经过一段时间的努力，赵明成功地获得了一家知名机械制造公司的研发工程师职位。在新岗位上，他充分发挥了自己的专业技能和潜力，为公司开发了多款具有创新性和环保特点的产品，赢得了同事和客户的认可。

这个案例告诉我们，通过深入的职业环境分析，我们可以更好地了解行业的发展趋势及职位要求，从而制订出更加符合自己实际情况的职业目标和发展计划。同时，职业环境分析也可以帮助我们找到自己的优势与不足，为提升竞争力提供指导。

思考与讨论

结合案例，谈谈职业环境分析对职业生涯规划有何影响。

____

____

____

知识学习

一、职业信息的获取

（一）网络招聘平台

网络招聘平台是获得职业信息最常见也是最直接的途径之一。像智联招聘、前程无忧、猎聘网等平台都提供了大量的职位信息，大学生可以根据自身的需求和条件进行搜索和筛选。在这些平台上，大学生可以浏览职位信息、了解公司背景、查看薪资待遇等。

（二）企业官网

对于一些知名企业而言，它们往往会在官网上发布最新的招聘信息。通过访问企业官网，大学生可以了解到企业的发展情况、企业文化、业务范围等重要信息，同时也能够获得最新的招聘信息。这些信息往往比其他渠道更加详细和准确。

（三）社交媒体

社交媒体在当今社会已经成为人们获取信息的重要渠道之一。许多企业会在社交媒体（如微博、微信公众号等）上发布招聘信息。通过关注企业的社交媒体账号，可以第一时间获得最新的职业信息，并与企业建立联系。此外，社交媒体上也有不少专门的招聘群、求职群，可以加入这些群组，与其他求职者交流经验、分享资源。

（四）职业顾问和猎头公司

职业顾问和猎头公司是专业的招聘机构，他们与企业合作，帮助企业招聘合适的人才。他们通常会在自己的网站上发布招聘信息，并提供招聘咨询和求职建议。大学生可以主动联系职业顾问或猎头公司，表达自己的求职意向，并获取他们提供的职业信息和帮助。

（五）招聘会

招聘会是企业与求职者之间直接对接的平台，也是获取职业信息的重要途径之一。招聘会通常会有大量的企业参展，提供丰富的职业信息。在招聘会上，企业会设立展台，向求职者介绍企业情况、招聘职位等信息。大学生可以直接与企业代表进行沟通和交流，了解职位要求、薪资待遇等细节信息，并提交简历。

二、职业环境分析

在职业生涯规划中，职业环境分析是一个非常重要的环节。通过职业环境分析，个人可以更好地了解自己所处的职业环境，从而制订更加符合实际情况的职业发展计划。

（一）社会环境分析

1. 家庭环境分析

任何人的性格和品质的形成及个人的成长都离不开家庭环境的影响，在进行职业生涯规划时，考虑更多的是家庭的经济状况、家人期望、家族文化等因素对本人的影响。个人职业发展规划的确立，总是同自身的成长经历和家庭环境相关联的。个人在成长过程中，在不同时期也会根据自己的成长经历和所受教育的情况，不断修正、调整，并最终确立职业理想和职业计划。正确而全面地评估家庭情况，才能有针对性地设计适合自己的职业规划。

2. 学校环境分析

学校环境是指所在学校的教学特色与优势、专业的选择、社会实践经验等。

3. 社会环境分析

对社会环境因素的了解主要包括以下几个方面。

（1）社会政策，主要是人事政策和劳动政策。

（2）社会变迁，如知识经济和信息化社会的发展，会对人的职业生涯发展产生较大的影响。

（3）科学技术的发展。科技的发展会带来理论的更新、观念的转变、思维的变革、技能的补充等，而这些都是职业生涯规划中不可或缺的要素。

（二）组织环境分析

1. 职业环境分析

职业环境分析就是要认清所选职业在社会大环境中的发展状况、技术含量、社会地位、未来趋势等。例如，当前热点职业有哪些，发展前景怎样，社会发展趋势对所选职业有什么要求，等等。

2. 行业环境分析

行业环境分析包括对目前所从事行业和将来想从事的目标行业的分析。分析内容包括行业的发展状况、国际国内重大事件对该行业的影响、目前行业优势与问题何在、行业发展趋势如何等。

3. 组织环境分析

组织环境一般包括单位类型、企业文化、发展前景、发展阶段、产品服务、员工素质、工作氛围等。大学生要确定自己适合什么样的企业文化、什么样的环境，从而找到真正适合自己要求的公司。

4. 地域分析

大城市发展机会多，小城市比较稳定；沿海城市经济发达，内陆城市发展机会多；等等。这些问题对职业生涯规划有着重要的影响。

知识小结

任务三　确立正确的职业期望

案例导入

应届生应聘助理岗位，期望薪资过高被HR怒怼

通过十余年的寒窗苦读，大学生对就业充满期待，希望寻找一个心仪的岗位。进入大三，专业课程所剩无几，大学生的主要任务是为毕业做准备。打算直接就业的应届生开始尝试寻找实习单位、给心仪的企业投递简历。当许多应届生为找工作而焦急忙碌时，有一小部分应届生既不想继续深造，又不着急就业，而是选择游学、创业考察等，慢慢考虑发展方向，这就是"慢就业"。这种现象看似是很负责任的表现，实际上也是一种"逃避"。大学生就业观念发生转变，之所以不着急找工作，在很大程度上是因为毕业生对工作期望值过高，一时之间没有找到合适的工作，又不想继续深造学习，就只能通过放慢节奏来减轻就业压力。

建立正确的职业期望，如何引导大学生在学习和工作中追求与自己兴趣和才能相匹配的职业，提高工作满意度、职业成功的可能性，以及在就业市场上获得竞争优势？我们来看下面的案例。

苏州一名大学毕业生小吴（化名）在各大招聘网站上投递简历，意向单位是人力资源助理。小吴为了增加求职成功率，看到比较感兴趣的企业时，主动给HR发消息。没想到却被一个HR怒怼，原因是她的期望薪资填写的是7 000～10 000元。HR表示"真敢开价，用不起"。

小吴听到后既生气又委屈。临近毕业，她想要找一份不错的工作，之前参加校招的时候，就看到有企业给出5 000元的工资，不过她想要去经济发展更好的城市，所以期望薪资就提高一点。她对HR的怒怼感到很不理解，如果觉得自己不合适，直接拒绝就好了，不需要语出伤人。

求职是高校毕业生都要经历的阶段，可能会遇到各种各样的问题。对于小吴的求职经历，许多网友认为HR的话虽然不好听，却是大实话。很多企业招人遇到这种情况，都会冷眼旁观、直接拒绝，小吴很可能一直搞不清楚自己找不到工作的原因，从而错过绝佳的求职时机。

这位HR将问题直接点出，语气态度可能会让人不舒服，不过也能让小吴认清楚问题所在，及时调整就业观念。

这个案例告诉我们，大学毕业生找工作的时候，要结合自身情况，做到实事求是。尤其是刚开始找工作的时候，提出的要求要符合自身水平，当然可以追求高薪工作，可是也不能盲目，更不能眼高于顶。求职和招聘本来就是双向选择，应届生被拒绝也不要气馁，做好求职准备，正确认识自己和目标行业，抱着学习的态度，相信总能找到一份适合的工作。

资料来源　吴双建：《大四女生期望薪资 7 000 到 1 万被 HR 怒怼，霸道总裁也不能如此无理》，极目新闻，2023 年 1 月 30 日。（收入本书时有改动）

思考与讨论

结合案例，谈谈正确建立职业期望对职业生涯规划有何影响。

____

____

____

知识学习

资料
青年在选择职业时的考虑

一、职业期望的认知

（一）职业期望的概念

职业期望又称职业意向，是劳动者对某项职业的向往，也就是希望自己从事某项职业的态度倾向。职业期望直接影响人对职业的选择，进而影响人的整个生活。职业期望是指一个人对某种职业的渴望和向往，它是劳动者个体方面的主动追求。职业期望基于个人的兴趣、才能、价值观和职业目标，是一种积极寻求符合自身特点的职业取向。这种期望不仅受个人兴趣的影响，也受到社会地位、薪资、工作环境和职业发展前景等因素的影响。职业期望在个人的职业生涯中占有重要位置，它可以引导人们在学习和工作中追求与自己兴趣和才能相匹配的职业，从而提高工作满意度、增加职业成功的可能性及增强在就业市场上的竞争优势。

职业期望属于个性倾向性的范畴，是职业价值观的外化，也是个体人生观、世界观的折射。每种职业各有特性，不同的人对职业特性有不同的评价和取向，这就是所谓的职业价值观。

（二）职业期望的性质

1. 职业期望是个人职业价值观的外化

职业期望是人们在一定的世界观、人生观和价值观的指导下，对自己未来职业和发展目标做出的设想。它体现了个体的职业价值观，是不同个体内在职业价值观的外化，是个人世界观的折射。每个人的职业价值观各不相同，从而形成不同的职业期望，并直接指导着个体对职业的选择和个人发展。

2. 职业期望是个人职业选择的动力源泉

职业期望是劳动者个体内心对职业的期待，是个体对某种职业的内心认知和定位。个体希望通过某一职业使自己得到物质和精神上的满足。它不是空想，也不是幻想，而是劳动者将自身的职业兴趣、职业价值观、劳动能力与社会需要相结合，经过努力能够实现的个人目标。每个人都希望通过自己的努力达成目标，在职业期望的引导下，人们不断地追求理想，不懈地奋斗。因此，职业期望是个人进行职业选择的内在动力源泉。

3. 职业期望是个人的职业蓝图

职业期望是个人对职业的一种预期，个体对自身未来的职业期望可以表达为“我希望自己将来从事什么职业”，这反映了个体的职业倾向，表达了不同职业在个体心目中所处的地位，又包含着个人认识的职业领域和实现的职业愿望。可以说，个人的职业期望都是个人为了追求美好生活的一幅美妙的职业蓝图。

二、职业期望的要素

职业期望主要包括三个要素，分别是保健性要素、声望地位要素和自我发展要素。

（一）保健性要素

保健性要素即保障和安全稳定性要素，是指工作能带给劳动者的稳定性的心理体验。它包括工资待遇、工作地区、工作环境等内容。

1. 工资待遇

大学生在选择职业时，最先考虑的是工资收入和福利。工资收入是劳动者对经济收入的期望，是劳动者付出劳动后的直接报酬。福利待遇好的单位为员工提供健全的社会医疗保险保障，能够为劳动者的生理需要和安全需要提供保障，解决劳动者基本的物质生存需要。在现实中，劳动者最关心的职业外在动机就是物质条件，因为劳动者总是以经济利益为保障的。大学生的家庭进行了十余年的人力和资本投资，即将毕业的大学生都渴望得到良好的物质收入回报，认为从工作单位获得较好的、合理的薪酬是必要的，它成为大学生职业期望中最重要的因素。因此，一些工资收入高的外资企业、合资企业、大型国有企业受到大学生的青睐。

2. 工作地区

一般来说，大学生在工作地区的选择上高度集中，在选择工作地点时大多会优先考虑大中城市、沿海开放城市和经济特区。调查研究表明，大多数人首先希望去省会城市及计划单列市的二线城市工作，其次是地级市，愿意去县级城市和乡镇工作的大学生较少。

3. 工作环境

现代大学生拥有独特的个性，自我意识强，对于工作环境的要求比较苛刻，会留意企业周围的环境条件，关注工作环境是否令人满意；他们希望工作环境安全、舒适，交通便利，企业能够帮助员工解决实际生活中遇到的一些问题，保证员工在一个良好的工作环境中工作，从而提升员工的工作质量和工作效率。

（二）声望地位要素

声望地位要素是指工作能够为劳动者带来的社会声望及社会地位。它包括职业岗位在社会上所处的地位、具有的社会价值、享有的社会声誉及工作单位的知名度等。社会声望是社会地位的一个反映，社会声望越高的职业，社会地位越高。在对未来职业的期盼中，大多数毕业生都看重职业的声望地位，希望选择社会声望高的职业。因为在声望地位高的企业中工作非常有利于个人的声望地位的提高，能够在一定程度上提高个人的自我价值。注重声望地位因素的大学生在选择职业过程中总会比较单位的级别和规模大小，他们非常喜欢从事公务员、领导管理等工作。

声望地位要素属于外在价值要素的范畴，人们在社会人际交往中希望通过自己的职业行为表现得到社会和他人的认可与尊重，在与他人的关系中处于一个相对重要的地位，使个人在内心获得一种社会地位需要的满足感。声望地位能够作为劳动者努力工作的目标，是个人经过奋斗之后能够得到的结果。在大学生求职过程中，声望地位要素确实以外在价值的形式发挥着重要的引导作用，成为许多大学生在职业规划和个人发展中的一种长远追求。

（三）自我发展要素

自我发展要素是一种对自我发展的职业期望，是指工作本身带给工作者的价值，主要与个人能力的发展有关。它包括个人在工作中的能力、特长得到施展，自我得到提升和发展，有出国机会、晋升机会，工作富有挑战性，抱负得以实现，等等。当代大学生都有一定的抱负，希望在将来的工作中能够施展个人才能，实现自我；在未来职业生涯中完成与自己能力相称的工作，学以致用，充分发挥自己的潜力。

自我发展要素属于个人内在价值要素，成长发展的需要表示个人谋求发展的内在愿望，在马斯洛的自我需要理论中处于自我实现的层次。实现自我价值，能够独立自主地工作，符合个人的能力和抱负，有利于自我发展、发挥个人的专业特长，这样的职业期望体现了大学生对自我价值实现的高度关注。他们希望在工作中机会均等、公平竞争，有较好的职业发展前景，岗位晋升机会多，自我提升和发展的空间大。

随着现代社会不断向前发展，当代大学生面临着严峻的就业形势，大学生的职业期望变得更加理性，更加注重自我价值与自我发展。以个人发展为目标，看重个人未来的发展与晋升，工作要有一定的发展前景，重发挥、重发展，这反映出大学生对自我价值实现的关注，表明当代大学生的职业期望已趋向成熟，能用发展及长远的眼光看待自己的工作选择。自我实现的需要已经演变成大学毕业生的一个主导需要，是否有利于长远发展的自我价值实现已经成为大学生选择职业时的一个重要的考虑要素，大学生已经形成一种注重个人发展的职业期望模式。

三、大学生职业期望的形成

大学生的职业期望主要是在自我意识和环境意识的作用下形成的。

（一）由自我意识形成

自我意识是一个具有多维度、多层次的复杂的心理系统，是人在实践和经验中形成的对自身和周围环境及两者之间因果关系的认识，并且在自我认识、自我体验和自我调适中改造主观世界，进而改造客观世界。大学阶段一般指 18 ～ 25 岁，是自我意识形成和发展的最重要时期。

1. 自我评价

职业期望的形成要通过自我评价形成，自我评价是对自我的再认识，是对自己的思想、愿望、行为和性格特点进行的判断与评价。它反映了一个人怎么看待自己、评价自己，是自我意识中的重要内容。自我评价是个体通过对自己的分析、观察和比较达到对自我能力或特征的客观认知与评价。它以自我为客观对象，这种认识既是客观的也是主观的，主要取决于自己的心理结构、自我理想、自我要求等因素，进而决定个体的情感与职业态度，决定了对自己如何判断与评估。通过自我评价会产生自信、自大或自卑等不同的自我意识，但总体上，个人对自身的评价始终掌握在自己手中。

充分认识和正确评价自我有助于择业者将自己的主观愿望和客观实际结合起来，使个人能力与职业对人的要求相匹配。任何一种职业都需要一定的知识和能力，个体的知识和能力便成为影响职业期望的一个重要因素。能力是完成某种活动的必要技能，它对职业定向与职业选择起到筛选与定位的作用，能力素质决定职业期望。

2. 职业取向

取向是人生一切选择的基础，职业取向是指个人的能力和兴趣等内在因素对职业选择与职业发展方面的影响。每个学生的思想观念、生活经历、家庭条件、技能特长及对工作的要求不同，使他们有不同的职业取向，从而形成不同的职业期望。

有的大学生倾向于实现自身价值并得到社会的认同，有的大学生是为了能够施展才能和完善自我人格，还有的大学生是为了享受高水平的物质生活，这些不同的个人取向都会影响他们的职业期望的形成。现在，大多数大学生能为自己制订职业发展计划，但一般是 5 年以内的，所以他们对自己的能力、兴趣爱好和职业取向的了解还不够深入，自我意识还不够清晰。

3. 自我认知与现实的统一

在大学阶段，自我意识形成的过程其实就是一个将理想自我和现实自我重新整合的过程，它使个人能够从“我想做什么”的幻想中转变到“我能做什么”的务实中来，在满足主要需求的前提下，将环境与自我有机地结合，根据自己的实际情况和客观条件做出必要的调整，实现个人意愿与社会需求的统一，并确立自己现在和未来的社会地位和社会角色，选择适合自己的职业道路和发展方向，减少择业的盲目性。

因此，大学生自我意识的实现过程就是一个在理想的引导下不断探索人生奥秘的过程。大学生能够在自我意识的形成过程中重新认识自我、塑造自我、完善自我，形成合理的职业期望。

（二）由环境意识形成

一个人从小就受到自己所处的成长环境的影响，个体的思想意识是在个体与周围相关联的人的相互交往中培养出来的。职业期望同样是个体在与社会互动过程中受到外在环境因素的影响下逐步形成的，其主要包括家庭影响和与他人的对比两个方面。

1. 家庭影响

家庭是大学生的强大后盾，是大学生精神的支撑力量。家庭对大学生职业期望的影响非常重要，当子女在职业选择道路上犹豫不决并寻求帮助时，父母的作用就会被放大。大学生的职业期望或多或少地掺杂了父母的意志和愿望。让孩子接受高等教育，是父母在孩子身上的一种投资行为，父母通过教育投资希望孩子在未来找到一份满意的工作，获得较高的收入或社会地位。家庭对孩子的影响主要取决于父母的价值观和父母的受教育程度。

父母的价值观更多的是通过日常的家庭教育和熏陶逐渐地融进子女的心中的。以父母价值观为主导的家庭文化对孩子的职业选择，是以一种特定的期望来影响孩子的心理活动和价值判断的。

有些父母保守意识强烈，不希望子女从事高风险的工作，不考虑社会的需要，忽视子女的能力及爱好，总希望子女进入政府机关获得一份稳定的工作。有些是独生子女的大学生，从小在父母的娇惯下成长，没有吃过苦，不敢冒险，想留在父母身边。在家长、亲友的影响下，很多毕业生在选择就业区域时，希望能够离家近点儿；在选择工作岗位时，总希望企业名气大一点儿、收入高一点儿、工作轻松一点儿。

2. 与他人的对比

人们总是处于一定的社会环境中，而社会环境瞬息万变。随着社会环境的变化，他人情况也会发生改变，人们总习惯于参照性地与他人进行对比。通过对比，人们才会发现自己在社会中所处的位置和水平。一个优秀的个体能够有效地融入社会，在他人的影响下做出自我抉择。大学生通过与他人的对比，能够形成自己的职业期望。也就是说，大学生利用比较机制与合适的参照对象进行比较，参照周围人的现实或意向标准，能够形成明确的自我评价，知道自己到底适合一份什么样的工作，逐步找到自我定位，进而帮助和引导自己建立合理的职业期望。

在择业过程中，工作没有绝对的好坏之分，不存在绝对客观的标准，大学生通过与他人的对比，将有助于维持其积极的自我判断。人与人之间的比较是现实生活中的常见现象，对比的结果会促使个体转变比较的尺度和标准，产生新的自我评价，从而形成新的职业期望。

四、树立正确的职业期望

树立正确的职业期望对于每个人来说都至关重要，它不仅关乎个人职业发展的顺利与否，还直接影响到生活质量和幸福感。在面对学历层次差异、生源地差异及家庭经济压力差异时，树立正确的职业期望尤为重要。

（一）学历层次差异

1. 自我认知

不同学历层次的人应首先认清自己的教育背景和专业知识水平，明确自己在就业市场上的定位。高学历者可能拥有更多的专业知识和技能，但同时也应意识到实践经验的重要性；低学历者则需通过不断学习和提升技能来增强竞争力。

2. 灵活调整

学历不是决定职业发展的唯一因素。在面对就业市场时，应灵活调整职业期望，既要有追求高目标的勇气，也要有接受现实、从基层做起的准备。

3. 终身学习

无论学历高低，都应保持终身学习的态度，不断提升自己的专业能力和综合素质，以适应不断变化的市场需求。

（二）生源地差异

1. 了解地域特色

不同地区的经济发展水平、产业结构、文化背景等存在差异，这直接影响到就业市场。因此，大学生在树立职业期望时，要充分考虑这些地域特色，选择适合自己的发展路径。

2. 拓宽视野

生源地差异不应成为限制职业发展的枷锁。通过拓宽视野，了解更广阔的市场和机会，大学生可以为自己创造更多的发展空间。

3. 适应与融合

大学生无论身处何地，都要努力适应并融入当地的文化和工作环境，建立良好的人际关系网络，为职业发展打下坚实基础。

（三）家庭经济压力差异

1. 理性规划

家庭经济压力是许多人面临的现实问题。在树立职业期望时，大学生要充分考虑家庭的经济状况，制订切实可行的职业规划，避免盲目追求高薪而忽视个人兴趣和长远发展。

2. 寻求支持

面对经济压力，大学生不要独自承担，可以向家人、朋友或专业人士寻求帮助和支持，共同寻找解决问题的办法。

3. 增强自我能力

大学生应通过不断提升自己的专业技能和综合素质，增强就业竞争力，从而减轻家庭经济压力。同时，也要学会理财和规划，合理安排收入和支出。

总之，树立正确的职业期望需要综合考虑多种因素，包括学历层次、生源地及家庭经济压力等。只有根据自身实际情况，制订切实可行的职业规划，并不断努力学习和提升自我，才能在职业道路上走得更远、更稳。

知识小结

课外任务

对自己所学习的专业做对应的职业环境分析，并结合环境分析的结论，描述自己的职业期望（条目式，不超过 500 字）。

1. 职业环境分析

（1）社会环境。________________________________

____

____

____

____

____

（2）组织环境。________________________________

____

____

____

____

____

2. 职业期望描述

(1)________________

____

____

____

(2)________________

____

____

____

____

课外阅读一

10个有趣的职业

提到职业时，我们容易想到的职业有医生、教师、警察、记者、律师、互联网工作者等，但是在这个世界上，还有很多有趣的职业，特立独行又充满新奇。

1. 狗粮品尝师

狗粮品尝师的工作就是品尝狗粮，以确保其满足高档品牌的严格质量标准。他们会定期打开新制作的狗粮罐头样本，闻味后再品尝。专业的狗粮品尝师受过训练，他们具有鉴别狗狗喜欢和讨厌的气味的能力，以确保狗粮中的每种成分都完美搭配。当然有一些宠物食品相当可怕，仅气味就足以让人反胃，更别说品尝了。

2. 极光守护者

在拉普兰德（圣诞老人的故乡）每年9月到次年4月都能看到极光，秋末是最佳观赏季节。这里的土著萨米人，是极光的守护者。他们的工作内容就是静静等着绚丽多彩的极光到来，然后拿起喇叭喊醒身边熟睡的游客起床观看。这项工作十分适合爱熬夜的人。

3. 拥抱师

拥抱师是非常新兴的职业，于2014年在美国出现。拥抱师不仅是给顾客一个温暖的拥抱，还会倾听他们的烦心事，同时给予鼓励与建议，类似心理医生。

4. 闻臭师

嗅辨员在国外被称为“闻臭师”，其工作内容是用鼻子对臭鸡蛋味、霉腐味、粪臭味甚至异常的香味等进行辨别，划定异味级别，确认是否在规定的异味排放标准内。嗅辨员的判定具有法律效力，如果其确认异味超标，有关部门将依法责令治理。

5. 薯片检测员

薯片检测员的任务是把煳了的薯片挑选出来，把结成团的薯片扔掉，否则，会影响整包薯片的口感。这份工作的好处就是可以边工作边吃薯片，这是爱吃薯片的你向往的工作吗？

6. 酒店试睡员

试睡员需要在试睡前做大量准备工作，还必须对入住的每一间酒店的服务、环境、卫生、价格、餐饮等多个方面观察细致入微，用大量的文字、图片和视频来描述自己的住宿体验，供酒店方提高管理经营水平或供客人预订参考。试睡员应具有敏锐的观察力与感受力，热爱旅游，乐于分享所见、所闻。在一个向往的城市，挑选自己喜欢的酒店体验，一定会感到幸福。

7. 防晒“消防员”

防晒“消防员”的工作就是在沙滩上帮游客涂抹防晒油。这一职业是为男士们准备的，一些海滩为吸引人气，会招聘防晒“消防员”。

8. 地铁推手

高峰期的东京地铁，人们都是被推进去的。地铁推手们的工作内容就是在早晚高峰期把人们推进拥挤的车厢里。当他们第一次出现在地铁站的时候，他们被称为“乘客疏散人员”，大多是兼职的学生。如今，地铁推手在日本已经成了一种固定的职业，有兼职也有全职。

9. 数熊员

西伯利亚数熊员的工作内容是清点北极熊数量，并且应聘者上岗后还要给至多20头成年母熊佩戴电子监控项圈、抽取血样，以备日后开展相关的实验室研究。应聘者既可以是个人，也可以是一个团队。应聘者不但要勇敢勇猛、适应能力强、视力良好，还要能抵御冬季时零下46摄氏度的低温。

10. 美食体验师

美食体验师是由网络催生的一种新兴职业，他们的工作就是专门免费试吃，帮顾客了解菜品口味、服务态度等信息。现在有很多做美食的公众号，一方面帮助顾客体验美食，一方面帮助商家宣传。可以说这份工作真的是吃货很向往的职业了。

这个世界上有趣的职业很多，无论什么职业，只要是自己喜欢的、真心付出过努力的，都是值得尊重的职业。

资料来源 《十种有趣的职业，有你向往的吗？》，搜狐网，2020年4月30日。（收入本书时有改动）

课外阅读二

自己建造的房子

有个老木匠准备退休，他告诉老板，说要离开建筑行业，回家享受天伦之乐。老板舍不得他走，问他是否能帮忙再建一座房子，老木匠说可以。但是大家都看得出来，他的心已不在工作上，他用的是软料，出的是粗活。房子建好的时候，老板把大门的钥匙递给他。“这是你的房子，”老板说，“我送给你的礼物。”他震惊得目瞪口呆，羞愧得无地自容。如果他早知道是在给自己建房子，他怎么会这样做呢？他不得不住在一幢粗制滥造的房子里！

每天除了睡觉，我们大部分时间都是在工作，工作是我们生活的主要部分，我们工作就是在过自己的生活，而不是在给老板打工。我们工作也是在为自己的房子加砖添瓦。但是，与建房子不同的是，房子没有建好可以重建，而生活是自己一生唯一的创造，不能抹平了重建。为了生活得更好，我们应从现在开始，全方位提高自己的素质，让自己变得更优秀。

资料来源 《给予》，南昌航空大学官方网站，2016 年 11 月 29 日。（收入本书时有改动）

4

项目四
职业决策

学习目标

知识目标

理解职业决策的概念，掌握生涯决策理论和方法，探索自己的决策风格，掌握生涯决策的评估和调整的方法。

能力目标

学会运用 SWOT 等决策分析方法，提升自己的决策效能。

素质目标

尝试进行生涯决策和开展生涯行动，认识到在生涯发展的不同阶段，需要对生涯目标不断地进行评估与修正，以符合个体发展和社会发展的需要。

任务一　职业决策的理论及意义

案例导入

××学院毕业生案例：纠结的小张

小张，四川人，是计算机网络技术专业的应届毕业生。他的哥哥在家乡的银行工作，兄弟俩感情很好，小张受哥哥的影响比较大。目前，小张的女朋友在四川的一所小学任教。进入求职季之后，小张非常焦虑。一方面，来校招聘的企业来自全国各地，行业、岗位各异；另一方面，自己的求职意愿与家长的建议不太一致。

小张认为，留在武汉工作专业对口，而且武汉的发展机会可能更多。可是，如果在武汉工作的话，就不能和女朋友在一个城市，而且女朋友来武汉找工作的可能性也不大。哥哥建议他回家乡，到自己工作的银行应聘。如果回家乡工作，小张可能用不到自己的专业技术。但是老家的生活成本比较低、生活也悠闲，还可以和女朋友在一个城市生活。小张焦急万分，不知道如何选择。

思考与讨论

小张同学应该如何决策？你从中能得到哪些启示？

____

____

____

知识学习

职业决策是个体职业发展过程中的重要环节，决策制定得可行与否，直接影响着个体的职业生涯发展。错误的职业决策会对职业生涯造成不利的影响，甚至会妨碍事业成功。正如作家毕淑敏所写：一个选择，决定一条道路。一条道路，到达一方土地。一方土地，开始一种生活。一种生活，形成一个命运 。

一、职业决策的概念

“决策”一词的意思就是做出决定或选择。决策是人类的核心活动，对个体、群体、组织和社会生活至关重要。一个人在其职业生涯中经常会面临多重选择，这时就需要个人做出决定，即进行职业决策。职业决策的概念是从经济学中发展而来的，有广义和狭义之分。广义上的职业决策是一个由提出问题、收集资料、确定目标、拟订方案、分析评价、最后选定等一系列环节组成的完整过程，而且在方案选定之后，还要检查和监督其执行情况，发现偏差并加以纠正。狭义的职业决策仅指行动方案的最后选择，即通常所说的“拍板”。本书采用的是广义上的职业决策概念。

二、职业决策理论与模型

国内外许多学者经过深入研究，提出了职业决策的理论与模型思想。职业决策的理论与模型的出现，既受经典的统计决策理论的影响，也受经济决策理论和心理决策理论的影响。虽然这三种理论各不相同，但也有相通之处，即都强调概率与价值。研究职业决策的学者们试图回答以下几个问题：职业决策是何时做出的、应该如何做职业决策、如何帮助决策者做职业决策。由于职业决策本身异常复杂，加之不同学者所持立场不同，职业决策的理论与模型呈现出多元化的特点。

三、职业决策理论与模型的发展演变

早在 1909 年，帕森斯（Parsons）便提倡用科学的方法来研究职业决策问题，并提出了职业决策的第一个正式模型。早期的职业生涯决策理论多是从某一方面入手来揭示职业选择中的共同规律。以帕森斯的特质因素论和霍兰德的人格类型理论为代表的人职匹配理论，就是这一阶段的主导理论。它们突出强调职业决策中的人职匹配，没有从整体上对职业决策进行研究，很少考虑家庭、社会环境、经济形势、就业状况等制约因素，对心理与社会、经济因素的冲突缺乏思考。

后来，人们开始综合考虑心理、社会、经济等因素，更加关注职业生涯决策的整个过程，承认职业生涯决策过程的非理性成分。这些理论所描述的职业决策模型可以分为两种基本类型，即理性选择模型和非理性选择模型。理性选择模型把明智的决策者看作一个“客观的科学家”，是系统的、独立的和理智的，能确保个体获得最终目标的最大化，强调个体决策。非理性选择模型则认为，决策过程充满了模糊性和不确定性，强调决策过程中环境因素的作用，把对个体有意义的环境因素考虑在内。随着对职业决策研究的深入，出现了泰德曼（Tiedeman）的生涯决定理论、格特弗兰德森（Gotthedson）的职业抱负理论、克鲁姆伯尔茨（Krumboltz）的社会学习理论、克内菲尔坎姆（Knefelkamp）和斯列皮兹（Slipitza）的认知发展理论、金兹伯格和舒伯的生涯发展理论等一批有关职业生涯发展与决策的理论。

四、几种有代表性的职业决策理论

（一）泰德曼的生涯决定理论

虽然帕森斯的理论得到了许多学者的肯定和认同，但是该理论对职业决策过程，以及对个体如何充分地、精确地收集和处理信息的过程描述过少。为了弥补这一不足，泰德曼提出了生涯决定理论，即泰德曼模型。他注重描述职业决策历程，并特别强调个人生涯抉择的复杂性与独特性。泰德曼的生涯决定理论包括以下几部分内容。

1. 职业生涯决策是一个完整的过程

泰德曼将职业生涯决策分为两个阶段、七个步骤。

第一个阶段是预期阶段。该阶段又可分为四个步骤：一是探索，即对不同的选择方向及可能目标进行认真分析和思考；二是具体化，即经过对各种选择方向或可能目标的优缺点进行仔细的分析斟酌，确定几种备选方案；三是抉择，即选定一个可以消除眼下所受困扰的方案；四是明确化，即对选择的方案进行进一步的检验。

第二个阶段是履行和调整阶段。该阶段包括三个步骤：一是定向，即开始执行自己的选择，也是新经验的开始，在新的环境中，争取得到他人的接纳；二是转化，即调整步伐与心态，专心致志，肯定在新环境中的角色，全力以赴；三是整合，即个人的信念与集体的信念达到平衡与妥协。其中，第一个阶段的主要任务是做出职业决策，第二个阶段则是对第一个阶段决策的实践和检验。

2. 职业决策与个人的心理发展同时进行

只有通过系统的问题解决，以个体的整体认知能力为基础，把个体的独特性与职业世界的独特性结合在一起，才能做出合理的职业决策。

3. 对于决策结果的合理性判断，要突出现实性标准

决策的合理性是指决策结果符合现实的程度。泰德曼认为，现实可以区分为个人现实与集体现实。个人现实是一种感觉，使决策者觉得自己所做的决定是对的、恰当的，其过程是朝着符合自己需要的方向发展的。集体现实是指别人认为决策者该怎么做，包括专家的意见和其他重要人物的意见。根据集体现实做出的决定也许别人会满意，但是当事人却不一定会满意。

（二）克朗伯兹的生涯决策理论

美国心理学家克朗伯兹在其职业生涯决策的社会学习理论中指出，职业选择过程受到四类因素的影响。

1. 遗传和特殊能力

个人得到来自遗传的一些特质，如种族、性别、外表特征、智力、个人天赋等，在某种程度上决定了个人的职业表现或影响了个人的生涯。例如，在现阶段的大学生就业中，性别因素仍然不可否认地影响了求职者是否有机会参与面试和被录用。而身高、体形、健康状况等先天条件，在模特、文艺工作者、军人等职业的招募当中也占据了重要的地位。

2. 环境条件与事件

环境条件与事件包括人类活动（如社会、文化、政治、经济活动，家庭、教育活动）

的影响和自然力量（如自然资源的分布或自然灾害，如地震、洪水及干旱）的影响。很显然，家庭的社会经济地位、家庭对于个人的期望、所在地区的教育水平等，都会在很大程度上影响到个人的求学背景和发展机会。例如，改革开放这样重大的社会政治经济变革，也极大地改变了社会中千万人的人生轨迹。

3. 学习经验

这里所说的“学习”是广义的学习，即每个人在日常生活中不断积累的经验和认识，包括各种工具性学习、行为与认知反应、观察学习等。例如，一个孩子在与小伙伴玩耍的过程中发现，如果自己愿意与伙伴们分享玩具，别人就会更乐意跟自己玩。那么，这个孩子可能由此学到了“分享”“合作”。而如果父母总是为自己的孩子包办一切，不允许他有自己独立的想法或喜好，那这个孩子的责任感则会十分欠缺。这样的孩子到该独立进行职业决策的时候，就很难承担决策的责任，也没有主见。再如，某小学生恰好遇上了一位特别和蔼可亲、循循善诱的数学老师，于是对数学产生了浓厚的兴趣，对教师这个职业也怀有美好的向往，在成年后，他最终选择数学教师作为自己的职业。由此可见，每个人在其成长过程中都积累了无数的学习经验，个体的学习经验是独特的，而这对于个体的职业生涯选择又具有重要的影响。一个人是自信还是自卑、是敢于冒险还是畏惧变化，他怎样看待他人，他对于教师、医生、警察等各种职业有些什么样的印象，他更看重工作带来的成就感还是与家人相处的时间……这一切，无不与个人的学习经验有关。

4. 任务取向的技能

受到上述种种因素的作用，个人在面临一项任务时会表现出特定的工作习惯、解决问题的能力、心理状态、情绪反应和认知的历程，这些被称为任务取向的技能。例如，面对找工作这件事情，同一个班里大多数同学都没有经验，都会犯怵。但其中有的大学生可能会积极地面对困难，从大一开始就会想到利用学校提供的各种信息和资源，如认真学习职业发展规划的课程和相关慕课、听讲座，参加学校组织的“三下乡”、带薪实习等各种实践活动，向自己的亲友、专业课老师、辅导员和高年级的同学请教，之后会开始探索和思考自己的兴趣、能力，并在每年的寒暑假之前，积极寻找实习的机会。这样，当他们到了大三的时候，已经对自己和劳动力市场都有了相当的认识，也积累了不少的信息和资源，可以说是胸有成竹了。也有一些大学生一味地拖延，不去面对困难，直到大三时才开始着急，或寄希望于自己的某个亲戚能够帮忙找一份工作，或埋怨学校不帮助毕业生联系就业单位。在这个过程中，不同的人所表现出来的心态、习惯和能力，其实反映了他们不同的任务取向的技能。

在克朗伯兹所说的这四类影响职业决策的因素中，前两类因素（遗传和特殊能力、环境条件与事件）通常都在个人的控制之外，而后两类因素（学习经验和任务取向的技能）则是个人在成长过程中可以不断积累和更新的。克朗伯兹认为，上述四种因素交互作用的结果，形成了个人对自我和世界的推论或信念。这些推论不一定完全正确，要视个人的学习经验是否丰富而定。但是，人们往往会以偏概全，在一两次深刻经历的基础上得出一些刻板的印象和先入为主的偏见，这就是所谓的非理性观念。

（三）班杜拉的生涯决策理论

美国著名心理学家班杜拉的一般社会认知理论（SCCT）强调在指导人的行为过程中，自我效能和社会过程是相互作用的，并提出选择过程可以分为三个部分：表达初步的选择或目标；行动，如为实施自己的选择而参加特定的培训；后来的完成情况，即成功或失败。完成情况构成反馈回路，影响将来职业行为的形成。在 SCCT 中，职业选择过程嵌入在个体的整个职业发展过程之中，可以结合 SCCT 的整个职业发展模型来说明职业决策过程。

对于许多人来说，职业选择不是在理想的状态下做出的。经济需要、教育条件的限制、缺乏家庭支持等将阻碍个体追求最初的兴趣或喜欢的职业目标。SCCT 考虑到了这一点，除了说明自我效能和结果期待对职业目标和行动的直接影响外，还提出现实世界的许多因素将影响职业兴趣，要求人们在选择职业时做出妥协。在这种情况下，符合自我效能和结果期待的工作可得性比职业兴趣对目标和行为的影响更大。SCCT 还指出背景因素对职业选择的影响主要通过两条途径：一是机会结构影响人将兴趣转化为目标、将目标转化为行动的能力和意愿，在图 4-1 中用虚线表示；二是某些环境条件对形成和实施选择将产生直接而重大的影响，如雇用中的歧视、父母及长者对选择的干预等，这些直接影响在图 4-1 中用实线表示。另外，还有一些环境的影响可能是偶然的，不可预见的。

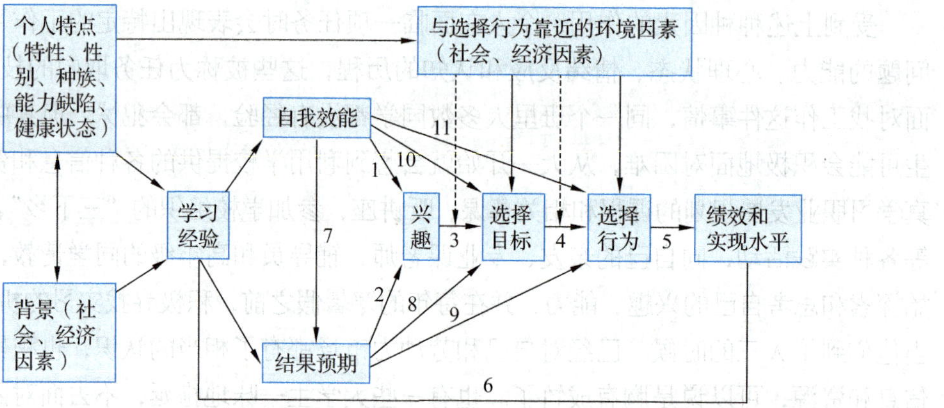

图 4-1 职业决策过程

（四）CASVE 循环

该理论将生涯决定看作生涯发展的关键，并用 CASVE 循环即沟通（communication）、分析（analysis）、综合（ synthesis）、评估（value）和执行（execution）来表述个体做出决策的过程。通过改进这五种认知信息加工技能，个体可以改善其职业生涯决策的能力。在沟通阶段，个体应该意识到需要做出就业决定，并找出目前状态和理想状态之间的差距。一般来讲 ，个体必须在恰当的时机对线索做出反应。只有这样，才能抓住最佳机会。在分析阶段，个体需要利用已获取的自我知识和就业选择知识，分析和理解现存状态和理想状态之间的差距，思考在做出重要决策时应使用的典型方法。因此，自身积极和消极的想法将影响问题的解决与决策过程。实际上，分析阶段本身就是一个循环，个体先思考自己所知道的，然后获得信息，再思考自己所学到的。在综合阶段，一般需要先扩大然后缩小在职业决策中考虑的就业决定。扩大就业选择有两个方法：一是将曾经考虑过的行业、职业和职位列在一张表上，二是使用各种信息资源形成各种选择。缩小是指保留有助于缩小现存状态和理想状态之间的差距的职位。在评估阶段，个体首先需要根据综合阶段缩小后的少数几个就业选择进行顺序排列，逐一判断这些职位能不能满足自己的需要，然后选择接受合适的职位。如果这些选择都无法满足自己的需要，个体可以继续搜索潜在的更合适的就业机会。在执行阶段，个体不得不采取行动落实自己的选择，一方面，要申请这个职位（写简历、求职信，掌握面试技巧等），然后接受这个职位。另一方面，再回到沟通阶段，这时，个体需要检查内部线索和外部线索，看看最初的就业差距是否已经被成功消除。如果线索表明问题依然存在，就要回到分析阶段，以更好地理解差距，再发展出另一个选择列表。CASVE 循环法是目前职业决策中最常用的方法之一。深入了解 CASVE 循环法有助于大学生做出正确的决策。

（五）PIC 模型

PIC 模型于 20 世纪 80 年代末期提出，后来盖蒂（Gati）等人对这一模型进行了矫正和修改，最终形成完善的 PIC 模型。PIC 模型的理论基础是方面排除理论，这是一种在决策方案之间做出选择的方法。根据该理论的观点，决策方案的选择通常都是多属性的。例如，对选购图书的决策来说，可以根据其价格、内容、纸张、出版社等属性进行描述。根据方面排除理论的要求，在选择过程的每一阶段，要挑选出某一属性或某一方面，根据其重要性对之做出评价，对不符合决策要求的属性应予以排除，即不在以后的比较选择中加以考虑。应用方面排除理论做选择时，要直到剩下某种未排除的方面或属性时，再做出最后的选择。

理性决策理论认为，人们在进行决策之前应考虑到所有的情况，对所有潜在的方案进行研究。实际上，这是不现实的。PIC 模型根据不同的目的、过程和结果将职业决策过程分解成三个主要的阶段，PIC 即这三个阶段的缩写。第一阶段即排除阶段（prescreening）：职业世界为人们提供了大量的接受教育培训和工作的机会，但人们在对职业做出选择时，可能会感到困惑。为了消除困惑，本阶段的目的就是根据个人偏好，排除与个体偏好不兼容的职业，从而得到少量的、可操作的部分有可能的方案。第二阶段即深度探索阶段（in-depth exploration）：通过对有可能的方案的深度探索，产生一些合适的方案，确定一些既有希望又适合个体的职业。第三阶段即选择阶段（choice of the most suitable alternative）：基于对所有合适方案的评估和比较，挑选最合适的方案。

尽管 PIC 模型作为规范性的职业决策模型有很多优点，但是必须承认，该模型纯粹从认知的观点出发来处理职业决策过程，忽略了职业决策过程中的情感因素。大量的研究表明，情感对决策有着很大影响，不仅对职业决策前的准备状态有影响，而且对职业决策过程中的每个阶段都会产生影响。

知识小结

任务二　职业决策的基本原则和类型

案例导入

大学生职业发展决策随时势变化

毕业于上海对外经贸大学国际政治专业的徐森芬，在尝试考研失败后，踏上了求职的征途。近三个月，她一直辗转于各一线城市求职。“一直以来，我的理想工作就是去大城市的写字楼上班，当一名精致的白领，每天上班前可以去楼下喝一杯咖啡。”徐森芬的求职之路并不如想象中一帆风顺。尽管徐森芬的教育背景看起来不错，但在实际工作岗位的匹配度上，总是差一点火候。

“从国际类媒体的记者岗位，到跨国企业的公共事务部门，再到非营利组织的国际交流项目，我都面试过。但是国际类新闻媒体对专业技能有着严苛要求，跨国企业也更青睐具备相关工作经验的候选人。”徐森芬说。

徐森芬尝试调整心态，将目光转向那些或许不那么光鲜亮丽、但能让她找到归属感和成就感的工作机会。“我最大的爱好是旅拍，短期目标是先找一份文旅行业的工作，再做自媒体博主；长期目标是通过这份工作积累资源，以后开一家旅行公司。”

另一个值得注意的现象是，随着一线城市人口净流入速度有所放缓，越来越多的毕业生选择回到县城就业。

麦可思研究院的跟踪统计发现，在回县城工作的本科生中，有59%是毕业5年内一直在县城工作，约41%则是在大城市闯荡一段时间后选择回到县城。这与县城工作收入水平的稳步提高密切相关。回县城工作的毕业生的平均月收入已从2018年的4 640元上升到2022年的5 377元，就业满意度也从67%攀升至76%。

2023年毕业于南昌大学的陈颖，毕业后回到江西的一个县城，至今一直在参加当地事业单位的招聘考试。“我大三时就想明白了，毕业后回老家生活。在小城市有个编制会好很多。”由于在校期间通过了导游资格证的考试，周末闲暇时，陈颖也会做一些当地带团旅游的兼职。

徐森芬和陈颖的经历是毕业生求职的一个缩影。智联招聘《2024大学生就业力调研报告》显示，应届生慢就业、自由职业的比重分别从2023年的18.9%、13.2%增长到19.1%和13.7%。

通过以上案例，我们了解到：当前就业市场存在结构性问题，越是条件待遇好的就业岗位，越面临着“供大于求”的局面。一些应届毕业生的自身技能与心理期望待遇和当下“僧多粥少”的市场职位需求不匹配，导致职业决策产生偏差，即使耗费大量的精力与努力，也难以获取理想的职业岗位。做好合适的职业决策，能为大学生从校园学习生活过渡到社会工作生活做好准备，同时一定程度上降低在寻求工作上走入误区的概率。若要做好合适的职业决策，首先要了解职业发展决策的基本原则和类型。

资料来源　王小霞：《更注重质量：大学生择业观有新变化》，《中国经济时报》，2024年8月7日第A06版。(收入本书时有改动)

思考与讨论

结合案例，你认为做好职业生涯决策的关键要素有哪些。

______

______

______

知识学习

一、大学生职业发展决策的基本原则

大学生在规划职业发展决策时，可以遵循以下几个基本原则。

（一）自我认知原则

在职业发展决策中，自我认知原则是一个至关重要的基本原则。这一原则强调了在做出职业选择时，大学生需要首先深入了解自己的兴趣、能力、价值观和目标，以确保所做出的决策与自己的内在特质和长期目标相契合。大学生需要深入了解自己的兴趣、能力、价值观和目标。通过自我评估，可以更清晰地认识自己的优势和不足，从而选择与自己相匹配的职业方向。自我认知原则的具体应用体现在以下几个方面。

1. 明确个人兴趣

了解自己的喜好和兴趣所在，有助于大学生找到与自身兴趣相匹配的职业方向。一个对某个领域充满热情的人，更有可能在该领域取得成功。

2. 评估个人能力

大学生需要对自己的能力有一个清晰的认识，包括自己的专业技能、人际交往能力、领导才能等。这有助于他们找到能够充分发挥自己能力的职业岗位，避免选择超出自己能力范围的工作。

3. 确定个人价值观

价值观是指导一个人行为和决策的核心观念。大学生需要明确自己的价值观，以便在职业发展决策中做出符合自己价值观的选择。例如，有些人可能更看重工作与生活的平衡，而有些人则更追求事业的成功。

4. 设定职业目标

在了解自己的兴趣、能力和价值观后，大学生可以设定明确的职业目标。这些目标应该具有可行性和挑战性，能够激发自己的积极性和动力。

遵循自我认知原则进行职业发展决策，有助于大学生避免盲目跟风和随波逐流，确保自己的职业选择符合个人特质和长期目标。同时，也有助于大学生在职业生涯中保持稳定性和持续性，实现个人价值的最大化。

（二）市场需求原则

大学生职业发展决策的基本原则中，市场需求原则占据着重要的地位。市场需求原则是指大学生在进行职业发展决策时，应充分考虑目标职业的市场需求和趋势。这是因为职业选择不仅关乎个人兴趣和能力，还受到社会经济发展、产业结构变化等外部因素的影响。了解市场需求，有助于大学生做出更符合时代趋势的职业选择，提高就业竞争力和职业发展潜力；了解目标职业的市场需求、薪资水平、发展前景等信息，有助于大学生做出更明智的决策。

1. 关注行业发展趋势

大学生应关注国内外行业发展动态，了解新兴产业和技术的兴起，以及传统产业的转型升级。这有助于他们把握市场机遇，选择具有发展潜力的职业方向。

2. 分析市场需求变化

大学生应关注目标职业的市场需求变化，包括就业岗位的增减、薪资水平的变化等。通过分析市场需求，大学生可以了解目标职业的就业前景和竞争力，为职业发展决策提供参考。

3. 结合个人特点

在了解市场需求的基础上，大学生应结合自身兴趣、能力、价值观等特点，选择适合自己的职业方向。这样既能满足市场需求，又能发挥个人优势，实现职业发展的最佳匹配。

充分了解市场需求，选择具有市场需求的职业方向，有助于大学生在职业生涯中保持竞争力和发展潜力，提高大学生就业竞争力。同时，具备市场敏感度和前瞻性的大学生更容易在就业市场中脱颖而出。随着市场需求的不断变化，大学生可以通过不断学习和提升自己的能力，适应市场需求的变化，结合个人特点选择适合自己的职业方向，以实现个人职业发展的最大化和职业发展的良性循环。

（三）可持续发展原则

大学生进行职业发展决策时，应考虑到自己的职业发展道路是否能够持续、稳定地推进，同时也要考虑对社会和环境的长远影响。这意味着大学生在选择职业方向时，需要综合评估行业发展趋势、市场需求、个人兴趣和能力以及社会责任等多方面因素，以确保自己的职业发展既符合个人成长的需要，也符合社会和环境可持续发展的要求。

（四）风险与收益平衡原则

在大学生进行职业发展决策时，需要全面评估各种选择可能带来的风险和潜在的收益，并在两者之间寻求一个合理的平衡点。这意味着大学生需要权衡各种因素的利弊得失，包括行业发展趋势、市场需求、个人兴趣和能力、薪酬待遇、工作稳定性等，以确保自己的职业发展决策既具有挑战性又具备可行性。

1. 行业与职业的风险评估

大学生在选择职业方向时，应对所在行业进行风险评估，了解该行业的发展趋势、市场竞争、政策环境等。同时，对具体职业岗位进行风险分析，评估其工作稳定性、晋升空间、职业发展前景等。

2. 个人兴趣与能力的权衡

大学生需要充分考虑自己的兴趣、特长和优势，选择与之匹配的职业方向。在此基础上，权衡个人兴趣与职业发展前景的关系，确保自己的职业选择既符合个人兴趣又能带来良好的职业发展。

3. 潜在收益与风险的比对

大学生在评估职业选择时，应对比不同选择可能带来的潜在收益和风险。考虑薪酬待遇、工作环境、工作压力、职业发展空间等因素，确保自己的职业发展决策在收益和风险之间达到平衡。

在职业发展决策中，很多大学生容易盲目跟风，选择热门行业或职业。然而，热门行业和职业往往伴随着高风险。通过权衡风险和收益，大学生可以避免盲目跟风，做出更加理性的选择。通过全面评估各种因素，确保决策具有科学性和合理性，提高决策质量，降低职业发展过程中的不确定性和风险。无论选择何种职业方向，大学生都应保持持续学习和适应的心态。随着市场环境和职业需求的变化，不断调整自己的职业规划和发展方向，以确保自己的职业发展具有可持续性和竞争力。

（五）实践与探索原则

通过积极参与实践活动、开展职业调研、寻求职业导师指导等方式，大学生可以深入了解职业领域、明确职业方向、提升职业技能和竞争力，为未来的职业发展奠定坚实的基础。

1. 参与实践活动

大学生在职业发展决策过程中，应积极参与实践活动，如实习、兼职等。通过亲身体验和不断探索来深入了解职业领域的工作环境、工作内容、职业要求等，形成更加全面和客观的职业认知。在实践过程中，大学生可以逐渐明确自己的职业兴趣、优势和目标，明确职业方向，进而做出更加明智和符合自身发展的决策，为未来的职业发展打下坚实的基础。

2. 开展职业调研

开展职业调研需要了解不同职业领域的发展趋势、就业前景等，为职业发展决策提供参考依据。

3. 寻求职业导师指导

大学生可以积极寻求职业导师的指导，与导师进行交流和讨论，了解行业动态和职业发展趋势，同时获取职业规划和发展的建议。

大学生在职业决策的实践与探索中，应根据自己的兴趣和专业背景选择合适的实践活动，确保活动内容与职业发展目标相符合。在实践过程中，要注重不断反思和总结自己的经验和教训，及时调整职业规划和发展方向。同时在探索职业发展过程中，必然会遇到各种困难和挑战，因此，保持积极的心态至关重要，要勇于面对挑战，并寻求解决方案。

（六）灵活调整原则

职业发展是一个持续的过程，大学生在职业决策时应保持灵活性。随着市场环境、个人兴趣和能力等因素的变化，需要调整自己的职业目标和计划来确保职业发展的顺利进行。灵活调整自己的职业规划和决策，也是大学生保持自我竞争力的方法。通过设定可调整的职业目标、制订灵活的职业发展计划和定期进行职业规划评估等方式，大学生可以更好地应对各种变化和挑战，实现自己的职业发展和个人价值。

1. 设定可调整的职业目标

大学生在设定职业目标时，应该考虑到目标的可调整性。这意味着需要根据实际情况和市场变化来不断调整自己的职业目标，以确保目标的可行性和可持续性。

2. 制订灵活的职业发展计划

在制订职业发展计划时，大学生应该考虑到各种可能的变化和挑战。可以将计划分为短期和长期两个阶段，并根据实际情况进行调整。例如，在短期计划中，可以设定一些具体的行动步骤和时间表，以便更好地实现职业目标；在长期计划中，则需要考虑到未来的市场趋势和职业发展的要求，以便做出相应的调整。

3. 定期进行职业规划评估

大学生应该定期对自己的职业规划进行评估，以便及时发现和解决问题。在评估过程中，他们需要考虑自己的职业目标、发展现状、市场需求等因素，并根据评估结果来调整自己的职业规划和决策。

在保持职业决策灵活性时，大学生要保持对市场和职业发展的敏锐洞察力，以便及时发现和应对各种变化和挑战。在面对职业发展的变化和挑战时，大学生需要保持勇气和决心，勇于面对和解决问题。在调整职业规划和决策时，大学生可以寻求专业人士的指导和建议，以便更好地应对各种挑战和困难。

（七）社会责任原则

在选择职业时，大学生应充分考虑到自己作为社会成员的责任和义务，以及自己的职业发展如何能够为社会做出贡献。选择一个对社会有益的职业，不仅可以实现个人价值，还可以为社会做出贡献。大学生作为社会的中坚力量，个人职业发展决策不仅关乎个人前途，更体现了个人对社会的贡献和价值。通过遵循社会责任原则，大学生能够将自己的职业发展与社会的需要紧密结合，实现个人价值与社会价值的统一。大学生在职业发展中积极履行社会责任，有助于推动社会的和谐与进步。大学生可以通过自己的工作，为改善社会环境、提高社会福祉做出贡献，从而促进社会的整体发展。具备社会责任感的大学生更容易得到社会的认可和尊重，从而在职业竞争中占据优势。此外，积极履行社会责任，还有助于大学生建立广泛的人际关系网络，为职业发展提供更多机会和资源。

二、大学生职业发展决策的基本类型

（一）计划型决策

计划型决策方式基于已有长期的职业规划和目标设定，大学生会根据自己的志向提前规划自己的职业发展路径，并制订相应的实施计划。

此种决策的特点是有明确的职业目标和针对求职准备的行动计划，通过系统性的理论学习与实践尝试，为自己未来的职业生涯做好充分的准备。

（二）多步趋近型决策

当现有的条件无法实现大学生理想的职业目标时，他们会选择先进入与目标职业相近的领域或岗位，之后在行业内收集信息、积累经验，逐步趋近目标。例如，希望未来成为幼儿园教师的学习学前教育专业的大学生，可能会先在幼儿教培机构做兼职，以积累相关工作经验、专业资本和行业人脉。

（三）从业期待型决策

在无法实现理想职业目标，也没有相近职业可选择的情况下，大学生会先选择一个其他职业，并持续关注行业发展情况，等待机会出现再考虑自己的理想目标。例如，希望从政但未能考上事业编制、公务员的大学生，可能会先选择其他职业，并继续学习备考，等待合适的时机再寻求发展。

（四）理智型决策

理智型决策方式强调全面收集信息、理智思考和冷静分析判断。大学生会评估决策的长期效用，并基于事实做出决策。

此种决策的特点是在决策过程中会权衡利弊，综合考虑各种因素，确保决策的科学性和合理性。

（五）直觉型决策

直觉型决策是指基于个人的直觉和感觉做出决策，关注内心感受。在信息有限的情况下，能够迅速做出决策并调整。

这种决策的特点是决策过程较为迅速，但可能缺乏充分的理性分析，存在一定的风险。

（六）依赖型决策

依赖型决策是指在决策过程中寻求他人的建议和指导，依赖他人的意见来做出决策。

这种决策的特点是容易受他人影响，缺乏独立性和自主性，但也可能因为借鉴他人的经验而减少决策风险。

（七）回避型决策

采取回避型决策的大学生面对决策问题时，倾向于回避或拖延决策。

这种决策的特点是缺乏决策意识和能力，可能导致错失发展机会或增加决策成本。

（八）自发型决策

自发型决策者渴望尽快完成决策，具有强烈的即时性和冲动性。

这种决策的特点是决策过程迅速但可能缺乏深思熟虑，容易因冲动而做出错误决策。

以上类型并非孤立存在，大学生在职业发展决策过程中可能会根据具体情况综合运用多种决策方式。同时，随着时间和经验的积累，他们的决策风格和能力也会逐渐成熟和完善。

知识小结

任务三　职业决策的过程

案例导入

××学院毕业生案例：李娜的选择

李娜，女，21岁，××学院毕业生。她乐观、外向、健谈、热情，喜欢结识新朋友，人缘好，比较敏感，对人和事通常都有细致的洞察力，且喜欢独立做决定，很有责任感，擅长写作，学习成绩优秀，多次获得奖学金。为了进行职业选择，她做过一些测评，如MBTI的人格类型，她属于ESFJ；霍兰德职业兴趣与能力倾向量表的结果是社会型；价值观量表中显示她看中的是职业中的社会交往，认为工作的目的和价值在于能与各种人交往，建立比较广泛的社会联系和关系，甚至能与知名人物结识。

因此，她想从事跟人打交道的工作，最好能运用自己的中文写作特长。经过考虑后，她觉得幼师（x）、行政文秘（y）和人力资源专员（z）这三种工作都可以作为自己考虑的职业，而她父母的意见是女孩子做幼师工作稳定，也更有精力照顾家庭，希望她从事这种稳定的工作。那么，李娜究竟应该选择哪一种职业呢？

她认为从回报的角度看，人力资源专员最好，幼师次之，行政文秘最差；从机会来看，幼师最好，人力资源专员次之，行政文秘最差。李娜根据自己的特点和需求构建了自己的职业决策方块。通过职业决策可以看出，人力资源专员的回报与机会乘积是最大的。因此，李娜选择了人力资源专员作为自己的职业。

思考与讨论

通过以上案例的学习，请同学们说说对生涯决策有何启示。

____

____

____

知识学习

生涯决策是为了达到一定的目标，从两个或两个以上的可行方案中选择一个合理方案的分析判断过程。美国管理学家西蒙认为，决策是管理的心脏，管理是由一系列决策组成的，管理就是决策。决策的正确与否，决定着目标行为的成败。正确的决策能指引个人沿着正确的方向、合理的路线前进；错误的决策会使个人走上错误的道路，可能导致目标的失败。

一、职业决策的步骤

人生处处是抉择，我们当下的每一个决定都决定了我们未来的人生。职业决策是我们生命历程中的重要决策，它不仅会影响我们的工作方式，更会影响我们的生活方式。从某种意义上来说，选择一种职业，就是选择一种生活方式。人在一生中会遇到许多决策，我们在进行决策的时候不应是盲目的，而是可以遵循一定的步骤的。

（一）确定志向

志向是事业成功的基本前提，没有志向，事业的成功也就无从谈起。志向反映了一个人的理想和信念，影响着一个人一生的奋斗目标。只有确定了志向，才能明确自己所要从事的职业。

（二）确定所要做的决定

在确定了志向后，就要做出具体的决定，要选择具体的目标，不能含糊不清。

（三）自我评价

自我评价的目的是更好地认识自己，只有认识了自己，才能对自己的职业做出正确的选择。

（四）收集职场资料

每个人都处在一定的环境之中，只有对环境中的地位、环境对自己提出的要求以及环境对自己有利的条件与不利的条件等有了充分的了解，才能做到在复杂的环境中趋利避害。同时，要了解以后想要工作的某个领域的历史、现状和未来，这样才能做好心理上的准备。

（五）列出可行的选项

收集了资料以后，如不做整理分析，收集就毫无意义。收集资料的目的，一方面是利于我们做出对资料的判断；另一方面则是针对所要决策的事项提出可行的选项，以便做出决定。可行的选项方案列得越多越周详，做出正确决定的概率就越大。

（六）采取行动

在确定了选项后，行动便成了关键的环节。没有达到目标的行动，目标就难以实现，也就谈不上事业的成功。这里所指的行动，是指落实目标的具体措施，主要包括工作、训练、教育等方面的措施。例如，为达到目标，在工作方面，你计划采取什么措施来提高你的工作效率？在业务素质方面，你计划学习哪些知识、掌握哪些技能来提高你的业务能力？在潜能开发方面，采取什么措施来开发你的潜能？这些都要有具体的计划与明确的措施，并且要求这些计划特别具体，以便定时检查。

（七）评估与回馈

俗话说：计划赶不上变化。影响职业生涯规划的因素有很多，有的变化因素是可以预测的，而有的变化因素难以预测。在此情况下，要使职业的决策行之有效，就需不断地对职业生涯的决策进行评估与修订。如果与预期的结果有差异，必须及时检讨是否应该重新做一次决策。再次做决策时，可以收集更多的数据，列出更多的可行选项。这是一个循环的过程，并非一成不变。

成功，最主要的是看自己能否最大限度地发挥优势。要最大限度地发挥自己的优势，关键是要能客观地分析自我，知道自己的优势所在，做到扬长避短。

二、职业决策的困难

有人说，人生充满选择，但关键处只有几步。正如下棋，一步之差，就可能全盘皆输。生活就是由一系列的选择组成的，在做出选择之前有一个很重要的心理过程——决策。一个人遇到的麻烦和不如意，往往是他做出了不合适的决策或未做出决策而造成的。日常生活中的很多决策往往在不经意中就完成了，其过程相当缺乏理性。你经常用什么样的方法做决定？算命？星座？让父母高兴？听老师指示？由自己决定？职业生涯决策是一个高度复杂的过程，常常会令人左右为难，很难用简单的方程式来概括。人不可能完全理性，学会把一些理性的方法引入生涯决策，培养理性决策的能力将使你受益终身。在决策过程中，往往会出现这样或那样不能做决定的情况。是什么因素导致我们在做决策时出现不能做决定的情况呢？根据职业心理学的研究，职业决策困难可分为决策过程前的困难和决策过程中的困难，包括三大类共十个因素。职业决策困难模型如图 4-2 所示。

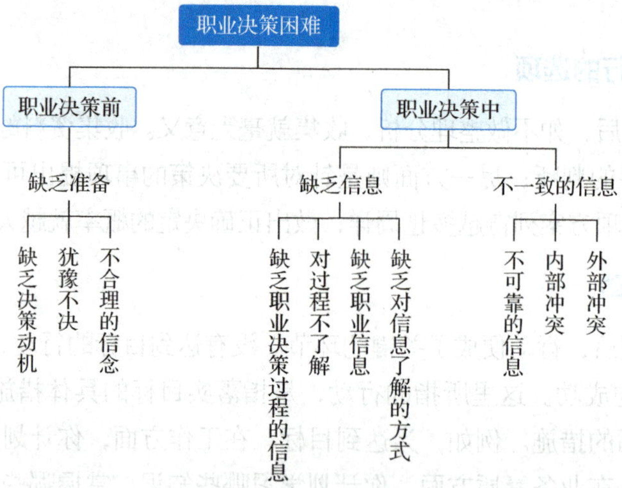

图 4-2　职业决策困难模型

决策过程前，缺乏准备会造成决策困难。以下三个因素会导致我们在这个阶段出现决策困难：一是缺乏决策动机，如认为还没到需要确定职业发展方向或大学生涯目标的时候，不愿意做出选择；二是犹豫不决，如面临抉择时，通常都会感到困难，做不了决定；三是不合理的信念，如认为决定了就不能改变，改变就意味着失败。

在决策过程中，缺乏信息或信息不一致会造成决策困难。

缺乏信息主要表现在以下四个方面：一是缺乏职业决策过程的信息，如不知道如何确定职业发展方向或大学生涯目标；二是对自我不了解，如不了解自己的兴趣、价值观、性格和能力优势等；三是缺乏职业信息，如缺乏对社会需求、职业培训种类等方面的了解；四是缺乏获取信息的方式，如不知道如何获取职业、培训等方面的信息。

信息不一致主要表现在以下三个方面：一是不可靠的信息，如个人所了解的自己与正在考虑的职业有相矛盾的地方；二是内部冲突，如所学专业与自己的爱好不能很好地结合；三是外部冲突，如自己决定继续深造，但是父母坚决反对，或父母不同意自己向往的职业。

如何解决上述决策困难呢？首先，我们必须要清楚地知道导致决策困难的主要原因是什么；然后，针对不同类型的困难寻求不同类型的解决办法。例如，如果缺乏决策动机，我们可以与已经做出正确决策的人多多交流，从他们身上感受需要做出决策的压力；如果是因为对自己和职业不了解而做不了决策，那么可以通过职业测评、他人评价、社会实践、生涯人物访谈等方式了解自己的个人特质和职场需求；如果不知道如何做决定或存在内外部冲突，则可以寻求专业职业咨询师的帮助。

三、职业决策的阻碍因素

（一）个人和职业相关信息匮乏或信息膨胀

信息是职业生涯决策的基础条件，包括大学生的职业价值观、天赋、兴趣、性格等自身情况，还包括决策主体所倾向的职业的相关信息，如行业目前的发展形势，对其中具体的工作人员的专业素质和知识结构要求，如何获得满意的工作岗位，进入该行业需要关注的内容，等等。如果决策者缺乏信息基础，那么决策多是盲目的、不切实际的，可能影响生涯决策的有效性。同时，大学生在决策过程中还要有一定的甄别能力。当前社会信息网络技术的飞速发展，导致信息过多与信息过于复杂，决策者可能因为客观环境的影响而获得了错误的信息，这些信息可能对决策结果产生负面影响。例如，有的同学盲目地完成一些职业能力测试，常常出现测试结果与实际的自己相矛盾的情况，使其在决策过程中更加困惑。

（二）心理亚健康情绪

心理因素是职业生涯决策的影响因素之一，即使性格开朗、自信心较强的学生在进行职业生涯决策时，其也是重要的影响因素。例如，大学生在决策的过程中因为性格内向而产生抵触情绪；或者在与竞争者的比较过程中，感觉自己竞争优势不足，从而产生自卑情绪。这些因素都可能影响大学生做出错误或者存在偏差的职业生涯决策。心理亚健康情绪还包括焦虑、缺乏自我胜任感及动机冲突等。有的同学过高地估计了自己的能力，产生了自傲的情绪，如认为自己就应该找到高层管理者的职位，不屑于到基层工作，这种情绪可能使决策结果偏离客观事实，不具有现实性。

（三）缺少职业生涯决策经验和决策知识技能

有些大学生在决策前已经具备了很好的自我知识，对自己的各种选择也很了解，却做出了糟糕的职业规划决策；也有的大学生曾经做了大量职业测试来了解自己的兴趣、天赋等个人特质，却依然做不出决策，这些是因为他们缺乏决策的必要知识技能。决策的知识技能是大学生可以将信息转化成最终决策结果的关键，决策者也常常由于决策经验有限或者对自身的决策能力缺乏自信而做出错误的决定。

例如，计算机专业的喻某就遇到了这样的麻烦。即将大学毕业，喻某却很苦恼，苦恼的不是他找不到工作，而是不知道选择哪一种工作。他很优秀，是计算机高级程序员，又是学校金牌主持人，曾获得省青年歌手大赛一等奖。临近毕业，省电视台要录用他，市文化局要录用他，计算机公司也想录用他。他迷茫了，束手无策，只好找就业指导老师咨询。

（四）家庭干预

家庭和人际关系面临困境势必会影响职业生涯决策的过程。有些家长能够客观评价孩子的决策结果并且给予一定的指导，鼓励孩子完成职业生涯规划。但是，也有的家长根据自己的经验（有时是对于某种客观事物的偏见）否定孩子的决策结果，甚至还有些家长对于孩子的生涯决策进行强制干预，不考虑孩子的兴趣、性格特征，只是按照自己的想法为孩子规划未来，致使孩子的潜能得不到开发。职业生涯规划专家通过研究家庭系统和生涯决策发现，那些与家庭其他成员高度融洽或密切相连的大学生，往往在决策中很难保持自己情绪和心理上的独立。另外，家庭成员之间无法就义务、经济、责任、价值观等达成共识，就会使个人决策出现问题。

（五）社会观念的偏差

社会的普遍价值观念和生活习惯能够深刻影响个人生涯决策的有效性。当前就业环境存在年龄、地区、性别等方面的社会意识偏差，一些企业在招聘的过程中对应聘者明确地提出性别要求，或者提出对于应聘者的户口所在地的要求等，这对应聘者生涯决策的实际有效性产生了很大影响，阻碍了学生的教育和就业选择，使职业生涯决策变得更加复杂。

综上所述，以上五个方面的因素都会使职业生涯决策变得困难，大学生在进行职业生涯决策时，应该采取措施克服阻碍因素。

四、决策障碍的应对

（一）从大学生自身的角度

首先，大学生应注意激发自我生涯决策意识，学习决策方法。大学生作为职业生涯决策的主体，应该注重自我职业生涯决策意识的激发。只有当个人自觉意识到生涯决策的重要意义，才不会人云亦云。因为低年级大学生对于职业发展前景的信心常常存在一定的盲目性和不完备性，所以从大学低年级开始就应该培养这种意识。这就要求大学生能够根据自身特点，包括身体、心理、兴趣及能力等方面，尽早确定职业方向。同时，还要注重参加学校组织的相关课程指导，通过课堂教学、生涯人物访谈、信息面谈等方法帮助自己加深对所学专业的了解；通过与专业教师的交流来了解本专业的职业定位，使自己所学与社会职业相关联；通过社会实践活动、教学实习真实地参与相应的职业活动，获得更多的工作经验，从而激发自我主动思考职业定位，提高职业决策意识和决策能力。

其次，培养健康的心理素质。除了提高自身的专业技能素质外，大学生还应该注意提高排解自身压力的能力；积极参加集体活动，加强同学之间的交流；自己生活中不能处理的问题或矛盾应当及时与家长或者老师沟通。在职业生涯规划的过程中，大学生应该敢于发现自己的问题，并向学校、老师、家长寻求帮助。

最后，不断调整生涯决策结果。大学生职业生涯规划应贯穿整个大学的学习生活。从其发展特点来看，大学生应当结合自身的特征，针对职业决策困难的类型及特点有针对性地应对，及时收集有关职业决策和职业生涯发展的信息，主动接受专门的就业求职技能、技巧等方面的培训，使自己能更加充分地认识职业，掌握择业的方法和技巧。同时，大学生还必须意识到职业生涯决策是一个循环的过程，它贯穿整个大学期间。对于已经做出的生涯决策要通过信息收集、自我评估，以及实际的规划制订过程来不断检验，对于决策结果做出及时的调整，从而在大学期间做出较为全面可行的职业生涯规划。

（二）从外部决策影响因素的角度

从家长的角度来说，家长是大学生进行职业生涯规划的影响者。首先，家长应努力建立一种平等沟通的环境，倾听孩子的真实想法，使孩子乐于说出自己的真实想法。其次，家长应该尊重孩子的决策结果。再次，在为孩子指导职业生涯规划的过程中，家长应结合孩子的性格和兴趣特点进行引导，而不是一味地干涉孩子的决策结果。最后，家长可通过分享自身的职业生涯发展经验，为孩子指出决策过程中的不足。

从学校的角度来说，学校应是大学生进行职业生涯规划的指导者。第一，学校应通过专业的课程尽早使大学生明确职业生涯决策的重要性，并向大学生传授科学的职业生涯决策方法。第二，学校作为大学生接触社会的桥梁，应积极向大学生提供各个行业的发展趋势和就业相关的信息，使大学生能够根据社会的需求调整自己的知识结构，为职业生涯决策做好准备。第三，学校可以通过组织相关的讲座活动，邀请优秀的社会工作者为大学生讲解企业或政府工作的相关情况，使大学生能够全面地了解职业信息。第四，学校可以提供短期的实习工作机会，使大学生能够通过亲自参加工作来了解工作环境，找出自身的不足，并通过学习补足差距。

从社会的角度来说，经济的发展在很大程度上影响着大学生的就业机会，国家稳定的经济政策、社会经济的稳定发展是大学生进行职业规划决策的保障。同时，媒体的价值导向也会对大学生职业决策起到引导的作用，媒体要起到正面、积极的引导作用。

知识小结

任务四 职业决策的基本方法

案例导入

××学院毕业生案例：小张的苦恼

小张今年就要毕业了，同学们都羡慕他拥有很多的好机会、有很多的好选择，唯有他自己知道这是件多么痛苦的事情！小张的手中握有从辅导员手中转来的选调生录用通知书，想象着父母要是知道这个消息将会多么欣喜，他们会多么高兴自己既找到稳定的工作又能回到他们的身边。可小张高兴不起来，因为他的手中还有另一份通知书，那就是专升本录取通知书。在实习时，他就发现许多专业知识不够用，继续升学可以提升自己的专业能力。还有，学校有留校当辅导员的名额，老师也找小张谈话了，这也是一个很好的机会，而且老师一直是自己梦寐以求的职业。基层就业、继续深造和留校当辅导员，每一条路都有吸引小张的地方，但鱼和熊掌不能兼得，小张该怎么办呢？

思考与讨论

结合案例，谈谈职业决策的重要性。

____

____

____

知识学习

在面对职业选择时，许多人都会感到迷茫和不知所措。为了帮助大家更好地做出职业决策，我们将介绍一些基本方法，包括5W法、SWOT分析法、卡茨模式、平衡单分析法等。

一、5W法

为自己设计职业生涯规划，可使用一些简便易行的方法。5W法，即用5个“W”归零思考。这是一种被许多人士成功应用的方法，依托的是归零模式，从问自己是谁开始，如果能够顺利回答完五个问题，你就有最后的答案了。

5 个“W”如下：

（1）Who am I？（我是谁？）

（2）What will I do？（我想做什么？）

（3）What can I do？（我能做什么？）

（4）What does the situation allow me to do？（环境支持或允许我做什么？）

（5）What is the plan of my career and life？（我的职业与生活规划是什么？）

回答了这五个问题，找到它们的共同点，你就有了自己的职业生涯规划。如果你有兴趣，现在就可以试试。

先取出五张白纸，一支铅笔，一块橡皮。在五张纸的最上边分别写上上述五个问题之一。

然后，静下心来，排除干扰，按照顺序仔细思考每一个问题。

对于第一个问题“我是谁？”，回答的要点是：面对自己，真实地写出每一个想到的答案；写完了再想想有没有遗漏，认为确实没有了，按重要性进行排序。

对于第二个问题“我想做什么？”，可将思绪追溯到孩童时代，从人生初次萌生第一个想做什么的念头开始，然后随年龄的增长，回忆自己真心向往过、想做的事，一一记录下来，写完后再想想有无遗漏，确实没有了，就认真地进行重要性排序。

对于第三个问题“我能做什么？”，则要把确实已证明的能力和自认为还可以开发出来的潜能都一一列出来，认为没有遗漏了，就认真地进行重要性排序。

对于第四个问题“环境支持或允许我做什么？”，回答时要稍做分析：环境包括本单位、本市、本省、本国和其他国家，自小向大，认为自己有可能借助的环境都应在考虑的范畴之内。在这些环境中，认真想想自己可能获得了什么支持，搞明白后一一写下来，再以重要性排列。

如果能够成功回答第五个问题“我的职业与生活规划是什么？”，你就有了最后的答案。

把前四张纸和第五张纸一字排开，认真比较第一张至第四张纸上的答案，将内容相同或相近的答案用一条横线连起来，你会得到几条连线，而不与其他连线相交的，又处于最上面的线，就是你最应该去做的事情，你的职业生涯就应该以此为方向。你要在此方向上以三年为周期，提出近期、中期和远期的目标，然后在近期的目标中提出当年的目标，将当年的目标分解为每季度目标、每月目标、每周目标、每天目标。每天睡前，你可以对照自己的目标进行反省，总结当日成就与失误、经验与教训，修正第二天的目标与方法，第二天醒过来后温习就可以投入行动了。这样日积月累，目标便可以顺利实现。

二、SWOT 分析法

SWOT 分析法又称为态势分析法，四个英文字母分别代表：优势（strength）、劣势

（weakness）、机会（opportunity）、威胁（threat）。所谓SWOT分析，即态势分析，就是将与研究对象密切相关的各种主要内部优势、劣势、机会和威胁等，通过调查列举出来，并依照矩阵形式排列，然后用系统分析的思想，把各种因素相互匹配起来加以分析，从中得出一系列相应的结论，而结论通常带有一定的决策性。

运用这种方法，可以对研究对象所处的情景进行全面、系统、准确的研究，从而根据研究结果制订相应的发展战略、计划及对策等。SWOT分析法常常被用于制定集团发展战略和分析竞争对手情况，在战略分析中，它是最常用的方法之一。

SWOT分析是检查技能、能力、职业、喜好和职业机会的有用工具。你对自己做一次细致的SWOT分析，那么，你就会很明了地知道自己的优点和弱点在哪里，并且你会仔细地评估出自己感兴趣的不同职业道路的机会和威胁所在。

一般来说，求职者在进行SWOT分析时，应遵循以下四个步骤。

（一）评估自己的优势和劣势

我们每个人都有自己独特的技能、天赋和能力。在当今分工非常细的市场经济里，个人通常擅长于某一领域，而不是样样精通。例如，有些人不喜欢整天坐在办公桌旁，而有些人则一想到不得不与陌生人打交道，心里就发怵，惴惴不安。请做个表格，列出你自己喜欢做的事情和你的优势所在（如果你觉得界定自己的优势比较困难，你可以找一些测试习题做一做，做完之后，可以发现你的优势所在）。同样，通过列表，你可以找出自己不是很喜欢做的事情和你的劣势。找出你的劣势与发现你的优势同等重要，因为你可以基于自己的优势和劣势做两种选择：一是努力去改正你常犯的错误，提高你的技能；二是放弃那些对你不擅长的技能要求很高的职业。请列出你认为自己所具备的很重要的强项和对你的职业选择产生影响的劣势，然后标出那些你认为对你很重要的优势和劣势。

（二）找出你的职业机会和威胁

我们知道不同的行业（包括这些行业里不同的企业）会面临不同的外部机会和威胁，所以，找出这些外界因素将帮助你成功地找到一份适合自己的工作。这对你求职是非常重要的，因为这些机会和威胁会影响你的第一份工作和今后的职业发展。如果企业处于一个常受到外界不利因素影响的行业里，很自然，这个企业能提供的职业机会将是很少的，而且没有职业升迁的机会。相反，充满了许多积极的外界因素的行业将为你提供广阔的职业前景。请列出你感兴趣的一两个行业，然后认真地评估这些行业所面临的机会和威胁。

（三）提纲式地列出今后五年内你的职业目标

仔细地对自己做一个SWOT分析评估，列出你从学校毕业后五年内最想实现的4～5个职业目标。这些目标包括你想从事哪一种职业，你将管理多少人，或者你希望自己拿到的薪水属于哪一级别。请时刻记住：你必须竭尽所能地发挥出自己的优势，使之与行业提供的工作机会完满匹配。

（四）提纲式地列出一份今后五年的职业行动计划

这一步主要涉及一些具体的问题。请你拟出一份实现上述第三步列出的每一目标的行动计划，并且详细地说明为了实现每一目标，你要做的每一件事，何时完成这些事。如果你觉得需要一些外界帮助，请说明你需要何种帮助和你如何获取这种帮助。例如，你的个人 SWOT 分析可能表明，为了实现你理想中的职业目标，你需要进修更多的管理课程，那么，你的职业行动计划应说明你何时进修这些课程。你拟订的详尽的行动计划将帮助你做决策，就像企业事先制订的计划为职业经理们的行动指南一样。

三、卡茨模式

在面临两个及两个以上职业选择时，卡茨模式是最简单易行的决策方法，它主要使用职业决策方块作为工具，如图 4-3 所示。使用卡茨模式进行职业决策一般遵循以下几个步骤：一是选择供决策的 2 ～ 3 个职业；二是针对每个职业的回报进行优、良、中、差的评价；三是要充分考虑价值满足程度、兴趣一致程度、擅长技能的施展空间等因素；四是对每个职业的成功机会进行优、良、中、差的衡量，包括工作能力、必需的准备及职业展望等。

将每个职业在回报和机会两个维度的结果呈现在职业决策方块上，回报与机会的乘积最大的职业对你则具有最大的期望价值。

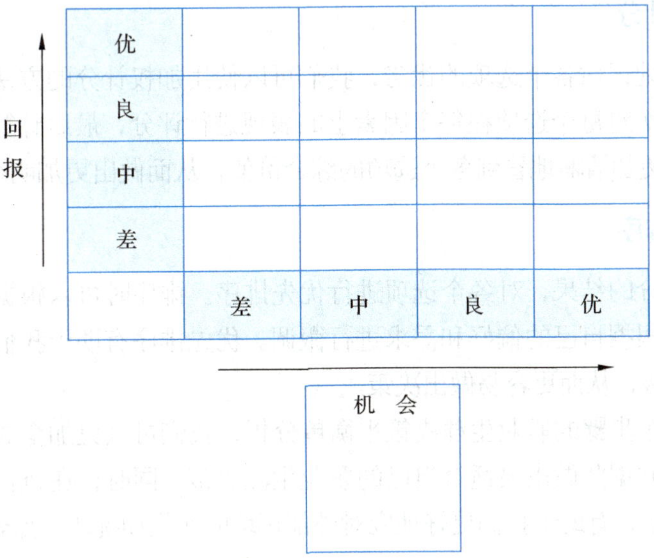

图 4-3　职业决策方块

四、平衡单分析法

（一）确定决策目标

在进行职业生涯决策时，首先需要明确自己的决策目标。这包括确定自己想要从事的职业领域、期望的工作环境、职业发展路径等。明确目标有助于我们更加有针对性地分析各个选项，并做出最适合自己的选择。

（二）列举选项优劣

列举出可能的职业生涯选项，并对每个选项进行优劣分析。例如，考虑两个职业选项 A 和 B，列出每个选项的优点和缺点，如薪资、发展空间、工作内容、行业前景等。这有助于我们更全面地了解每个选项的潜在价值和风险。

（三）评估机会与威胁

对每个选项进行机会与威胁的评估。机会可能包括行业发展趋势、政策支持、技能匹配等；威胁则可能涉及行业竞争激烈、市场需求下降、技能过时等。评估机会与威胁有助于我们更加理性地看待各个选项，并做出明智的决策。

（四）权衡因素

在列出选项的优劣和评估机会与威胁后，我们需要权衡各个因素。这包括考虑自己的兴趣、价值观、能力、家庭状况等个人因素，以及行业趋势、市场需求等外部因素。通过权衡这些因素，我们可以确定哪些因素对自己更为重要，并据此调整对各个选项的评估。

（五）加权计分

为了更准确地评估各个选项的优劣，我们可以使用加权计分的方法。首先确定各个因素的权重，其次对每个选项在每个因素上的表现进行评分，最后计算加权总分。这样做可以帮助我们更加清晰地看到各个选项的综合价值，从而做出更加明智的决策。

（六）优先排序

根据加权计分的结果，对各个选项进行优先排序。排序时可以根据总分从高到低进行排列，也可以根据自己的偏好和需求进行微调。优先排序有助于我们更加清晰地看到各个选项的优先级，从而更容易做出决策。

通过以上六个步骤的职业生涯决策平衡单分析，我们可以更加全面地了解各个选项的优劣和风险，并据此做出最适合自己的职业生涯决策。同时，在执行行动计划的过程中不断评估和调整，有助于我们更好地应对外部环境的变化和挑战，如表 4–1 所示。

表 4–1　平衡单示范

维度	正面的预期（+）	负面的预期（–）
自我物质方面的得失		
他人物质方面的得失		
自我精神方面的得失		
他人精神方面的得失		

在对全部备选项评分后，要对各个考虑项目设定加权系数，并计算总分。在各备选项中得分最高的就是最优选择，如表 4-2 所示。

表 4-2 平衡单加权计分

维度	选择（一）		选择（二）		选择（三）	
	有利（+）	不利（-）	有利（+）	不利（-）	有利（+）	不利（-）
自我物质方面的得失						
他人物质方面的得失						
自我精神方面的得失						
他人精神方面的得失						
总分						

需要注意的是，运用平衡单方法进行决策时，考虑项目可以从四个维度任意设置，将众多因素具体化。一般来说，普通的职业决策平衡单会列出 12 个考虑项目，分别是符合自己的能力、符合自己的兴趣、符合自己的价值观、满足自己的自尊心、拥有较高的社会地位、带给家人声望、符合自己理想的生活状态、优厚的经济报酬、足够的社会资源、适合个人目前的处境、有利于择偶以建立好家庭、未来有发展性。

知识小结

课外任务

根据自己最真实的想法，做出自己的生涯决策平衡单（见表 4-3）。

表4-3 生涯决策平衡单

考虑项目	第一方案		第二方案		第三方案	
	得（+）	失（-）	得（+）	失（-）	得（+）	失（-）
符合自己的能力						
符合自己的兴趣						
符合自己的价值观						
满足自己的自尊心						
拥有较高的社会地位						
带给家人声望						
符合自己理想的生活状态						
优厚的经济报酬						
足够的社会资源						
适合个人目前的处境						
有利于择偶以建立好家庭						
未来有发展性						
合计						
得失差数						

课外阅读

从职业生涯“唤醒”到全程规划，这所高校有招

“你认为案例中的学生对职业目标的选择是否合适？他所具备的技能是否适合他所选择的职业目标？如果不合适，你认为适合他的职业目标是什么？”在每周开设的“大学生职业生涯规划”课上，山东交通学院轨道交通学院辅导员郎冰引导学生明确职业方向、提高职业素养、增强就业竞争力。

这门于2008年便开设的课程，自2011年起成为山东交通学院这所应用型大学的大一、大二学生必修课程。

大学生需要怎样的职业生涯规划？当前应用型高校职业生涯规划中还存在哪些困难？如何在促就业中充分发挥职业生涯规划优势？近年来，山东交通学院一直试图在教学与实践中寻找突破的方向。

比如，将职业生涯教育前置。在新生入学教育通知书中嵌入学业发展、职业发展、人际交往等问卷调查，对学生进行职业生涯“唤醒”教育。新生入学1个月以后便开启新生职业生涯体验周活动。随后，根据学生的年级和专业特点，山东交通学院还会为其构建大学四年的职业生涯规划教育体系。

在学生的大一、大二阶段，山东交通学院重点进行职业认知和探索教育。“利用生涯工作坊、讲座、案例分析、在线课程等多种教学方法，提高学生的学习兴趣和参与度，引入职业测评工具，帮助学生更准确地了解自己的职业倾向和能力优势。”该校招生就业处教师宋彦慧表示。

但是，这样的课程并不完全适合即将毕业的大学生。该校交通土建工程学院就业指导教师尹军宗表示：“课程在后续发展上会有些尴尬，随着学生临近毕业，未来考研还是就业、创业的迷茫便会凸显，有些高年级的学生仅仅是为了完成课时任务而来上课，不少人还会以有课、考试、不在学校、生病等理由请假。”

于是从大三开始，山东交通学院就将职业生涯教育课堂从学校搬到“车间现场”。

尹军宗还记得刚带学生到校外实习时的情景，“刚到企业的时候，大家不知道到底能做些什么，甚至觉得占用了假期时间，抵触情绪比较大。”

学生的转变是长期的，成效是潜移默化的。“还记得当时老师带领我们到滨州港、小清河以及蒙阴等地进行实习，老师言传身教，更直观地将所学专业知识与现场实际结合，让我更加坚定了交通报国的信念。”参与“甬舟铁路”建设的校友、中铁十四局甬舟铁路项目总工程师韩凤启说。

根据交通特色，山东交通学院建立了实践基地与校企合作机制，通过校企评估与反馈，完善职业生涯教育服务体系，确保学生能在大学期间获得有效的职业认知和就业指导。

“大学生需要的职业生涯规划不应该是说教的、以完成课时为目的的，而应该是能真正对接学生就业、帮助学生规划职业生涯的。”该校交通土建工程学院党委副书记董文祥表示，“大四阶段，我们动员学生参加与职业相关的简历‘义诊’、模拟面试大赛等求职技巧培训，安排学生参加与职业相关的职业讲座等实践活动，针对每个学生的不同需求和特点，提供个性化的职业规划指导。”

“在大学生的学习生活中深度构建职业生涯教育系统，是为了确保学生能够在学业与职业道路上顺利过渡，并为其长远发展奠定基础。”该校党委委员、副院长姜华平表示，今年，山东交通学院还重新编写了具有交通特色的《大学生职业生涯规划》教材，加深学生对职业的理解，将生涯教育潜移默化地融入大学生的学习生活，帮助大学生实现个人价值和社会价值的双重提升。

据了解，2023年，山东交通学院有51.26%的毕业生奔赴建筑业、制造业、交通运输、仓储和邮政业。实际上，该校近5年毕业生的就业去向中，持续有超过60%的学生进入交通类企事业单位工作。

“职业生涯规划在当下并不一定能看到明显的效果，但每年都会有很多毕业生去往‘交通强国’建设一线，这说明我们已经取得了一定的成效。”姜华平说。

资料来源　孙琳：《从职业生涯“唤醒”到全程规划，这所高校有招》，《中国青年报》，2024年12月6日第03版。（收入本书时有改动）

项目五 职业生涯规划的制订

学习目标

知识目标

了解职业生涯规划的原则和步骤，掌握职业生涯规划书的撰写方法。

能力目标

能够持续地进行职业规划和评估，调整自己的职业发展路径。

素质目标

树立正确的职业价值观和发展观念，培养对职业发展的主动性和责任感。

任务一　职业生涯规划的原则和步骤

案例导入

××学院毕业生案例：王锐的职业生涯规划

王锐，软件技术专业的毕业生，面临着从校园到职场的转变。他对于软件开发有着浓厚的兴趣，并希望未来能在这一领域取得显著的成就。然而，面对市场上繁多的职业选择和激烈的竞争，王锐意识到需要制订一个明确、可行的职业生涯规划。

在制订职业生涯规划的初期，王锐只是简单地设定了一个目标：成为一名优秀的软件工程师，并在一家知名互联网公司工作。然而，他并没有深入考虑自己的兴趣、能力、市场需求及长期发展等因素，这导致他在求职过程中屡屡碰壁。首先，王锐对于“优秀的软件工程师”这一目标缺乏具体的定义和标准，导致他在求职和学习过程中缺乏方向感。其次，由于在校期间主要关注理论知识的学习，王锐缺乏实际的软件开发经验和项目实践经验，这使他在求职时竞争力不足。同时，王锐对于软件行业的最新动态、技术趋势及市场需求了解不够，导致他的职业规划与市场需求脱节。

在职业规划师的帮助下，王锐开始重新审视自己的职业生涯规划，并遵循相关原则和步骤进行规划。

第一，自我评估。王锐首先进行了深入的自我评估，明确了自己的兴趣、能力、价值观及职业倾向。通过自我评估，他更加清晰地认识到自己的优势和不足。

第二，市场调研。王锐开始关注软件工程行业的最新动态、市场需求及未来趋势。他通过网络、行业报告、社交媒体等途径收集信息，对这一行业有了更深入的了解。

第三，目标设定。在充分了解自己和市场的基础上，王锐设定了具体的职业目标。他将目标细化为短期目标（如提升专业技能、积累项目经验）和长期目标（如成为高级软件工程师）。

第四，行动计划。为了实现职业目标，王锐制订了详细的行动计划。他参加了各种专业竞赛和实践活动，积累了丰富的项目经验。同时，他还报名参加了培训课程、参与开源项目及阅读专业书籍等，不断提升自己的技能水平和积累项目经验。

第五，定期评估与调整。王锐定期对自己的职业生涯规划进行评估和调整。他根据市场变化和个人发展情况，及时调整自己的目标和行动计划，确保自己的职业规划始终与市场需求和个人发展保持一致。

在重新进行了职业生涯规划后，王锐取得了显著的进步。

第一，目标明确。王锐对自己的职业目标有了更加清晰的认识，并能够在学习和求职过程中保持专注和动力。

第二，技能提升。通过持续学习和实践经验积累，王锐的软件开发技能得到了显著提升，使他在求职过程中更具竞争力。

第三，成功求职。最终，王锐成功获得了一家知名互联网公司的软件工程师职位，开始了他的职业生涯。

通过这个案例可以看出，在制订职业生涯规划的过程中遵循相关原则和步骤是非常重要的。通过自我评估、市场调研、目标设定、行动计划和定期评估与调整等步骤的应用，大学生能够更加系统、全面地规划自己的职业生涯，并在求职过程中取得成功。

思考与讨论

你认为做好一份职业生涯规划的关键有哪些。

知识学习

一、职业生涯规划应遵循的原则

原则相对于具体的规划略显抽象，但它是进行规划之前必须掌握的重要内容。制订合理的职业生涯规划是大学生迈向成功的第一步。大学生在制订职业生涯规划时，既要有挑战性，又要避免好高骛远，要学会适时调适，更重要的是要掌握其中的重要原则。

视频
大学生在职业生涯规划中存在的困扰

（一）系统性原则

系统性原则是指在职业生涯规划中必须按照职业规划的体系和人的认识规律进行规划。一方面，职业生涯规划的各要素是密切联系、不可分割的；另一方面，任何一个系统的整体功能总是大于各要素功能之和。职业生涯规划在不同的阶段有不同的发展任务。大学生职业生涯规划是多元化目标有机结合的系统，是一个复杂的目标体系。清晰、明确的职业生涯目标有利于个人职业能力的提高。

（二）主体性原则

职业生涯规划的主体性反映了大学生在就业活动过程中通过自身的努力，在充分发挥主观能动性的基础上获得的对就业活动的一种主导的状态。它强调大学生的主体性地位，即在大学生进行职业生涯规划时，以自己为主、以自己的决定为主，在职业生涯规划中寻找适合自身发展需要的职业，实现个体与工作岗位的最佳匹配，体现个体价值的最大化。

（三）动态性原则

动态性意味着任何一个系统都处在不断发展变化之中。这种发展变化是由各组成要素及要素之间的组合发生变化而引起的，并由此决定了系统的相互关联性。动态性原则正说明了职业生涯规划既有时限性又有连续性的特点，即要将自身作为发展的对象，其发展过程伴随着职业生涯而展开。

（四）前瞻性原则

职业生涯规划的目标必须具有前瞻性，面对未来，能够深思熟虑，有远见。职业生涯规划的前瞻性使从业者能够更有效、更能动地去解决职业生涯发展中将会遇到的困难。职业生涯规划的总体设计虽然是未来的职业生活计划，但是不能被当前的情境、条件所限制，不能被当前的某些现象所迷惑，更不能因为当前的利益诱惑而放弃长远的职业理想。职业生涯规划的前瞻性要求从业者在确定职业规划目标时必须考虑到目标或措施是否具有挑战性，目标是否能够适应环境变化的要求并依照环境的变化进行动态调整，目标能否对自己产生内在的激励作用等。

（五）创新性原则

创新性反映了主体具有创造既新颖又适用的产品或服务的能力。创新性原则是指在职业生涯发展过程中不断创新，拓展新思维，运用新方法，发现新问题，制定新目标。职业生涯规划不是一套固定的模式，也不存在一种现成的模式。它应该在分析其他成功人士的职业生涯发展历程中，制订出符合自身情况的职业生涯规划。在制定职业目标与实施职业决策时应该具有一定的挑战性，激发自己的创新动力和创新精神，但不能把职业目标定得过高，以免不切实际，所选择的目标应对自己有内在的激励作用。

二、职业生涯规划的步骤

大学生职业生涯规划主要分为四个步骤：正确的自我评价、职业目标定位、职业选择和职业生涯的具体规划。

（一）正确的自我评价

正确的自我评价就是进行自我认知、自我探索和自我剖析，即了解自我，清楚自己的个性、兴趣、职业价值观等情况；分析外部环境，认识周围的大环境和小环境，了解自己所处的行业环境及社会环境的变化趋势；等等。有效的职业生涯规划是在正确评价自己的基础上进行的，要审视自己、认识自己、了解自己，做好自我评估；弄清自己想做什么、能做什么、应该做什么，在多种职业面前会选择什么，还要找出自己的一些弱点。

1. 自我评估

自我评估的方法有两种，分别是自我测试和计算机测试。

（1）自我测试。自我测试主要通过回答一些相关的问题来认识自己。这些问题一般是由心理学家或专业人士通过精心策划而设计的。大学生在回答问题时要以客观、冷静的态度对待。通过回答问题，能够反映出个体的特性。典型的问题如下。

① 我是谁？（在面对问题时应尽可能多地找出各种答案，将会清楚所承担的责任、角色和具有的性格。然后，按照答案内容的重要性依次排序列成表格并进行分析。）

② 我在哪里？（主要分析自己在职业生涯过程中所处的位置，要求记下生命中的一些重大事件，以及自己很想做的一些事情，确定目前自己在一生中的位置。）

③ 我将是什么样子？（仔细考虑，自己希望未来是一个什么样子。）

④ 在人生暮年时，我将完成哪些事？有哪些成就？我的理想工作是什么？

⑤ 我需要从工作中得到什么？

⑥ 在职业生涯和日常生活中，我哪些方面做得好？哪些方面做得不好？还需要学习什么？积累什么经验？自己拥有什么资源和优势？

⑦ 从现在开始，自己应该停止做什么？着手做什么？

⑧ 职业生涯的长期目标是什么？

（2）计算机测试。计算机测试是一种运用现代化软件的测试手段。大学生可以使用科学的测评技术得出较为客观的自我评价，能够帮助自己进行自我剖析，了解个人的特质，发现自己的职业兴趣、性格属性和能力水平。目前，测试软件有很多，常用的有霍兰德职业倾向测试、卡特尔人格测试等。这些测试能够帮助大学生获得关于自己更加详尽的参考信息，有利于大学生对自己做出较为全面的评价。如果能够对多种测评技术加以综合利用，测评结果将会更加准确和有效。

2. 他人评价

除自我评估外，大学生还可以请教师、同学、父母及好友一起分析自己的性格、能力。很多时候“旁观者清”，他人的评价能够帮助大学生更好地认识自己，对自己进行准确的定位。通过他人的评价，大学生能够得到更多的改善意见和他人的激励，能够更客观地审视自己，促进自己健康成长，提高自身认识的深度和广度，激活自己的思维能力和思考能力，将自己的认识水平提到新的高度。大学生在接受他人的评价以后会经历“外部评价作用——自我调控——外因内化”的过程，这样才能实现飞跃，起到提高自己的作用。这一过程是动态的、积极的评价过程。

由上可知，大学生可以通过自我评估和他人评价来正确地评价自己。一般地，自我评估高的个体，他们的自尊心和自我效能都非常高。他们对自己的能力充满自信，有更高的积极性。自我评估是一个不断进行自我反思、自我教育和自我激发的过程。通过正确的自我评价，大学生能够认识自我，认识和把握自己今后发展的方向，增强主人翁意识。

（二）职业目标定位

职业目标的定位是职业生涯规划的核心内容。许多人的失败并不仅仅在于前进道路上的艰难险阻，更在于没有信心看到成功的目标。只要定位准确，就能为自己插上腾飞的翅膀，飞向理想的地方。

1. 职业目标的确定

一个人事业能否成功，关键取决于其有无正确、合适的职业目标。符合自身实际的职业目标能够为职业生涯规划定下一个良好的基调。不同的人对确定职业目标的认识有明显的差异，有的人从小就有远大的志向，有的人到了中年也不清楚自己到底想做些什么。美国教育家本杰明·梅斯有一句名言：生活的悲剧不在于没有达到目标，而在于没有想要达到的目标。明代学者王守仁也曾指出，志不立，天下无可成之事。大学生确定职业目标时，要结合自己的兴趣，要有现实性和前瞻性，并且应明确具体。

（1）要结合自己的兴趣。大学生在确定职业目标时，应当结合自己的兴趣爱好。兴趣是主要的驱动力，一个人只有在热忱的鼓舞下，才能真正热爱自己要从事的工作。兴趣能够引起和维持一个人的行动，将该行动推向某一目标。职业目标应当是自己非常喜欢的，也是十分适合自己的，不能人云亦云，不要勉强自己做不喜欢的事情。

（2）要有现实性和前瞻性。职业目标要立足现实，具有可实现性。职业目标的确定是建立在自我评价的基础上的。大学生应清楚地了解自己能力的大小，分析自我、准确定位，应尊重自己的实际情况，符合自身的发展，切合实际；要让目标可望又可即，通过努力能够达到。

对职业目标的确定是不应该回避个人的缺点和短处的。例如，一个人特别崇尚物质享受，但意志力又不够坚定，就不应选择与金钱及道德底线相对关系密切的职业，如会计、律师等。对职业目标的确定还要根据过往的个人经验去推断未来可能存在的工作方向与机会，判断职业目标的合理性与成功概率的大小，即职业目标要具有前瞻性。

（3）应明确具体。职业目标应该是特定的，是一个具体的职业，如某一行业公司的总经理。确定的职业目标应当是社会中有人正在从事或做过的工作角色，不能超越当前的时代和现实。也就是说，职业目标应该是在现有职业、行业或企业范围内的目标，是这个时代和社会已有的职业，不能凭空编造。职业目标越明确、越具体，为达到这一目标的内在驱动力就会越大，就越能表现出一个人坚强的意志力，促使其不断地付诸行动，努力克服种种困难阻碍，促进职业目标的实现。

2. 职业目标的分解

目标分解是指将总体目标在纵向、横向或时序上分解到各层次、各阶段以至具体的环节中，形成一个目标体系的过程。有的人会觉得长期目标太遥远、太宽泛，难以实现，慢慢地放弃了对长期目标的追求，放弃了自己的努力。如果他们能将看似非常远大的长期目标进行分解，把一个庞然大物变成一个个轻而易举的小目标，最终目标的达成便不是那么遥不可及。职业目标的分解要求大学生把总目标细化为阶段性目标，同时根据阶段性目标制订阶段性规划。

短期目标应具备可操作性，应明确规定具体的完成时间，对短期目标要有把握去实现，短期目标应当服从中期目标和长期目标。短期目标应以学期为单位，保证能够较好地完成，为实现中期目标、长期目标奠定良好的基础。

中期目标相对于长期目标来说要具体一些。例如，参加一些培训辅导班，提高个人的技术水平，并考取相关的证书等。中期目标应与长期目标保持一致，结合自己的志向和行业的发展状况来确定；应对目标实现的可能性做出评估；有比较明确的时间范围，并有可做适当调整的内容。

长期目标只是为职业生涯设计出一个大致的轮廓而已，可能随着企业内外部环境的改变而发生变化。

分解后的目标应符合长期目标，具有综合反映的功能，操作性强，对个人成长有重要的意义。目标分解要有层次性，个体可以通过对各层次、各阶段目标的实施与控制来保证长期目标的有效实现。

（三）职业选择

职业选择的标准不在于职业本身的好坏，而在于所选择的职业是否适合自己。在进行职业选择时，应做到个人特质与职业相吻合、职业期望与职业相吻合、自身能力素质与职业需求相吻合。

1. 个人特质与职业相吻合

每个人都有自己独特的人格特征与能力特点，并且在社会中总存在着某种职业与他的特质相对应。因此，人的个性特质与职业性质必定能够取得一致性。在实际工作中，最理想的职业选择应该是建立在个人特质与职业要素最匹配的基础上的。个体可以根据霍兰德职业倾向测试和 MBTI 职业性格类型测试找出自己的特质，据此找到与个人特质相吻合的职业种类。

2. 职业期望与职业相吻合

职业期望是个体对某种职业的渴求和向往，是个体对自己将要从事的工作的薪资、职业声望和工作环境等的期望。职业期望属于个体倾向性的范畴，是个人职业价值观的外部体现。在职业选择时，大多数大学生希望所从事的工作符合自身的职业倾向。

每个人都有不同的职业期望，有的大学生在选择职业时最期待的是稳定、收入高、声望高的工作岗位，有的大学生追求技术型职位、独立自主型职位，还有的大学生渴望拥有更大的职业发展平台。职业期望与职业的吻合度能够反映大学生的就业质量和职业匹配度。大学生都是抱着一定的职业期望来选择职业的，都希望借助单位来满足自己物质和精神上的多层次需要。为了使自己的职业期望能够与职业很好地吻合，大学生应当及早地了解不同用人单位的用人标准，树立合理的职业期望，协调好自我价值实现与满足社会需求的平衡，必要时调整好个人的职业期望值，实现个人意愿与社会需要的统一。

3. 自身能力素质与职业需求相吻合

能力素质是在工作中可以观察到的与工作中突出表现直接相关的相对稳定的个人特征，是个体在工作岗位上所做贡献的具体体现。任何一种职业都需要一定的能力，不同的职业有不同的能力要求。个人选择的职业应与自己的能力相符合，要根据自己的优势和特长去选择适合自己的行业和岗位。能力特长对职业的选择起着筛选作用，是事业成功的重要保证。如果不顾自身能力，盲目追求高收入、高地位的工作，盲目择业，可能会因自身的能力有限而难以胜任岗位工作。自身能力素质也可以被理解为个体潜在的被雇用能力，是从业者从事职业活动与实现职业发展的多种能力的综合，即在职业方面的知识和技能，以及他们的劳动力市场价值。个人的能力素质包括以下三个方面。

（1）基本能力。基本能力包括沟通、信息交流、数学推理、思考和解决问题等。

（2）个人管理技能。个人管理技能包括积极的态度和行为、责任心、适应能力、持续学习和安全工作等。

（3）团队技能。团队技能包括与他人协作、项目管理、执行任务等。

不同的职业要求个体具有不同的职业素质，不同的人从事相同的职业所需要的职业素质有时也不相同，这是职业素质与个体能力素质的区别造成的。

职业能力不是简单的职业知识与职业技能的叠加，它是在掌握专业知识和职业技能的基础上，通过实际运用和迁移，与其他一般能力整合而成的。大学生应在思想上认清自己的优势和特长，以及自己突出的能力，根据自己的真才实学和能力特长进行职业生涯规划。

（四）职业生涯的具体规划

职业生涯规划是指把具体的、有时间限制的、可量化的目标细化为计划，从而制订出相应的具有策略性的规划。

1. 职业目标实现的时间规划

职业目标实现的时间规划就是要围绕已确定好的职业目标，确定要做的事情、不做的事情、如何做好计划以及完成时间的约定。

时间规划要设定先后次序，事情要有轻重之分，重点是要做好重要的事情，不做不相关的事情，重要的事情要优先去做。规划中的每天、每个阶段都要过得非常有意义、有价值。制订时间规划时，还应结合自身的情况和职业环境状况，将规划划分为不同的时间阶段（如短期、中期或长期）及不同的内容（如工作、学习、生活等）。

大学时期是个人发展的黄金阶段，每个大学生都有足够的自由时间。大学阶段的学业规划是指大学生在认知自我、了解社会的基础上，从自身实际出发，确定职业发展方向，制订大学学习各年级阶段的目标和总体目标，拟定实现目标的步骤和具体的实施方法。例如，对于大学三年可以做以下规划。

（1）大一阶段。适应新环境，为今后的学习打下基础。以专业探索为主，有选择地参加学校组织的职业指导讲座、就业形势与政策的报告活动，初步了解职业。树立职业生涯规划的意识，了解人职匹配理论，考虑适合自己的职业领域及职业目标，为今后的职业选择做好思想准备。积极参加各种校园文娱活动，提高自身综合素质，踊跃参加各种学生社团组织，在组织中锻炼个人能力。

（2）大二阶段。学好本专业的知识，培养专业技能。着手进行职业定向，思考自己将来是就业还是深造。自觉地利用职业测试工具进行职业测评，通过教师、同学、长辈等多方面获得对自己未来职业发展的具体建议。在有时间和机会的条件下，适当地参加社会兼职活动，找一些与自己专业相关的职业岗位进行实习，培养自己的职业兴趣，提高专业能力。

（3）大三阶段。积极参加实习，接受就业能力教育和指导。以市场为导向进行择业规划、创业规划，或者进行学历提升规划。全面掌握主要的求职方法和技巧，了解用人单位的特点及要求，了解职业和岗位，看清未来并找到职业发展的有效方法。学会撰写个人求职简历，参加模拟面试、模拟招聘会等比赛活动，得到有针对性的培训和提升。

大学生除应规划好在大学阶段的学习外，还应对毕业以后 3 ～ 5 年的时间段做好规划，保证顺利地实现中期目标和长期目标。

2. 职业资格证书的获取计划

随着我国经济的不断发展，国家明确了对劳动用工的规范，实施了职业资格准入制度，使职业资格证得到了与学历证书同样的重视。对职业资格考试合格的人员，国家会授予其相应的职业资格证书。职业资格证书是指按照国家制定的职业技能标准或任职资格条件，通过政府认定的考核鉴定机构对劳动者的技能水平或职业资格进行客观公正、科学规范的评价和鉴定，对合格者授予的职业技能水平的证明。

当前，我国正处于经济快速发展、产业转型升级的阶段，需要大量的高层次技术技能型人才。为此，2022 年，中共中央办公厅、国务院办公厅印发了《关于深化现代职业教育体系建设改革的意见》。该文件提出，有序有效推进现代职业教育体系建设改革，切实提高职业教育的质量、适应性和吸引力，培养更多高素质技术技能人才、能工巧匠、大国工匠。教育部也努力引导和推动地方本科院校向应用技术类型高校转型发展。依据党的二十大精神，许多高校开始根据企业的视角、市场的需求构建校企合作机制，使专业与岗位相对应、知识与技能相结合，达到企业、高校对人才需求的无缝对接；鼓励大学生考取职业资格证书，促进他们更有目标地学习和掌握职业技能，达到专业技术资格的要求。

获取职业资格证书，一方面可以缓解就业压力，另一方面可以提高学生的就业质量。大学生考取职业资格证书以后要找到专业比较对口、待遇相对较高的工作就比较容易。用人单位对人才的需求强调实践能力，而考取职业资格证书便成为一种行之有效的办法。取得了职业资格证书的应聘者可以更好地满足用人单位的需要。

国家职业资格证书认证体系的建设为大学生与企业之间架起了专业与职业相互衔接的桥梁，实现了高学历层次向宽泛的职业资格体系的拓展。通过必要的培训、考核获取相应的职业资格证书，大学生便可以在自己专业学历平台上拓展与本专业相关的职业，为自己找到职业发展的支撑点，借此走上事业发展之路。

3. 职业发展的路线规划

世界上没有两片完全相同的树叶，也没有两个完全相同的人。一个人要想成才，就要选择一条适合自己职业发展的路线。每个人都是独立的个体，有着鲜明的个性特征。因此，每个人的职业发展路线都是不一样的。选择职业发展路线应把握四条原则：择己所爱、择己所能、择世所需和择己所利。也就是说，要注意工作能力、个人兴趣、社会需要和发展机遇之间的平衡。

一般企业内存在三条职业发展路线，即行政管理路线、专业技术发展路线、先技术发展路线后转向行政管理路线。个体在选择职业生涯发展路线时，要考虑三个问题：我希望走哪一条发展路线？我能够往哪一条路线发展？我可以往哪一条路线发展？对这三个问题进行综合分析，最后确定自己最好的发展路线。职业发展路线既有纵向发展路线，又有横向发展路线。纵向发展具体体现为沿着同一条路线不断地晋升，横向发展具体体现为在同一级别的不同工作岗位上轮岗。在工作中，各条晋升路线对员工的素质要求是不同的，大学生应结合自身的职业发展规划，做到往合适的路线上发展。在选择适合自己的发展路线时，大学生应考虑自己的专业学历、专业职称、职业资格、执业资格等资质，是否具有专业的工作经验，自己的工作能力如何，是否具有发展潜质等。

知识小结

任务二　职业生涯规划的评估与反馈

案例导入

创业的小张

小张毕业于湖南大学，通过了英语六级考试。刚出校门的他没有多加考虑就跑到了义乌这个外商聚集最多的地方，在一家外贸公司任业务员。没有任何经验的他做了3个多月的业务，没有赚到一分钱不说，还向父母要了2 000多元以维持生活。针对这个情况，他想要自己创业。

而创业商机恰巧源自一次外出跑业务，那时天很热，小张去买黄瓜吃，在等黄瓜被削皮的时间碰到了许多带着翻译的外国人。他们看到了卖黄瓜的，也提出要去买一根来尝尝，可大多数外国人被他们的翻译以种种理由拒绝。外国人只能远观，不敢近谈。

小张这时想："为什么我不去卖黄瓜呢？或许做这个比我现在做业务发展得还好呢！"

第二天小张就辞去了外贸公司的工作，并拿着自己仅剩的几百元买了一个篮子、一把削皮刀，以及几十根黄瓜，兴致勃勃地开干，他就这样开始了自己的创业路。可是十几天过去了，他才卖出仅够自己维持温饱的十几根黄瓜。无疑，这给小张浇了当头一盆冷水！此刻，小张万念俱灰：堂堂大学生连黄瓜都卖不出去，惭愧不已。小张认为自己不能这样下去了。于是，第二天一大早就跑到商贸城，一见到外国人走来就吆喝开了。就这样，仅仅一天的时间，他卖出去的黄瓜竟比自己十几天卖出去的还多了3倍。正是因为生意的火爆，小张的黄瓜不管什么时候都是最新鲜的。现在他的纯收入已经达到了每天300多元。生意好的时候，甚至一天能赚到500元。现在，小张也有了自己的固定客户。

资料来源　《大学生不惧流言蜚语卖黄瓜，每天能赚500元》，《创业家》，2018年6月13日。（收入本书时有改动）

思考与讨论

如何评估和反馈职业生涯规划？

知识学习

一、职业生涯规划的评估与反馈的意义

（一）是实施职业生涯规划目标的必经阶段

职业生涯规划的实施是大学生依次实现各个阶段性目标，并且逐步向最终目标推进的过程。在此过程中，由于各种确定及不确定影响因素的存在，实际目标与规划目标之间存在落差在所难免。为了最大限度地发现和减小落差，对职业生涯的进展情况进行评估是实施过程中必不可少的环节。职业生涯规划反馈则是在评估的基础上，依据实际情况对职业规划的实施过程进行调整完善，确保规划的成功推进。职业生涯规划的评估与反馈是一个循环反复的过程，通常要经过施行、评估、反馈、再施行、再评估、再反馈等程序，直至达到理想状态。

（二）是实现职业生涯规划目标的重要保证

在职业生涯规划实施过程中，各个阶段的实际结果能否与规划目标相符或相近，是评价实施过程是否成功的关键。而评估与反馈则是实现这一目的的重要保证。一方面，评估与反馈给具体的实施过程提供了方向与路线保障；另一方面，评估与反馈也为实施的效果提供了评价标准。通过职业生涯规划评估与反馈，可以发现前一阶段策略方案的履行及目标完成情况，并决定下一阶段的目标实施，进而决定向最终目标推进的程度。

（三）是确保职业生涯规划有效性的重要手段

大学生职业生涯规划是否有效，主要看其策略方案是否切合实际、能否顺利实行并最终实现人生规划目标。在职业生涯规划持续推进的过程中，评估与反馈是保证其策略方案正确履行及达到效果的重要手段。通过评估与反馈，可以确保各个阶段目标的顺利实现及实施进程的顺利推进，进而保证职业生涯规划的阶段目标与总体目标的有效性。

（四）有助于提高对职业生涯认知的准确性

1. 提高自我认知的准确性

目标的制定来源于对自我全面认识和对职业环境的客观分析。对自我的认知是一个长期、持续、复杂的过程，在校大学生由于心理的不成熟和经历的单一性，对自身价值观、兴趣、性格、能力的认知尚不全面，这就造成了很多人在制定职业目标时过于盲目，特别是学校与社会的差异性造成很多大学生就业后才发现自己的职业目标缺乏可操作性。

2. 提高职业认知的准确性

我们身处的世界无时无刻不在变化之中，远到社会经济结构的发展、科学技术的飞跃、政治形势的突变、国家政策的调整；近到企业组织的制度调整、机构改革、领导人更换，乃至个人家庭、健康水平的变化，我们所处的环境存在太多影响个人目标制定的

客观因素。

（五）有助于增强生涯管理的有效性

我们制订职业生涯规划时，在客观分析自我的基础上会为自己定下目标，短期目标看结果，中期目标看进程，长期目标看方向，并应根据目标制订相应的策略，包括详尽的学习计划、培训计划、工作计划等，这一系列措施是要保证目标的实现。但是，这些措施的制订是建立在主观分析和经验基础上的，实际效果如何不得而知。这就要求在制订策略的过程中定期地对措施的实际效果进行检验。

二、职业生涯规划评估的主要内容和方法

职业生涯规划评估可以参照各类短期、中期、预定目标和实际结果比照而行。一般来说，任何形式的评估都可以归结为对自我素质与行为、对现实环境适应性的评估。应判断分析自己的情况，特别是针对变化的环境，找出偏差所在，做出反馈。

（一）抓住最重要的内容

我们在评估过程中不必面面俱到，而是要抓住一两个关键的目标和最主要的策略方案进行追踪。在职业生涯的某一阶段，总有一个最重要的目标，其他目标都是指向这个核心的，完全可以通过优先排序，重点评估那些能达到这个核心目标的主要策略执行的效果。

（二）发觉最新的需求

在漫长的职业生涯中，会发生很多变化。针对变化的内外环境，我们要善于发觉最新的趋势和影响，要与时俱进，善于发现新变化和挖掘新的需要。对于新的变化和需求，要全面思考怎样的策略才是最有效且最有新意的。

（三）准确找到突破方向

职场竞争就像下棋，有时在某一点上取得突破性进展会使整个局面发生意想不到的改变。想一想，先前规划中的策略方案，哪一个对于目标的达成应该有突破性的影响？该目标达到了吗？为什么没达到？如何寻求新的突破？这样的总结和分析对于我们在未来的发展中找到突破口十分有利，可以帮助我们少走弯路，从而取得事半功倍的效果。

（四）关注自己的最弱点

管理学中有个著名的木桶理论，即一只沿口不齐的木桶，其容量的大小不是取决于最长的那块木板，而是取决于最短的那块木板。在反馈评估过程中，当然要肯定自己取得的成绩与长处，但更重要的是切合变化的环境，发现自己的能力与策略的“短板”，也就是阻碍自己发展的劣势，然后想办法修正，或者把这块短板换掉，或者将短板增长。唯有如此，我们的职业生涯这只桶才能有更大的容量。

（五）评估的方法

比较常用的两种评估方法是：关键事件法和360度评估法。应根据目标设定的成功的关键因素，记录学习、工作过程中的重要行为，包括成功事件和失误事件。大约每半年自我检查一次，对比计划与实际行为的差距，并分析产生的原因。该方法非常可行，如对大学的学习效果评价，只需要在开学初制订科学合理的目标计划，然后将学习过程的收获与失败记录下来；缺点是容易产生个人偏见评价和以结果为导向。

三、职业生涯反馈的主要内容

（一）职业方向的修正

通过对评估结果的详细分析，我们会发现自己的职业生涯发展不顺利的原因是方向错误，或对内外环境缺乏客观的分析，或缺乏对工作的真实体验。正确的方向是职业生涯成功的关键，这就要求我们必须重新进行自我认识和评价，重新评估外在环境，从而重新做出选择。

（二）计划和措施的修正

及时地调整自己的计划和措施是保证目标实现的重要因素。在分析自身实际与目标之间的差距之后，我们需要制订一些具体的措施，如参加专业技能培训、学习进修、参加实践锻炼等。这些措施可以具体到参加何种技能培训班，选择跟哪位老师、用哪本教材进行学习，去哪家单位的具体岗位实习锻炼等。

（三）行为和心理的调整

在职业生涯发展的过程中，要善于调节自己的心理，保持自信、坚定、乐观的最佳状态。通过评估和修正，我们可以进一步增强对自己强项的自信，要对自己的发展机会有清楚的了解，找出关键的有待改进之处，并制订详细的行为改变计划，确保能取得显著的进步和职业成就。总之，大学生职业生涯规划是一个持续动态的过程，有效的职业生涯规划需要不断地反省修正自己的职业生涯目标，反观职业生涯路线、计划与措施是否得当及是否适应环境的改变，同时可以作为下一轮规划的参考依据。

知识小结

任务三　职业生涯规划书的撰写

案例导入

××学院毕业生案例：李华的职业生涯规划书

李华，软件技术专业的毕业生，对软件开发充满了热情。面对即将踏入的IT行业，他深知竞争的激烈与技术的日新月异，因此决定在踏入职场前，认真撰写一份职业生涯规划书，以明确方向、指导行动。他的撰写过程如下。

第一，自我剖析。李华首先深入剖析了自己的兴趣、优势、价值观及技能水平。他意识到自己对后端开发有着浓厚的兴趣，且具备较强的逻辑思维和问题解决能力。同时，他也认识到自己在前端设计和用户体验方面的知识储备相对薄弱。

第二，行业调研。李华进行了广泛的市场和行业调研，了解当前IT行业的发展趋势、热门技术、岗位需求及未来可能的变革。他发现，随着云计算、大数据和人工智能的兴起，具备这些技术背景的开发者尤为抢手。

第三，目标设定。基于自我剖析和行业调研，李华设定了短期与长期的职业目标。短期内，他计划通过参加实习和项目实践，快速提升自己的后端开发技能，并学习前端设计和用户体验的相关知识。长期而言，他则希望成为一名全栈工程师，并能在人工智能领域有所建树。

第四，行动计划。为了实现这些目标，李华制订了详细的行动计划。他计划报名参加相关培训课程，参与开源项目，积累实战经验。同时，他也将积极关注行业动态，保持对新技术的学习热情。

第五，评估与调整。李华明白，职业生涯规划并非一成不变。因此，他设定了定期评估的机制，以便根据市场变化和个人发展情况，及时调整自己的目标和行动计划。

李华的IT职业规划之旅，不仅是一次对自我认知的深化，更是一次对未来职业生涯的精心布局。通过撰写职业生涯规划书，他明确了方向，坚定了信心，也为自己的职业发展奠定了坚实的基础。这一案例告诉我们，在职业生涯的起点上，一份全面而富有前瞻性的规划书是何等重要，它不仅是行动的指南，更是梦想的启航点。

思考与讨论

一份职业生涯规划书应该包含哪些主要内容?

____

____

____

一、职业生涯规划书的内容及要求

大学生职业生涯规划书是对职业生涯发展规划的一种书面化的呈现。通过撰写大学生职业生涯规划书，不仅能帮助大学生正确认识自己，而且可以让大学生对职业规划有一个宏观的把握。可以对自己的动机、拥有的才能、目标职业、目标行业及社会环境、未来发展目标及成功的标准等问题有更清楚的认识，并做出科学的决策。成功又可行的职业生涯规划的主要内容反映着规划制订者对价值观念、知识、能力的自省程度以及对职业生涯发展的把握程度。

（一）职业生涯规划书的内容

参照职业生涯规划的研究成果，一份较完整的职业生涯规划书应包括以下九个方面的内容。

1. 引言

引言是大学生对规划书整体内容的概述，包括大学生对职业生涯发展规划的认识、规划的大体思路、愿景等。

2. 题目

题目应反映职业生涯个性化的特征和时间坐标原则，主要包括规划者姓名、规划年限、起止日期、年龄跨度。开始日期应详细到年、月、日，截止日期可以到年。从题目可以看出职业生涯规划是阶段性的还是长期的。

3. 自我分析

自我分析是指大学生根据职业测评结果，结合自己的成长历程，分析自己的能力个性、兴趣爱好、价值观等，并对职业做出初步的选择，如律师、教师、医生、军人、音乐家、组织管理人员等。

4. 环境分析

环境分析包括对家庭环境、学校环境、社会环境等在内的外在环境因素进行分析，了解所选职业在社会环境中的地位，以及社会经济发展趋势对此职业的影响程度。

5. 职业定位

在完成自我分析和环境分析之后，应根据家庭主要成员、同事、导师、职业生涯规划专家等各方的建议，并结合自身优势与劣势对自己的职业目标进行定位。

6. 目标及实现时间

大学生应根据职业目标，制订相应的实施计划。实施计划应切合自身实际，并且能够满足实现长期发展的需要，包括时间目标、职务目标、能力目标、成果目标、经济目标等，规划者必须有重点、有层次地突破。

7. 评估调整

大学生应根据环境的变化，包括国家政策、社会、市场等，结合自身成长，进一步提出评估和调整计划。职业生涯规划要帮助个人真正了解自己，对自身的能力、潜力进行正确评估，并表明发展的预期目标。大学生应将自身条件、发展潜能、发展方向与环境给予的机遇和挑战相比较，最终达到“觉醒”。同时，通过业绩评估和其他评价明确现有知识水平、专业能力、管理能力及身体健康状况等条件，通过潜能评估发现未来的潜力。

8. 差距

大学生必须认真剖析本人职业生涯规划的目前条件与实现目标所需能力之间的差距，特别是在思想观念、专业知识水平、具体操作能力、心理承受能力与身体适应能力等方面的差距，应客观地制定缩小差距的方法。

9. 缩小差距的方法

大学生应根据自身的差距内容，实施不同的解决方案。根据能力大小和目标分解制定提高能力的具体内容及方式等。通过各种有效的方式，获得较大甚至根本性的改进，并且通过实践锻炼，争取改变工作方法或工作内容，达到能力与职业生涯规划相符的目的。

（二）职业生涯规划书的写作要求

1. 资料翔实，步骤齐全

收集资料有多种途径，可以通过访谈、从报刊图书中摘抄、上网下载等方式获取资料，要尽可能注明资料的出处，并多运用图表数据来说明问题，以提高资料遴选的合格度和说服力。主要分为以下四个步骤。

第一步，分析需求和条件，设定目标。

第二步，分析阻碍和进行可行性研究。

第三步，设计方案和提升（改变）计划。

第四步，制订详细的实施计划和措施。

2. 目标设定应理性

职业生涯规划的目标应切合实际，不妄自尊大，也不妄自菲薄；不过于理想化，也不过于放不开，并且要始终围绕职业生涯发展规划加以设定。大学生应当综合考虑自身的兴趣爱好、优势、劣势、环境特点、未来愿景等多方面因素。是否设定了切实可行、理性客观的发展目标，关系到职业生涯发展规划书的制订是否成功，也能够从规划书中看出大学生对自身和环境的认识正确与否。

3. 论证有据，分析到位

要了解有关测评理论及知识，认真审视并思考自己的测评报告，并对照自我认识与测评结果的异同，分析与测评结果形成差距的原因，从而确定自我评估结果，厘清自己所处的地理环境（包括居住的地方、喜欢的地方），明确自己最大的兴趣、最喜欢与之共事的人的类型、最重视的价值与目标、最喜欢的工作条件，并通过环境评估（社会影响、家庭影响、学校因素、就业形势等）和当前社会环境分析（群组环境、技术发展、经济形势、政策法规等）来确定自己的职业方向，做到有理有据、层层深入。

4. 言简意赅，结构紧凑，重点突出，逻辑严密

语言朴实清晰，用词精确，行文流畅，条理清楚，是职业生涯规划书最基本的写作要求。撰写职业生涯规划书时，还应密切注意整篇文章的结构和重心所在。职业生涯规划书一般包含对职业规划的认识、对自我的剖析、对所学专业的认识、对职业方向的探索、确定目标与制订计划这五个方面的内容。在对这些内容进行分析阐述时，必须紧紧围绕职业目标这条主线来展开，从而体现文章论述的逻辑性和一致性。要将重点放在自我评估、环境评估、目标实施上。职业生涯规划是自己将来的规划，这个规划只有建立在对自我和职业的充分认识的基础上才能体现它的科学性和可行性。

5. 目标明确、合理

大学生职业生涯规划书应围绕论述的中心展开，职业生涯目标不能过于理想化，要择己所爱、择己所长、择己所需、择己所利。职业生涯规划书撰写是否成功，在很大程度上取决于有无正确、适当、切实可行的目标。

6. 分解合理，组合科学，措施具体

目标分解、实现路径选择要有理论依据，而且备用路径之间要有内在联系。目标组合应注意时间上的并进、连续，功能上的因果、互补作用，全方位的组合要涵盖职业生涯、家庭生活、个人事务等方面。

二、撰写职业生涯规划书时的注意事项

（一）自我评价不够科学合理

自我评价一般包括了解自己的职业兴趣、职业能力、性格特征、职业价值观、优势与劣势等。在职业生涯规划书中，有的大学生用了职业测评系统进行量化分析，但是对系统的利用不够科学合理；有的大学生不懂得利用职业测评系统，只是大致地模仿；有的大学生缺乏自我评价的评估分析，没有结合生活中的一些事件和个人经历来说明自己的特质。

1. 自我分析缺乏科学参考依据

在进行人格分析时经常遇到的是缺乏科学依据，有些大学生根本没有利用测评系统进行测试。只有通过正确的科学测评手段得到的分析结果，才更符合自己的实际情况。

大学生可以运用霍兰德职业倾向测试、卡特尔16种人格因素测试、MBTI性格类型分析及360度评估法等被普遍认可的自我分析工具进行分析测试。大学生如果没有利用测评系统进行分析，自我分析就比较主观，会导致对自己不切实际的认识，使自我分析缺乏科学的参考依据。

2. 测评结果与目标选择联系不够密切

既然个人测评结果是个人职业生涯规划的重要参考依据，那么，测评结果与职业生涯发展目标选择之间就应该有比较密切的逻辑联系。但是，许多大学生在得到了测评结果以后不知道应如何处理，无法把测评结果与职业生涯目标的论证过程融合到一起。

3. 对测评工具过于依赖

由于测评工具具有较好的概括性、便于使用，因而很多大学生容易在自我认知方面过分依赖测评工具。这些大学生往往忽视了对自我的反省，不懂得质疑测评结果准确与否，完全以测评结果作为分析依据，从而使自我认知变为实际上的“测评工具的自我认知”，而不是真实的自我认知。

（二）环境探索针对性不强

环境探索主要包括家庭环境分析、学校环境分析、社会环境分析和职业环境分析，并对其进行归纳与总结。在环境分析时，许多大学生抓不住重点，分析没有针对性，环境探索的分析不够客观、具体。外界的环境探索应该是在自我了解基础上的有针对性的探索分析。

1. 家庭环境分析较单一

许多大学生对家庭环境的分析局限于家庭经济状况和父母的期望，很少提及家庭的地理位置、家庭氛围、家庭的人际关系资源等，而这些对于职业生涯规划都有着重要的影响。

2. 学校环境分析较简单

大学生对学校环境的分析往往只是简单地介绍所在学校的基本情况，实际上还应该进一步说明学校的性质和实力，清晰地描述学校的办学定位和管理水平。在撰写职业生涯规划书时，大学生可以对学校进行多方面的分析，如学校在教育方面的创新能力和应用能力，取得的教育、科研成果；学校的办学特色与价值体现；师资力量、教学水平和学习氛围；学校与同类学校相比拥有的强势项目和竞争优势；学生、家长对学校的评价及满意度等。

3. 社会环境分析较笼统

大学生在分析社会环境时更多地描述为“待业就业人数多，就业竞争压力大”，甚至“社会安定、政治稳定”等，这些表述较为笼统。在分析社会环境时，他们只是对当前我国大学生的就业形势泛泛而谈，缺少精确的数据支持，显得十分空洞。

4. 职业环境分析不足

有些大学生对自己的目标职业及其所处行业的特点、要求及面临的形势分析缺乏指向性。大学生对职业环境的分析应遵循从宏观到微观的渐进原则，如从行业到职业、从单位到岗位等。只有具体到微观的部分，如某一岗位、某一专业方向，才是比较有效的分析。

（三）职业目标制订存在的问题

1. 职业目标不确定

（1）职业目标模糊。在有些大学生的职业生涯规划书中，前面提到希望成为国家公务员，后面又说想成为一名教师，不知道其职业目标到底是哪一个。一份好的职业生涯规划书很重要的一点就是要有明确的目标，不管是在引言还是在分析中，都要有一个明确的目标。

（2）择业无主见。有部分大学生在择业时无主见，表现出没有确定的目标，看到其他大多数人选择哪些职业，自己就选择哪些职业，随波逐流，忽略自身的需要，存在趋同心理，没有属于自己的目标选择。

（3）盲目乐观。大学生之间存在个体差异性，如在知识、能力、性格等方面的差异，以及专业之间、学校之间的差异。但是，不少大学生没有认识到或不愿承认这种差异，他们盲目乐观，过于自信，择业比较盲目，结果是个人特质与职业要求不对接，在就业中碰壁。

2. 职业目标定得过大

对于职业目标，大学生往往有太多的憧憬和向往，这些目标大多过于理想化，无法科学地进行确定。有许多大学生希望做企业的总经理、总设计师、科学家等。但是，人不可能脱离现实而存在，不能脱离自身条件、脱离社会现实，不能把某种不切实际的欲望作为行动的目标，更不能好高骛远，而应根据自身实际做出合理的、可实现的规划。不少大学生忽略了自身及环境因素，导致目标定得过高，使整个规划根本无法执行，失去了其本质的意义。

3. 职业目标体系内部不一致

有的大学生将自己的职业目标由近及远地表述为会计师—项目经理—总经理助理，会计师明显是会计行业的高级人员，对项目经理没有具体说明是什么项目，而总经理助理只是助理类的初级人员，前后目标逻辑混乱，与现实不符，不能构成统一的职业目标体系。

4. 职业目标存在严重的偏向性

一些大学生存在择业观的误区，择业过于功利化，只关心经济利益、福利待遇等问题，而不考虑职业的发展前景。

5. 分析内容与结论目标不相符

在职业生涯规划书中，无论其前后的分析论证如何全面完善，得出的职业目标都应是最初所期待的，而有些规划书通过对内外部环境的分析，得出的结果与最终职业定位却不相符合，这样的职业生涯规划只能是一纸空文，不具有规划的科学性和严谨性。

6. 备选目标之间缺乏内在联系

大多数毕业生意识到，随着社会的发展和环境的变化，在职业生涯过程中会发生理想与实际情况不相吻合的问题。大学生大多能准备多个备选目标，然而这些备选目标之间差异很大，缺乏内在的联系。例如，某大学生的首选职业目标是总工程师，备选职业目标却有物流公司职员、公务员、教师、律师等。这必将使大学生在职业生涯准备中受到较大的困扰，不知道以哪个为准，犹豫不决，不利于最终职业目标的实现。

（四）职业生涯规划缺乏实际操作性

大部分大学生在设定职业生涯目标以后，没有制订详尽、全面的实施方案。没有具体的行动方案就不能达到预期目标，更谈不上事业的成功。有些职业规划书只停留在“想”的层面而缺乏具体的行动，缺乏对职业生涯设计的执行力，包括制订的执行力和完成的执行力。职业生涯规划书应当是一个详细而又切实可行的行动计划和策略方案，包括时间跨度、总目标、分目标、计划内容、策略和措施等。

（五）评估调整未受到重视

评估调整是职业生涯规划中比较重要的一个部分，因为“世界唯一不变的就是变化”“计划赶不上变化”，根据实际情况对就业及职业发展进行评估并做出适宜的调整，是非常重要的。但是，在许多职业生涯规划书中，评估调整被忽略了。

知识小结

课外任务

1. 根据职业生涯规划书模板的写作要求，撰写适合自己的职业生涯规划书。内容包括以下方面。

（1）自我分析。

（2）职业分析。

（3）职业发展分析。

（4）优势、劣势分析。

（5）目标展望。

（6）具体目标和实现途径。

（7）调整方案。

（8）结束语。

同学们要根据自己的实际情况撰写规划书，内容要求真实可信、实事求是，要按照规定的格式和内容来进行，要做到记录真实、内容完整、书写清楚，请完成表 5-1。

表 5-1 表格式个人职业生涯规划书

姓名		性别		年龄	
学历		专业		政治面貌	
个人特长	主要教育经历				
	主要工作经历				
	主要培训经历				
职业环境	经济环境				
	社会环境				
	职业发展环境				
职业生涯目标	短期目标				
	中期目标				
	长期目标				
	人生目标				
计划与实施					
评估与调整					

表 5-1（续）

备注	
职业生涯规划制订人： 制订时间：	

课外阅读

中国自由式小轮车实现零的突破

2024 年 7 月 31 日，在巴黎奥运会女子自由式小轮车公园赛决赛中，19 岁的邓雅文和 20 岁的孙佳琪代表中国队出战。最终，邓雅文以 92.6 分的高分夺得金牌，为中国自由式小轮车项目取得奥运金牌，实现了零的突破。

自由式小轮车于 2020 年东京奥运会首次亮相奥运赛场，当时，中国男女队都未能获得该项目的参赛资格。进入巴黎奥运周期，中国女队实力飞速提升，本届奥运会已升至世界第一集团。

相较于东京奥运会，巴黎奥运会自由式小轮车项目在参赛人数上从男、女各 9 名选手增至各 12 名，经过资格赛选拔，最终有 9 名选手进入决赛，根据两轮比拼，取两轮的最高分计算名次。

在资格赛中，邓雅文和孙佳琪分别以预赛第二和第三晋级决赛。在决赛中，各国选手失误不断，有望夺金的美国选手汉娜两套动作都出现失误，仅获第八；孙佳琪同样出现失误，无缘奖牌。邓雅文成为首轮发挥最稳健的选手，以 92.5 分的高分位居榜首，是全场唯一超过 90 分的选手。“谁面临大赛不紧张呢，尤其是像我们第一次参加奥运会的选手。我们可能比汉娜的压力更大。这个时候，我们更需要去做有难度的动作挑战自己。”第二轮，邓雅文又加入了两个更高难度的动作，且高质量完成，以 92.6 分的成绩夺得冠军。

“好神奇，我也站上了奥运舞台。”邓雅文坦言，自己打小练体育，最初的目的只是强身健体，“我没想过能进省队、国家队，更没想过成为奥运冠军。”

这样的转变与一个选择有关。

2017 年国际奥委会宣布自由式小轮车进入奥运会，这个备受年轻人喜爱的项目于 2018 年开始在中国建队。“当时我们对这个项目完全不了解，甚至不知道什么是自由式。”中国 BMX 自由式小轮车国家队主教练吴丹在接受《中国青年报》记者专访时表示，邀请国际专家的同时，队伍也在选拔一批适合这个项目的选手，“性格外向，敢于冒险”，有了这种性格底色，练习自由式小轮车会有事半功倍的效果。

邓雅文就是其中之一。加入小轮车队前，她还是一名田径选手。8 岁进入泸州市业余体校田径队训练，跑、跳、投，几乎每一个小项都会进行尝试。2017 年寒假，她得到了四川省田径队标枪项目的训练机会，可在准备收拾行李去标枪队时，“家里打电话，说让我去成都，练小轮车”。

从一开始，和小轮车的接触就让邓雅文产生了兴趣。但随着上道具，需要骑车从高处往下滑行时，恐惧感迅速袭来，“很害怕，每天都会哭，但哭完了还要接着练”。伴随着用每次摔跤换来的难度动作解锁、滞空时俯瞰地面的感觉，邓雅文渐渐学会享受这项运动，“对于那个年龄段的我，不管转没转项，都会是很棒的决定，我要感谢自己的是，一直以来对这个项目始终初心不改。”

“邓雅文不算条件最好的选手，但她总能静下心来学习，沉淀自己。”吴丹表示，目前在队里所有的运动员中，邓雅文是技术最全面、最用心、最认真的，更重要的是，虽然年纪不大，但她在赛场经历过很多挫折，“这些起起落落，对她是一笔很大的财富，能让她在今天的奥运会赛场直面压力。”吴丹眼中的邓雅文：“遇到困难从来不躲避”。

为了帮助运动员迅速成长，国家队通过聘请高水平外教、参加国内外高水平比赛、长期关注自由式小轮车国际发展趋势，营造了良好的训练环境。几位跨界跨项“从零开始”的小将开始崭露头角，近年已经在国际赛事的竞争中呈现集团优势。

“中国队几个女孩都遭遇过不同程度的伤病，但她们都很顽强，即使面对让她们感到害怕的技巧，也会努力去尝试，我有理由相信，她们有能力去争取奥运奖牌，甚至金牌。”赛前，中国 BMX 自由式小轮车国家队外教丹尼尔·德尔斯就对《中国青年报》记者表示。以邓雅文为代表的几个中国女孩总是特别努力，这让他们教练的意图总是能很快实现。

作为东京奥运会银牌得主，德尔斯从 2023 年受聘为中国国家队教练。“他会帮我们规避很多片面、错误的临场反应，在技术动作和线路编排上，他不会让我们困在一个难度动作里，而是去专注完成自己一整轮的动作。”邓雅文说。

颁奖仪式前，邓雅文专门戴上了一支白色的发簪，她表示，这是自己拿第一个世界冠军前一天戴的簪子，“不知道为什么，今天又出现在我的行李中”，一个突如其来的巧合戳中了她，“我决定戴上它，它很中国，适合奥运会”。

资料来源 梁璇：《零的突破！邓雅文在奥运会女子自由式小轮车项目摘金》，《中国青年报》，2024 年 8 月 1 日第 1 版。（收入本书时有改动）

6

项目六 职业生涯管理

学习目标

知识目标

了解职业生涯管理的内涵和要素、生涯管理阶段及机遇管理。

能力目标

掌握有效的职业生涯管理策略；对自己的职业生涯档案进行动态管理，能够根据自身情况和外部环境的客观变化对职业生涯规划进行不断的评估调整。

素质目标

能够应用职业生涯管理模型进行职业生涯决策，能够主动践行自身的职业生涯规划。

任务一 职业生涯管理认知

案例导入

打造职业生涯教育体系 推动大学生高质量就业

近年来，海南师范大学将职业规划与就业指导全面融入人才培养体系，树立全程化就业教育理念，构建全员参与的就业育人格局。学校通过多元化课程体系、多渠道服务实践平台以及多样化师资团队，形成了职业规划与就业指导教育体系，旨在帮助学生认识自我、探索职业世界、明确职业目标，培育适应时代需求的全面发展新人。

为提升学生的就业创业能力、推动毕业生实现高质量就业，学校制定了《关于进一步加强和改进新时代大学生就业创业工作的意见》。其中“就业基础夯实工程”“培养质量提升工程”，旨在通过打造“金课”，淘汰“水课”，建立覆盖各学段、指导各环节、管理全过程的职业生涯教育体系。同时，通过全流程的贯通机制，围绕生涯规划与就业指导的四个关键步骤——“认识生涯、初步定位、能力提升、目标实现”，引导学生逐步细化并确定其职业发展目标。

生涯规划与就业指导课的教学形式多元化。教研组针对学生特点与学校情况进行深入分析，借鉴OBE教育理念，采用多元化的教学策略，增强学生的学习动机、提高学生的参与度。突出问题导向，构建结合理论与实践、线上学习与线下活动、课内教学与课外拓展的多维教学模式，有效促进生涯规划与就业指导课程实施。借助创新创业实践周，有效解决课堂实践不充分、课时不足的问题。

生涯规划与就业指导课的内容考核落细落实。学校将生涯规划与就业指导课程作为通识教育和实用技能培养的双重载体，注重学生的体验与实践。过程性考核不仅激励学生积极参与课程学习，还有助于教师及时了解学生对课程内容的掌握程度，推动考核更加贴合课程实际和学生需求。学校在推进教学改革的过程中，鼓励教研团队结合实际积极探索，推动课程改革取得实效。学校生涯规划与就业指导课程采用课堂成长手册、互动参与、小组合作、生涯规划文档以及求职材料准备等多种方式，记录学生的学习进程，展现学生实际收获与自我发现，将内容考核落到实处。

资料来源 梁晓明，符海霸，魏健一：《海南师范大学：打造“三位一体”职业生涯教育体系 推动大学生高质量就业》，《光明日报》，2024年12月21日第8版。（收入本书时有改动）

思考与讨论

从施瓦辛格的职业生涯规划中，体现了哪些职业生涯管理内容？

____

____

____

知识学习

一、生涯管理的内涵

生涯管理是一个持续解决问题的过程。在这个过程中，我们要收集信息，提高对自我和环境的认识，确定职业生涯目标，制定职业生涯战略并付诸实践，积极反馈调整。这个过程能够帮助我们处理在职业生涯不同阶段所面临的各种任务和问题。你应当谋求营销还是会计方面的工作？你是想成为一名管理者，还是只当一名普通职员就心满意足了？你在意外失业后，怎样才能再就业？人到中年，你改行做一个新的工作，你认为这是焕发了青春，还是一场灾难？这些看似没有联系的问题之间其实存在着一个基本的相似之处：它们都需要实行积极的职业生涯管理，都需要做出积极的决策。如果我们不能积极地管理自己的职业生涯，那就只好听天由命了，或只凭一时兴致来决定自己的命运。在当今更加不确定的商业环境中，我们需要为自己的事业采取积极的、负责任的态度。

所谓生涯管理，就是掌握自己与环境的现状，根据需要进行改变和调整，使自己保持最佳的状态，争取最好的发展机会去实现自己生涯目标的过程。

成功的生涯发展需要依靠成功的生涯管理，因为生涯发展中会遭遇许多变化，需要我们把握和调整。变化是人生的常态，也是生涯发展的常态，我们需要建立生涯管理的观念，勇敢地迎接变化。

生涯管理是由无数个“三部曲”组成的。

（一）发现变化

变化可能来自外部，如经济环境、政策导向、家庭的突发事件等，也可能来自内部，如自己的想法发生了改变等；变化可能是于己有利的，也可能是于己不利的；变化可能比较剧烈，也可能比较平缓。我们需要培养分析环境和自身的能力，及时发现变化，分析变化的缘由和对生涯发展的影响。

（二）明确需要

变化，可能为生涯发展带来新的机遇，也可能会造成一些阻力和障碍。这时，我们对自己的“发展需要”要有一个明确的定位与评估。这样，就不会因变化带来一些意外而偏离了自己的航道，迷失了自己的目标。

（三）进行调整

发现变化、明确需要之后，就需要采取行动进行调整了。这一步是很关键的，因为只有行动才能产出成果。我们有时会对自己的调整没有百分之百的把握，迟迟不敢行动，这样往往会失去一些成功的机会。其实，只要我们用积极的心态去管理自己的生涯，即使没有出现预期的结果，也能够借以锻炼自己的心态和管理生涯的能力。没有行动就不会有新的结果，也就不会有再次的选择，而没有选择的人生才是最可悲的。

二、有效生涯管理的要素

生涯管理的主要含义是根据情况的变化调整生涯目标和实现策略。对于每一个人而言，职业生命是有限的，如果不进行有效的规划，势必会造成时间和精力的浪费。有效的生涯规划可以使我们的发展更有目的性和计划性，也为实现自我价值创造机会。个人实施有效的生涯管理，一般来讲要具有以下五种要素。

（一）对自己负责

责任感是激发我们奋进的压力和动力。如果你把一件事当作自己的责任所在，就会调动自己的所有智慧，千方百计地把这件事情办好。相反，如果你觉得这件事并不由你负责，就可能对它不闻不问、敷衍了事，或等他人来拿主意，因为你觉得这件事完成与否和你没有多少关系。可见，是否有责任感，决定了我们对待一件事情的态度，决定了我们会投入多少精力和心血去完成它。那么，我们就需要考虑：管理自己的生涯，对于自己未来的发展，谁应该对它负责？是老天或命运，是父母或家人，是老师或专家，还是你自己？你把它划归在不同的责任区，相应地就会有不同的态度，从而大大影响生涯管理的质量。因此，我们要注意树立和培养对自己负责的责任感。

（二）提高自控能力

锤炼坚韧顽强的意志，增强自己的自控力，是一个人走向成功必不可少的“法宝”。国外许多心理学家致力于自控力的研究，他们提出了自控力的“五个控制”，即控制思想、控制时间、控制语言、控制欲望和控制情绪。心理学家认为，如果一个人能够有效地培养上述“五个控制”，那么他的心理状态就会很稳定、很平衡，他就已经具备了控制自己的能力。

（三）积极有效的行动能力

我们都知道画饼不能充饥，生涯目标不能仅仅停留在脑子里和纸面上。通过前面的学习，我们了解到人的生涯是由不同的发展阶段连接而成的，每一个阶段都有相应的发展任务需要完成，一个阶段的发展任务完成得怎么样，会影响到下一个阶段的生涯发展。而这些发展任务是否能够很好地完成，主要依赖于我们是不是采取了积极有效的行动。例如，在生涯探索期，有的大学生会主动寻找机会进行探索和了解，而有的大学生则只是消极等待老师或其他人的安排，这样一来，积极主动的大学生显然会优于消极等待的大学生。所以，我们要注意培养自己积极有效的行动能力，绝不能做“语言的巨人，行动的矮子”。

（四）灵活机动的调整策略

管理自己的生涯，实现生涯目标，需要的不仅是“坚”，还有“韧”，也就是一种弹性和灵活性。面对生涯发展过程中遇到的机会，我们要能够采取灵活机动的调整策略，及时抓住机遇。要知道，机遇往往是稍纵即逝的，稍一放松就会失去。如果遇到阻力或障碍，我们也不能被动地对抗，而要主动地规避，化险为夷，创造机会。也就是说，我们不仅需要“苦干”，还需要“巧干”，才能更有效地管理好自己的生涯，减少不必要的损耗。

（五）学会不断学习

一个人必须具备学习、学习、再学习的意识，并且付诸具体行动。学习不等于要“样样通”，而要根据自己的特长和兴趣，做到术业有专攻，能够在合适的岗位上依靠自己的一技之长取得成就，为社会做出贡献。此外，培养自己的学习能力也很重要。学习能力是指能够进行学习的各种能力和潜力的总和。学习能力是获得和运用知识的能力，是感知、认知、自控、理解、记忆、操作等诸多能力的综合体现。提高学习能力可以对自我认识、自我反省、自我调节等方面进一步探索与掌控。提高学习能力的本质是学会思考。学习能力的培养是个人取得成功的关键因素。

社会上有很多人成功地管理了自己的生涯，他们是以一种对自己高度负责的责任感、积极主动的态度，以及面对机遇、困难和阻力时的灵活性来管理自己的生涯发展过程的，不听天由命，也不把自己交付给别人安排，从而实现了自己的职业理想，不断接近自己的生涯目标。让我们都来积极地培养生涯管理的“成功因素”，把握住生涯管理成功的“金钥匙”。

三、生涯管理模型

在社会学中，模型就是现实的照片或代表形式。模型包括一系列以某种具体方式相互关联的变量，能使我们更好地理解世界的某些方面。生涯管理模型描述人们应当怎样管理他们的职业生涯。这并不是说每个人都只能照搬这个模型来管理自己的职业生涯，但模型所代表的那些活动可以使你心想事成。

职业生涯管理的循环是一个解决问题、制订决策的过程。在这一过程中，人们首先通过收集信息，更好地认知自身和周围的环境；然后，通过设定目标、制订发展战略并付诸实施，再获取更多的信息反馈，以便继续职业生涯的管理工作。

按照这种方法对职业生涯进行管理的人不会盲目地生活。认知、目标设定、战略制定和反馈往往依赖于其他人和组织的支持。例如，组织内部及大学所能提供的咨询，业绩的评价、自我评估的讨论会，工作单位提供的培训计划，家人的忠告、爱和各种支持，这些都能为我们进行有效的职业生涯管理提供支持。

成功地运用职业生涯管理模式，取决于个人和组织双方的努力。它包括个人与其现在和未来的组织、同事、朋友以及家庭之间的信息交换。个人必须乐于承担任务，这是积极主动地对自己的职业生涯负责。为此，人们需要努力收集整理出职业生涯决策所需要的信息。研究表明，有了家庭和朋友的支持，人们会感到更安全，并且能更好地在他们的事业发展中取得进步。

组织也应当乐于并且能够与个人共享信息，为个人提供必要的资源，并支持员工个人管理好自己的职业生涯。

知识小结

任务二　职业生涯的阶段管理

案例导入

巩立姣：努力让运动生涯更圆满

“我的第五次奥运之旅结束了。从 2008 年的北京到 2024 年的巴黎，5 届奥运会，我把第一名到第五名的滋味各尝了一遍。有圆满、有遗憾、有收获，也有不甘。

“我今年 35 岁了，虽然年龄的增长会使身体恢复速度放缓，但备赛巴黎奥运会期间，我的训练一直做得很好，大球、力量等方面的能力甚至超过了我在东京奥运会夺冠时的水平。但巴黎奥运会前突发的腰伤在一定程度上影响了我的发挥。

“赛前受伤往往最让人难受，缓解疼痛的过程也并不容易。决赛中，我仍然没能调动出最佳状态，最终获得了第五名。没能取得更好的成绩，我本次的奥运之旅留下了遗憾。

"人生就是这样，不只有喜悦与胜利，遗憾也不失为一种收获。上个奥运周期，我夺得了一个奥运冠军、两个世锦赛冠军的大满贯，而巴黎奥运周期则为我带来一些小遗憾，这种遗憾将成为我接下来的动力。

"本届奥运会，我的队友宋佳媛收获了一枚宝贵的铜牌。希望她继续努力，助力中国女子铅球项目攀向高峰。

"东京奥运会夺冠之后我曾说，梦想总是要有的，万一实现了呢？现在，我依然不会放弃梦想，突破21米依然是支撑我继续前进的强大动力。我是否还有机会参加下届奥运会？在身体允许的前提下，一切皆有可能。我会保持着对铅球运动的热爱，为了梦想继续拼搏，努力让运动生涯更圆满。"

巩立姣的运动生涯给我们青年学子在迈上人生重要阶段时带来很多启示。"但也正是因为不断试图缩小自己和目标的差距，她才一步一步成为中国女子铅球在过去10多年的领军人物，甚至成为中国体育的一股精神力量。"

资料来源 《努力让运动生涯更圆满（奥林匹克与我）》，人民网，2024年8月12日。（收入本书时有改动）

思考与讨论

在巩立姣的运动生涯中的每个发展阶段，她是如何规划的？

____

____

____

知识学习

根据职业发展观，从个人的角度而言，职业生涯发展阶段可分为职业生涯早期阶段、职业生涯中期阶段和职业生涯后期阶段等。在不同的阶段，个体生命特征和职业生涯特征不同，其所面临的职业生涯发展的问题也各不相同，因此，不同阶段的职业生涯管理策略也存在着明显的差别。

一、职业生涯早期阶段的管理

职业生涯早期阶段是指一个人由学校进入组织，在组织内逐步组织化，并为组织所接纳的过程。这一阶段一般发生在20～30岁，是一个人由学校走向社会、由学生变成职员、由单身生活转向家庭生活的过程，一系列角色和身份的变化必然需要一个适应过程。在这一阶段，个人的组织化及个人与组织的相互接纳是个人和组织共同面临的重要的职业生涯管理任务。

（一）职业生涯早期阶段的主要问题

在职业生涯早期的个人组织化阶段，新职员对组织不是十分了解，与上司、同事之间尚不熟悉，处于适应期。由于未能觉察彼此的需要和适应组织的特点，可能会引起某些矛盾和问题。这一阶段常见的问题主要有以下三种。

1. 面临现实冲击

现实冲击是指新职员对其工作所怀有的期望与工作实际情况之间的差异所引起的心理冲击。现实冲击通常发生于个人开始职业生涯的最初时期，有的新职员怀有较高的工作期望，面对的却是枯燥无味和毫无挑战性的工作现实。

2. 难以得到信任和重用

新职员刚刚进入组织，对组织的人员和环境都不了解，组织对新职员也缺乏深入了解，因此，新职员往往很难立即取信于第一任上司。在这种情况下，上司会认为只有等到新职员真正了解公司运作的真实情况之后，才可以让其承担重要的工作，因此，最初交给新职员的工作往往过于容易或很乏味。当然，在新职员进入组织后的最初数周内，上司采取这种做法是完全可以理解的。但是，如果数月、一年甚至更长时间内上司都持这种不信任的态度，就会大大压抑新职员的工作积极性和才能的发挥，并将直接影响其未来的职业生涯发展。

3. 与组织成员的隔阂

由于年龄与时代的差别，代沟在新老职员之间是不可避免的。一种情况是，组织中的老职员可能会对新职员持有某种偏见或成见，认为新职员幼稚单纯、好高骛远、书生意气、经验不足、自视清高等。这种成见有其合理的、符合事实的地方，但同时具有很大的片面性。另一种情况是，新职员进入组织，会引起上司和老职员的某种不快。上司和老职员觉得新职员是个威胁，因为新职员常常受过更好的教育和有较高的起薪，所以他们不知不觉地总想表明新职员没有什么了不起，于是交给新职员一些十分艰难的任务，以证明新职员并不称职。

上述问题的存在，有时会对组织和个人的职业生涯发展造成严重的消极后果。因此，认识组织化的任务，学习组织化的方法，对处于职业生涯早期阶段的职员具有重要意义。

（二）职业生涯早期阶段的自我管理策略

应聘者接受雇用并进入组织后，由个体向组织靠拢，经历了一个不断发展变化的过程，即个人的组织化。它包括新职员接受并达成组织及其部门所期望的工作态度、规范、价值观和行为模式等。个人组织化是组织创造条件和氛围，使新职员学会在该组织中如何工作，如何与他人相处，如何充当好个人在组织中的角色，如何接受组织文化并逐渐融入组织的过程。在职业生涯早期阶段的组织化过程中，新职员和组织都有各自的管理任务，也需要解决一些容易产生的问题。

1. 掌握职业技能，学会如何工作

承担职业任务，做好本职工作，是新职员的基本任务和重要责任。对于新职员来说，第一步就是要掌握职业岗位技能，学会如何在组织中开展工作。在这一过程中，新职员要注意两个方面的问题。

第一，弄清岗位职责，明确工作任务。新职员在接受每项具体工作时，要向组织问清楚个人承担的工作任务、任务的目标和要求、完成任务的期限等。这样既可以避免出现新职员由于不知道该做什么而显得不知所措或工作不积极的情况，也可避免由于工作过于主动而出现越俎代庖的情况。

第二，克服依赖心理，学会自主地开展工作。组织中每个人都有自己的工作，新职员不要指望工作中处处得到上司或老职员的关照与指导，应当学会自主地开展工作。如果一个人在其职业范围内出现了这种问题，往往会出现两种结果：一是放弃工作参与，转向更多地关注工作之外的自我发展和自己的家庭；二是对工作本身失去“反应”，其积极性、兴奋点、注意力已不在工作上，而是放在了组织的福利奖酬，如报酬、津贴、安全、工作条件上。

2. 现实与职业理想不一致

许多人在职业中期陷入一种自我矛盾，因为其现实的职业发展同其早期的职业目标、职业理想不一致。这种不一致一般有两种情况：一是虽然从事自己理想中的职业，然而并未取得所期望的成就；二是自己的职业锚完全不同于最初的设想，现实的职位比最初设想的低，或与早期的职业设想、抱负相比，更需要职业以外的其他东西。

3. 职业工作发生急剧转折或下滑

在职业生涯中期，特别是人到中年以后，每个人都不可避免地要承担生命周期运行的繁重任务，发生中年期的各种生理和心理变化；不少人还面临工作不顺心、无成就感、现实与理想矛盾的问题。如果不能正确地对待和处理这些复杂的情况与变化，必然会发生职业工作的急剧转折与滑坡。

常见的情况有：工作对他们来讲不再富有挑战性，不能再使他们感到兴奋，他们反而感到落入组织或职业陷阱；对工作不再有进取心，平淡应付，得过且过，没有生气和活力，消沉抑郁；如果经济收入不减少，其他条件也允许的话，个人会突然地、戏剧性地转换职业；“战略”发生转移，由原来以事业和工作为重心，转向以家庭和个性发展为重心，能量指向个人业余爱好、兴趣、人际关系等方面。

二、职业生涯中期阶段管理策略

职业生涯中期，各种问题和矛盾集中。如果处置不当，职业生涯发展会发生大的转折，乃至出现急剧下滑，对组织的发展和个人的进步都十分不利。这一时期，个人要克服遇到的职业问题，积极应对人到中年时面临的生命周期的变化，同时还需要担负起该阶段个人职业生涯的特定管理与开发任务，承担新的职业角色。

（一）保持积极进取的精神和乐观的心态

有信心和把握获得晋升及发展的人劲头十足，有充分的潜力进步，将来或进入高层领导职位，或成为职业中的稳定贡献者。但是，相当数量的中年职员，由于面临职业生涯中期阶段危机及家庭的各种问题，减弱甚至丧失了原有的工作热情、积极性和进取心，不想也不肯对工作投入太多、参与太多；有的人因为职业发展遇到的困难和问题较多，以至于失望、沉沦，滑向下坡路。这些情况的出现对个人、家庭和组织都十分不利。此时，如果能够正视客观现实，保持积极进取和乐观的心态，积极寻找解决矛盾和问题的新方案，那么，中期阶段的职业危机就可能成为新的机会，还可能有助于实现职业发展的新跨越。

（二）面临新的职业与职业角色选择决策

在职业生涯中期，每个人都经历了较长时间的职业工作，也面临着新的职业角色选择，这时，个人需要重新审视自身的生活目标和价值观，以取得一种更稳定的职业和生活结构，摆脱以往的角色模式，选择新的角色：或继续留在原来的职位上，使自己的知识和技术更加精深和熟练，成为骨干或专家；或进入行政管理领域成为主管，寻求新的适宜的职业角色；或离开原职业工作，从根本上改变职业角色。每个人都需要在某个时间点上做出选择，这一选择受到内外两方面因素的影响。内部因素主要是受个人职业锚约束和指导，所积累的经验和智慧会强化其潜在的贡献，影响其角色选择。外部因素主要是组织对个人才干和个人经验的价值的判别。当组织觉察不到或识别不清楚个人具有成为技术专家或业务主管所需要的才能时，会限制其发展机会，此时个人只能选择其他职业角色。

（三）成为一名良师，担负起言传身教的责任

随着个人职业生涯的发展及职业锚的稳固，个人在工作和发展中的经验日益丰富，这些对于正处在成长中的年轻职员来说，是十分宝贵的。因此，处于职业生涯中期的职员，不论其是否具有正式的主管职位，都不可避免地要肩负起言传身教的良师责任，给年轻人以监督、教诲和支持。

（四）维护职业工作、家庭生活和自我发展三者间的均衡

在职业生涯中期，每个人都面临着来自工作、家庭和自我发展三个生命周期的问题及三者之间相互影响、相互制约的矛盾。因此，解决职业生涯中期的问题，正确处理三个生命周期运作之间的关系，求得三者的适当均衡，是处于这一阶段的人们必须完成的重要任务。

要完成这一任务，个人可以从两个方面入手：一是自我重估，包括重估自己的职业锚和贡献，现实地看待自己的才干、表现和业绩，重新思考自己的成功标准和目标定位等；二是对今后的人生进行重新定位，重构职业工作、家庭生活和自我发展三者的运作模式。以自我重估和再认识的结果为基础和前提，综合考虑各方面的因素，决定今后如

何参与工作，如何适应家庭生活，如何实现自我发展的活动做出决策，如何妥善处理工作、家庭和自我发展三者的关系，以及如何求得三者间的适当均衡。

三、职业生涯后期阶段的管理

从年龄上看，处于职业生涯后期的人，一般在50岁至退休之前。由于职业性质及个体特征的不同，个人职业生涯后期开始与结束的时间会有明显的差别。这一阶段，个人的职业工作、家庭生活和心理状态都发生了与以前不同的变化，并呈现出某些明显的特征。个人的家庭生活发生了很大变化，个人逐渐产生了对家的依赖感，温馨的家庭生活成为职业生涯后期的一大需求，自我意识上升，怀旧心重。

（一）职业生涯后期的主要问题

1. 进取心、竞争力和职业能力明显下降

知识经济时代，科学技术发展迅猛，知识老化和技术更新的速度非常惊人。处在职业生涯后期的职员，由于其体能和精力不可避免地衰退，学习能力及整体职业能力呈下降趋势，其知识、技能明显落后，且已无力更新，职业工作能力和竞争能力逐渐减弱以致丧失。

2. 权力、责任和中心地位下降，角色发生明显变化

职业生涯中期正是一个人年富力强、职业发展至顶峰的时期。有的人攀升至中、高层领导位置，拥有相当的权力，负有重要责任；大多数人是职业工作中的骨干，拥有熟练的技能和丰富的经验，处于良师角色和工作中心的位置。但是，到职业生涯后期，这一个个夺目的光环会渐渐消失，领导职务往往逐渐被更年轻的人取代，权力与责任随之削弱，核心骨干、中心地位和作用逐步丧失。

（二）职业生涯后期管理策略

根据职业生涯后期阶段的个人身心特征及职业工作的变化情况，处在这一阶段的人要完成职业工作，仍面临着特定的角色转变与心理调适等管理任务。

1. 学会接受和发展新角色

处在职业生涯后期阶段的人，要勇敢地面对和坦然接受生理机能衰退及其所导致的竞争力、进取心下降的客观现实，另辟蹊径，寻求适合自己的新职业角色，以发挥个人的专长与优势。在现实工作中，或充任教练，对新人进行技能培训；或充当参谋、顾问等角色，出谋划策，提供咨询；或从事力所能及的事务性工作等，这些均不失为职业生涯后期的良好角色。

2. 学会接受权力、责任和中心地位的下降

首先，要从思想上认识和接受“长江后浪推前浪”这一必然规律，心悦诚服地认可个人职业能力的减弱、工作权力和责任的减小，以及中心地位的下降，以获得心理上的平衡。

其次，将思想重心和生活重心逐渐从工作转移到个人活动和家庭生活方面，在业余

爱好、家庭、社交、社区活动和非正式工作等方面寻找新的满足感。可以通过钓鱼、养花、收藏、旅游、聚会等活动来充实自己的生活，满足自己的需求。

3. 回顾自己的整个职业生涯，做好退休准备

在职业生涯即将结束之时，个人应当很好地回忆自己所走过的职业生涯道路。一方面，我们可以总结和评价自己的职业生命周期，为自己的职业生涯画上完满的句号；另一方面，通过总结自己职业生涯成功的经验和失败的教训，现身说法地对新人进行培训教育。同时，还要做好退休的准备工作，主要是做好个人的退休计划。

知识小结

任务三　职业生涯的机遇管理

案例导入

永远去做你余生中最重要的那件事

饺子，原名杨宇，1980 年出生于四川省泸州市，动画导演、编剧、制作人，毕业于四川大学华西药学院。2019 年，凭借《哪吒之魔童降世》一举成名。每个人都有过梦想，只不过多数人在长大的过程中把梦想弄丢了，饺子也不例外。上小学时，老师问："你有什么理想？"饺子回答："我要当科学家！"那时他对华罗庚、袁隆平崇拜得不行。上初中时，同学问："你有什么理想？"饺子回答："我要当漫画家！"那时他刚刚成为《圣斗士星矢》和《龙珠》的忠实粉丝。上高中时，有人问："你有什么理想？"饺子回答："我要吃饭！"这是他最认真的一次回答，也是最没有理想的一次回答。高考后，他进入了四川大学华西药学院。饺子说："我父母都在医院工作，我对医生这行最熟悉，当医生至少温饱不愁。

进入大学后，手握医生这份"就业保险单"，饺子并没有感觉到预期的安全感，反而经常隐隐感到憋闷："有东西在跳，有火在烧，仿佛一头猪在地震来临前想要拱

圈。”这种感觉持续了三年，胸中的无名火越烧越旺，但他找不到釜底抽薪的办法。转机出现在 2002 年，大三的下学期，药学院的另一个同学黄雷“拱开了猪圈的门”——他转行去做软件了。饺子被刺激到了，胸中的那股无名火瞬间爆发，他想明白了一切：“原来我那股创作的激情一直没熄灭过。”从小到大，饺子酷爱绘画，算得上是他认识的同龄人中画画水平第一的，他的课本上布满涂鸦，大家也称赞他画得好，然而他的家境普通，他又是个危机感很强的人，长大后知道社会上靠画画赚钱的人凤毛麟角，他强行压灭了兴趣爱好的火焰，准备好好做一头“圈养猪”，了此一生。但其实这火焰从未熄灭过，大学三年来它一直在燃烧。很多人经常说：我已经学这个三年了，放弃是不是太可惜？我已经做这行三年了，转行是不是太浪费？我在这儿坚持五年了，难道不应该继续坚持吗？人生最大的痛苦，莫过于坚持了不该坚持的，放弃了不该放弃的。终于，饺子也“拱开了猪圈的门”——那个坚持了三年的东西，他放弃了；那个不该放弃的东西，他找回来了。从此，饺子放弃医学自学 Maya 软件（三维动画软件），入行 CG（计算机动画）。

所以，这个人生故事的开头，一点都不天才，一点都不励志，在放弃梦想的那一刻，大家的样子都是一样俗。不过别着急，天才有两种，一种是生来即天才，另一种是靠自己改命。哈佛大学曾做过一个调查，说一个人的一生，一般会有七次机会改变人生走向。但上天发放每一次机会时，都会设置一些门槛，只让有胆量的人去跨越。

资料来源 《永远去做你余生中最重要的那件事》，360 个人图书馆，2019 年 8 月 4 日。（收入本书有改动）

思考与讨论

在杨宇的案例中，从哪些方面体现他抓住机遇促进职业发展的？

____

____

____

知识学习

在制订职业生涯规划时，我们由于对自身及外界环境都不十分了解，最初确定的职业生涯目标往往是比较模糊或抽象的，有时甚至是错误的。经过一段时间的工作以后，有意识地回顾自己的行为得失，可以检验自己的职业定位与职业方向是否合适。这样，在实施职业生涯规划的过程中自觉地总结经验和教训，评估职业生涯规划，不仅可以修正对自我的认识、纠正最终职业目标与分阶段职业目标的偏差、保证职业生涯规划的行之有效，还可以极大地增强大学生实现职业目标的信心。

在职业生涯中，每个人都面临着不同的机遇和挑战。为了取得更好的职业发展，有效地管理职业生涯中的机遇显得尤为重要。

一、机遇识别与评估

如果一直无法找到所希望的学习机会和工作，那么你需要根据现实情况重新选择职业生涯目标；如果一直无法适应或胜任已设计出的职业生涯目标，令你在学习工作中得不到应有的发展，导致你长期压抑、不愉快，那么你需要考虑修正和调整职业生涯目标；如果结婚后，职业给家庭造成很多不便，或家人反对你所从事的职业，那么你也需要考虑修正和调整职业生涯目标。

当出现更适合自身发展和职业生涯发展的机会，而原定发展方向缺少发展前景时，你就要尝试调整发展方向。

在职业调整过程中，一方面，要保持敏锐的洞察力，要时刻关注行业动态、市场需求和技术发展趋势，以便及时发现潜在的职业机遇；另一方面，要理性评估机遇，在发现机遇后，要对其进行深入分析，评估其潜在价值、风险及可行性，为决策提供依据。

二、实施调整方法

（一）提升自我能力

应不断学习新知识，通过自学、参加培训课程或深造等方式，不断拓宽知识面，提升专业素养。提高实践能力，将所学知识应用于实际工作中，积累经验，提高解决问题的能力。

（二）拓展人脉关系

建立广泛的社交网络，积极参加各类活动，与不同领域的人建立联系，扩大人脉圈子。维护人脉关系，定期与朋友、同事保持联系，分享彼此的信息和经验，加深感情。

（三）灵活适应变化

面对变化保持冷静、理智应对，不轻易被困境打倒。积极调整策略，根据市场变化和个人发展需求，灵活调整职业规划和发展策略。

（四）主动寻求挑战

勇于接受挑战，挑战是成长的催化剂，要敢于尝试新事物，勇于承担风险。不断突破自我，在挑战中不断提升自己的能力，实现自我超越和突破。

（五）保持开放心态

乐于接受新事物，保持对新事物的好奇心和求知欲，敢于尝试不同的方法和思路。应倾听他人意见，虚心向他人学习，善于倾听不同观点，从中汲取有益的建议和启发。

三、不断调整规划

定期回顾自己的职业规划，检查当前进展是否符合预期，及时发现问题并进行调整。

适时调整职业目标。随着个人成长和市场环境的变化，职业目标可能需要适时调整。要根据实际情况，确立新的职业目标，并为之努力奋斗。

四、总结

职业生涯的机遇管理是一个持续不断的过程，需要我们时刻保持警觉，关注市场动态和个人发展需求。通过识别与评估机遇、提升自我能力、拓展人脉关系、灵活适应变化、主动寻求挑战、保持开放心态，以及不断地调整规划，我们可以更好地把握职业生涯中的机遇，实现个人职业发展和事业成功。

在职业生涯的道路上，我们可能会遇到各种困难和挑战，但只要我们坚定信念、勇往直前，就一定能够取得更好的成果。让我们不断提升自己，积极面对机遇与挑战，为自己的职业生涯创造更加美好的未来。

知识小结

课外任务

1. 为了能在激烈的市场竞争和不断加快的职业演变中生存与发展，大学毕业生必须怎么做？

2. 有人认为首次就业是一个人职业生涯的起点，以后的职业生涯还很长远，所以首次就业如何与以后的发展并没有任何关系。请谈谈你的看法。

3. 如何看待再次择业？

4. 有人认为个人职业发展必须靠机遇，也有人认为机遇可遇不可求。请谈谈你的看法。

5. 职业生涯成功的关键是什么？

课外阅读

你为什么还不行动

最削弱生命活力的事情，莫过于总是梦想富甲天下，却从不肯进行一丁点儿的努力去实现这些梦想。眼高手低，有理想而不行动，会消磨人的意志，毁灭人的创造力。我们总是计划着未来的富裕生活，但是，如果我们不进行坚持不懈的努力将其变为现实，那么，这些计划将永远只是计划，我们永远只是在纸上谈兵。

19世纪50年代，受旧金山淘金热的影响，年轻的美国小伙子李维·施特劳斯也按捺不住了。他放弃了自己轻松的文职工作，随着两个哥哥来到旧金山。到旧金山不久，他开办了一家百货店。

一天，一位来店里买东西的淘金工人无意中对施特劳斯说："你们的帆布包真的很适合我们，为什么不用帆布做成裤子给我们淘金工人穿呢？我想，那一定比我们现在的棉布工装裤结实耐用多了。"说者无心，听者有意。施特劳斯经过一整夜的反复思考，决定立即采用这位淘金工人的建议。于是，他取出一块帆布到裁缝店，做出了第一条帆布工装短裤。这种工装裤面市以后，果然受到了众多矿工的喜爱。这种工装裤就是现在风靡全球的牛仔裤的前身。过了些日子，一位从远方来看望施特劳斯的朋友见到工人购买工装裤的情形，向他建议道："我认为，你应该聘请一些有丰富经验的裁缝，先把这种裤子重新设计一番再投入一些资金，并进行相应的广告宣传，然后把它完全地推向市场。"爽快的施特劳斯又立即接纳了这位朋友的建议，把经过重新设计的工装裤推向了市场。令施特劳斯没有想到的是，这种裤子不但吸引了大批矿工的喜爱，而且受到了年轻人的青睐。

要将梦想变为现实，一定要做好三件事：第一，使我们的目标具体化；第二，集中精力，全力以赴；第三，将目标变为现实。在这一过程中，所有必需的条件都取决于我们自己，而不是别人。无论我们身在何处，拥有多少财富，能把我们的理想变为现实的，只有我们的行动。

有千千万万的人拥有伟大的雄心、宏大的志向，他们也决定要实现这些理想，但是他们又因为疑虑、困惑而停滞不前，甚至不肯迈出一小步。他们一直在等待着，不敢前进，也不愿意全力以赴。

资料来源《立即行动，一千个想法还不如一个行动》，腾讯网，2019年8月23日。（收入本书时有改动）

职业生涯评估的方法

管理学中的木桶理论启发我们，在进行职业生涯规划评估时，需要找准突破方向，评估出自己最弱的环节，从而找准自身与现实的差距，只有这样，才能更有针对性地进行调整与修改。在职业生涯管理过程中，可以通过以下评估方法进行自我剖析和完善，对我们的职业生涯规划做出相应的调整，如表6-1所示。

表 6-1 分析职业生涯规划的评估方案

类别	分析问题
1. 分析基准	（1）我的人生价值观是否发生了变化？
	（2）外部环境是否发生了变化？
	（3）我目前遇到的最大问题是什么？
	（4）我在实践过程当中发现了自己的哪些不足？
2. 目标与标准	（1）我现在处在职业生涯的哪个阶段？这个阶段的特点是什么？
	（2）我先前确立的职业生涯规划目标是否可行？有没有其他更佳的目标出现？
	（3）如何来判断自己是否成功？
3. 生涯策略	（1）我是否需要调整职业生涯规划的实施策略？
	（2）我对相应职业能力的获取和吸收能力如何？
	（3）我在职业目标的角色转变方面有什么问题吗？
	（4）对我而言，现在还有什么问题是暂时无法解决的？
4. 生涯行动计划	（1）我的目标达成计划是否合理？
	（2）我的目标达成需要哪些人的帮助？
	（3）我在达成目标的过程中最大的障碍是什么？
5. 生涯考核	（1）在目前职业生涯规划开展的过程中，我有哪些做得好，哪些做得不够好？
	（2）我现在最欠缺的是什么？是知识水平、技能，还是人脉？
	（3）我应该如何应用我所学到的知识技能？
	（4）我现在应该立刻去做的是什么？应该停止做什么？
6. 生涯修正	（1）我是否需要重新选择职业方向？
	（2）我是否需要重新调整职业生涯规划目标的实施线路？
	（3）我是否需要更换人生目标？
	（4）我是否有其他需要更正的方面？

通过对自己进行系统的分析，能够帮助我们深层次地认识和思考自己职业生涯规划的若干问题，只有在分析出问题后，才能进一步地去解决，从而更好地管理我们的职业生涯规划。

项目七 自我管理

学习目标

知识目标

了解时间管理、压力管理、情绪管理的基础知识，掌握时间管理等的原则和方法，重点掌握应对压力与挫折的方法。

能力目标

学会时间管理的方法、技巧，能够根据要求对时间进行合理安排，积极面对压力与挫折，掌握情绪管理等。

素质目标

培养自我管理意识、尊重他人的意识，保持良好的心态，增强主动调节情绪的信心，提升意志力。

任务一 时间管理

案例导入

××学院毕业生案例：时间管理的重要性

毕业在即，同一寝室的小王和小李一同参加一家大型企业的面试。小王因为成绩优异、社会实践丰富，又通过了英语四级考试，顺利被录用了，而小李却被企业委婉地拒绝了。在回来的路上，小王不停地安慰、鼓励着小李，可小李却始终保持沉默，此时的小李才意识到自己与小王的差距。回头审视自己的大学生活，当小王奔波于图书馆、自习室、各种社团的时候，小李却把大多数时间花在了网络游戏上。小李似乎明白了，为何以相似的高考分数走进了大学，却又以不同的姿态走出了大学……

以上两种现象，在大学生中普遍存在。小李从军训期间对大学的美好憧憬到经过两周理论学习后陷入迷茫，此种转变的根本原因是大学比高中有更多的自由时间。习惯了高中时期的按部就班，小李在自由时间里无所适从，不知如何支配。

小王和小李在同样的时光里、同样的环境下一起成长，却在求职过程中得到了不同的结果，原因就在于两个人对时间的支配能力不同。

如何让自己在最短的时间内从高中生活过渡到大学生活？大学生学会充分利用大学时光是规划大学生活的基本前提，大学生应努力让自己成为时间的管理者而不是被约束者。

思考与讨论

从小王和小李的案例中，分析时间管理的重要性体现在哪些方面。

____

____

____

知识学习

在学习和工作中，有的人把时间安排得满满当当，每天都处于紧绷的状态，似乎有做不完的事情，但效率很低；有的人在学习和工作中却可以游刃有余、精力充沛，不断实现个人的既定目标。为什么会出现这样的差距呢？在时间面前，人人平等，每一个人一年都有365天、一天都有24小时，但是不同的人的时间利用效率不一样。这就是善于管理时间的人和不善于管理时间的人之间的差别。莎士比亚有句名言：放弃时间的人，时间也会放弃他。如果想要在学习和工作中取得成就，就必须学会有效地管理时间。

一、时间管理概述

（一）时间管理的含义

所谓时间管理，是指通过事先规划并运用一定的技巧、方法与工具实现对时间的灵活和有效运用，从而实现个人或组织的既定目标。简而言之，就是用最短的时间或在预定的时间内把事情做好。实际上，我们对时间本身是无从管理的。时间管理本质上是面对时间而进行的自我管理，主动有效地控制时间，而非被动地受制于时间。时间管理并不是简单地让一个人如何避免浪费时间，而是让其更加有效地利用时间。

（二）时间管理的原则

1. 目标ABC原则

目标ABC原则就是指对于待办的许多事项，首先分析其重要性，排出优先顺序，然后分配时间。这是一项有效的时间管理的原则。目标ABC原则要求在重要的事项旁边标上大写的A，在普通的事项旁边标上大写的B，在不重要的事项旁边标上大写的C。其中，A代表“必须做的”，B代表“应该做的”，C代表“不值得做的”。通常来说，一天中，A级任务只占很少数，B级任务也不多，其他的都是不重要的C级任务。从任务完成后的成效来看，C级任务的完成成效比较低，B级任务的完成成效一般，而重要的A级任务的完成成效比较高。

2. 要事第一原则

要事第一原则即二八原则，是由意大利经济学家帕累托（Pareto）提出的。他通过研究发现，80%的财富被掌握在20%的人手中。二八原则是指在任何特定群体中，重要的因子通常只占少数（20%），不重要的因子则占多数（80%）；80%的价值是来自20%的因子，其余20%的价值来自80%的因子。二八原则在许多领域得到了广泛的应用。在时间管理中也存在着二八原则，即20%的工作占整个工作80%的价值，如图7-1所示。因此，在工作或生活中，应该把十分重要的任务挑选出来，专心致志地完成它，即把时间用在有意义的事情上。应该避免将时间花在琐碎的多数问题上，因为即使花了80%的时间，也只能取得20%的成效；反之，应该将时间用于重要的少数问题上，因为解决这些重要的少数问题只花了20%的时间，却可取得80%的成效。另外，在工作中，应该避免完美主义和平均主义。

完美主义者想把所有的事情都做好，不出任何差错，但经常事与愿违；平均主义者则不注重区分主次，平均分配时间和精力，导致付出与收获不成正比。

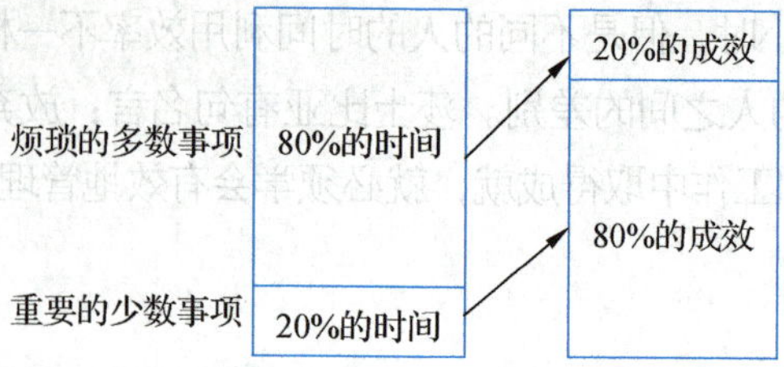

图 7-1　二八原则在时间管理上的应用

二、大学生时间管理的现状

（一）时间安排不合理，对其利用质量差

大学生随着独立自主意识的增强，受社会文化多元化的影响较大，对业余时间的安排与利用呈现多样化的趋势。大学生群体大多不喜欢循规蹈矩，在学习和工作中不愿按计划使用时间，从而效率低下，浪费了大量时间。有的大学生并不是不愿意规划自己的时间，而是时间规划得不合理，没有将时间进行具体分配。例如，许多人在业余时间沉迷于网络、游戏、聊天等。部分大学生由于对课余时间的利用效率低、质量差，严重影响了正常的学习，影响身心健康，甚至出现行为偏差等不良现象。

（二）缺乏时间意识和自我管理能力

大学与中学最大的区别是，大学的业余时间增多了。部分大学生对忽然增多的大量业余时间感到茫然，对时间没有计划，不够重视，随感觉和心情而定，安排带有很大的随意性和盲目性。随意、盲目安排业余时间，这说明部分大学生缺乏时间意识，没有明确的人生目标，没有科学合理的人生规划，自我管理能力差。

（三）闲暇时间的安排过于享受化

当今的大学生多数是独生子女，在经济上没有压力，无忧无虑，致使部分大学生对闲暇时间的安排过于宽松，虽然怀揣着雄心壮志进入大学，但因为不知道自己应该做什么、不知道如何管理好大学时光，最后后悔莫及。

三、时间管理的方法

善于利用时间的人永远找得到充裕的时间。时间管理既是一种能力，也是一种习惯。对大学生来说，学习时间管理的方法，对于高效地完成大学阶段的学业任务和未来的职业生涯发展目标具有重要的作用。

（一）四象限法

四象限法（见图 7-2）是美国的管理学家科维（Covey）提出的一个时间管理的理论。科维把事情按照重要和紧急两个不同的维度进行划分，基本上可以分为四个象限：既紧急又重要、重要但不紧急、既不紧急又不重要、紧急但不重要。

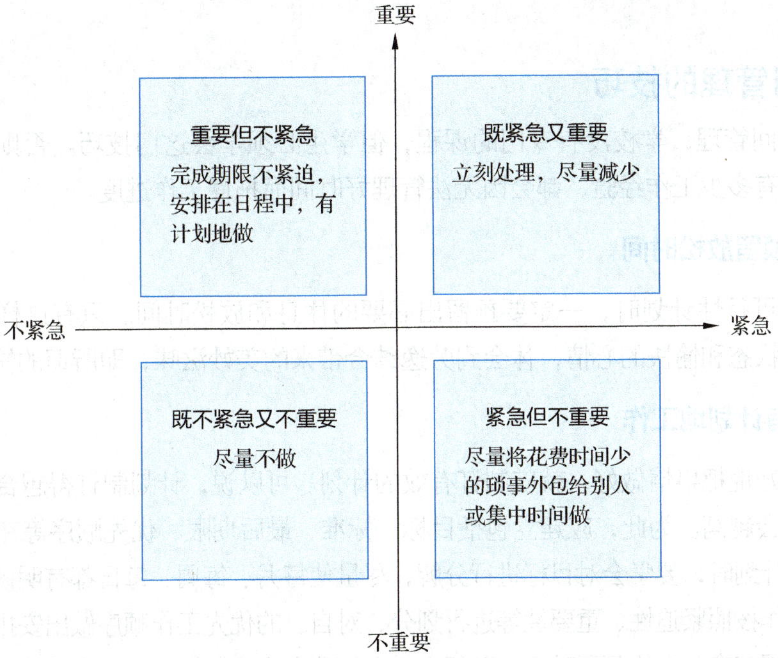

图 7-2　四象限法

按照科维的观点，对既紧急又重要的事要马上做，尽量在最短、最快的时间内完成它们，因为它们是关系事业成功和目标实现的关键因素；接着做重要但不紧急的事，因为这一类事情影响深远；对于既不紧急又不重要的事，尽量不做，因为它们大多是不在计划之列的，没有目的、没有期望的活动；对紧急但不重要的事，要学会说“不”，因为一个人的时间和精力总是有限的，对于不重要的事情，能不做就不做，能由其他部门或其他人完成的就交给其他部门或其他人完成。其中，第二象限的重要但不紧急的事情虽然不紧急，但决定了个人的工作成效和生活质量。

在工作和生活中，应该养成“做要事不做急事”以及“正确做事，更要做正确的事”的良好个人习惯。只有这样，才会轻松自如地应对工作和生活，才能保持良好的状态、取得良好的效果。

（二）生理节奏法

生理节奏法的研究权威温格特（Wingert）认为，要想花最小的力气取得最好的效果，就必须使你从事活动的需求与你的生物能力协调起来。一个人在一天中的不同时段的精力状况是不一样的。一般来说，人的大脑皮层的机能水平在 9：00—13：00 为最佳，出现第一次工作能力高峰；然后机能水平逐渐下降，在 16：00—18：00 机能水平又上升，出现第二次工作能力高峰。

因此，应该注意把握精力最充沛、大脑思维最清晰的时段，以便在此时段内做最有价值的事。同时还要注意观察自身注意力集中的时间，以便在此时间段内解决问题。另外，该休息时一定要休息，如果在感到身体疲倦之前就休息，则每天清醒的时间能增加

1 个小时。

四、时间管理的技巧

对于时间管理，学校没有专门的课程，但学生必须学会这门技巧。否则，无论个体多么聪明、有多少工作经验，都会因无法管理好时间而拖慢工作进度。

（一）预留放松时间

在制订可行性计划时，一定要预留出必要的休息和放松时间。只有这样，才能始终保持良好的状态和愉快的心情，体会到劳逸结合带来的美妙滋味，即所谓的快乐工作。

（二）有计划地工作

要想更好地把事情做好，就应制订有效的计划。可以说，计划制订得越合理，完成工作的效率就会越高。为此，应建立包括目标、标准、最后期限、优先顺序等在内的计划体系。在制订计划时，要学会对目标进行分解，尽量使每月、每周、每日都有明确的计划，并对所有的工作按照紧迫性、重要性等进行划分，对自己的优先工作顺序做出安排。另外，每天的计划中都应有一定的预留时间，以便应对和处理变化或危机、偶然事件等。

（三）避免拖延时间

个体在工作中极易养成拖延的习惯，如本应在上班时间做完的事情要拖到下班做，本应在工作日做完的事情要拖到周末做，并认为这样可以表现出敬业精神。实质上，这是时间管理能力差的表现。

（四）抓住零碎时间

有些人总认为学习或工作需要特定的环境，因而忽视了身边很多可以利用的零碎时间，如因朋友迟到而等待的时间等。其实，利用这些时间可以做许多事情，如早上起床可以背外语单词，去教室的路上可以听外语音频，课间可以阅读时事新闻，午休前可以阅读一些课外书籍。善于利用零碎的时间，必将会收获许多惊喜。利用零碎时间的技巧是化整为零，即把一些不太愿意做的事情分成几个小部分，在做其他事情的间隙分别做完它们。

知识小结

任务二 压力管理

案例导入

××学院毕业生案例：不同的他们

小李是计算机科学与技术专业的学生。临近毕业，她看着周围的同学都在为自己的工作和实习紧张地忙碌着，自己也不想落后于他们。于是，她开始准备求职简历，不断地向招聘单位投递个人简历，积极参加企业面试。可是，每次面试她都不能很好地发挥，屡屡受挫，心情也因此变得越来越差，对找工作也渐渐失去了信心。时间慢慢地过去，她整天都觉得心烦意乱，一想起找工作遇到的各种挫折和失落，不但饭吃不下，而且睡眠质量明显下降。她非常苦恼，甚至有时感到突然紧张，不知被什么压得喘不过气来。小李觉得自己没有任何本事，在就业这条道路上就是一个失败者，于是不敢再去参加各类招聘会。

小刚，高考考了500多分，由于高考志愿滑档，只能就读于高职院校。如此悬殊的差距，给他的学习和生活带来了很大的压力。自入学报到那天起，他就下定决心，要用自己的努力，变压力为动力，实现自己的愿望。经过努力，他在校成绩连续三年专业排名第一，并顺利通过全国大学生英语四级、六级考试，顺利获得软件工程师资格证书。三年后，他以优异的成绩升入本科院校，后又以优异的成绩赴国外留学。他一直坚定自己的奋斗目标，认真做好自己的职业生涯规划，并依靠自己的努力奋斗与积极付出，取得了一次又一次的成功。

以上案例告诉我们，进入大学后，环境适应问题、学习问题、人际交往问题、就业问题等都会给我们带来不同程度的压力，这些压力会对我们的学习生活产生一定的影响，而这些影响可能是消极的也可能是积极的。我们要向案例中的小刚学习，及时地化解压力，努力把压力转化成动力，让自己的大学生活更加充实、更加精彩。

思考与讨论

在上述案例中，由于对待压力的不同态度造成小李和小刚取得不同的成就。你从中可以获得哪些感悟？

____

____

____

知识学习

压力是日常生活的一个组成部分，它来自许多不同的方面，在不同的时间、以不同的方式影响着我们。如果管理得好，它可以起到积极的作用，并帮助我们表现得更出色；如果管理得不好或被忽略的话，它将成为一颗“定时炸弹”。

了解压力，认清压力的根源，制订应对和预防措施，可以使我们的压力减轻，改善我们的情绪，提高学习和工作效率。

一、压力概述

（一）压力的含义

加拿大病理学家汉斯·塞里（Hans Selye）认为，压力是个体对外在需求的一种非特定的生理反应。我国学者普遍认为压力有以下三种含义。

（1）压力是一种刺激，是源于个人内在或外在环境的刺激，包括个人能力与期待、日常生活困扰、社会环境、工作与学习环境、重大生活事件等。

（2）压力是一种由刺激所引起的生理或心理反应。

（3）压力是一种历程，是指刺激与反应的交互关系。

（二）压力的分类

通常意义上，人们普遍认为，压力是一种不好的东西，常常被认为会威胁生命或破坏人的舒适感。其实，压力对所有人而言都有意义，压力分为积极压力和消极压力。

积极压力是一种好的或者是正向的压力。它可以使人有更大的动力、能量来完成工作，但又没有超过人的承受能力、达到破坏的程度。积极压力可以激励人奋进。

消极压力则是一种坏的或不好的压力。当一个人“实际可以完成的事”和“认为自己应该完成的事”之间存在明显的不平衡时，就会产生消极压力，它会使人觉察到异常的压迫感，随之产生生理和心理的不良症状。

二、压力反应

当面临压力时，人们会产生一系列的压力反应，通常表现在生理和心理两个方面。这些反应在一定程度上是机体主动适应环境变化的需要，能够唤起和发挥机体的潜能，增强机体抵御疾病的能力。但是，如果机体反应过于强烈且持久，超过了机体调节和控制的上限，就可能导致心理或生理功能的紊乱而生病。

（一）压力反应的表现

1. 生理反应

压力会使人体的内分泌系统、神经系统、循环系统、消化系统以及皮肤和肌肉的机能发生改变，使人产生一些与紧张相关的失调症状，如失眠、溃疡、尿频、高血压、心脏病等。

2. 心理反应

压力的心理反应主要表现在认知、情绪和意志行为三个方面。

（1）认知反应。压力能够提高或降低逻辑思维能力，从而影响工作效率。

（2）情绪反应。压力的情绪反应包括紧张、焦虑、恐惧、不安、易怒等。

（3）意志行为反应。意志行为反应是指行为慌乱、工作效率降低等。

（二）压力反应的阶段

1. 警戒反应阶段

当压力事物出现后，在一个很短的时间段内，人体会产生低于正常水平的抗拒，这一短时的抗拒会引起人体肠胃功能失调、血压升高，促使人体做出自我保护性的调节。如果防御性反应有效，警戒就会消退，人体恢复正常活动。大多数短期的压力都会在这一阶段得到释放。短时压力反应又称为急性压力反应。

2. 抗拒阶段

如果由于有机体不能控制外界因素的作用，或者由于第一阶段的反应没能解决危机，而使压力仍然持续，人体会调动各种资源抵抗压力源，一般情况下都是以抗拒的减少而告终的。除此之外，还会出现更多严重的身体症状，如溃疡、动脉粥样硬化，而这些身体症状也可以用于减少抗拒。

3. 衰竭阶段

个体无法适应长期的压力，脑垂体和肾上腺皮质无法连续分泌激素，导致身体受到伤害，同时抗拒会衰竭，甚至导致死亡。

（三）大学生的压力源

不同阶段有不同的压力，大学生的心理压力来自多个方面，包括生活管理、学习、人际交往、恋爱情感、生涯规划、家庭、个人成长等，甚至情绪本身也会带来压力。

（1）生活管理方面。生活管理方面主要涉及个人生活、时间管理、经济压力等。

（2）学习方面。学习方面主要包括课业重、作业多、专业认同感弱、考试焦虑、学习困难等问题。

（3）人际交往方面。人际交往方面主要包括朋友关系出现问题、宿舍关系紧张及与人交往沟通出现问题等。

（4）恋爱情感方面。恋爱情感方面主要包括各种恋爱问题及其他内心的情感问题。

（5）生涯规划方面。生涯规划方面主要包括是否换专业、缺乏目标、对工作的担忧和对未来的迷茫等。

（四）压力源、压力反应与身心疾病的关系

压力源作用于个体，并使个体身心紧张，其紧张程度不仅取决于压力源，也取决于

个体对压力的认知评价、个体当下的健康状态、遗传素质和人格特征。个体评估压力可能引发伤害性、威胁性及挑战性紧张，如果评估压力不持久、在可控范围内，个体的紧张程度会较适中；反之，就会过度紧张。如果个体当下正处于虚弱或疾病状态，影响了其应对压力的能力和信心，个体的紧张程度就会变大。压力源、压力反应与身心疾病的关系如图 7-3 所示。

个人的应对行为与遗传基因有关，有人天生性格保守，有人天资聪慧，有人应变力强，有人有遗传性神经症。

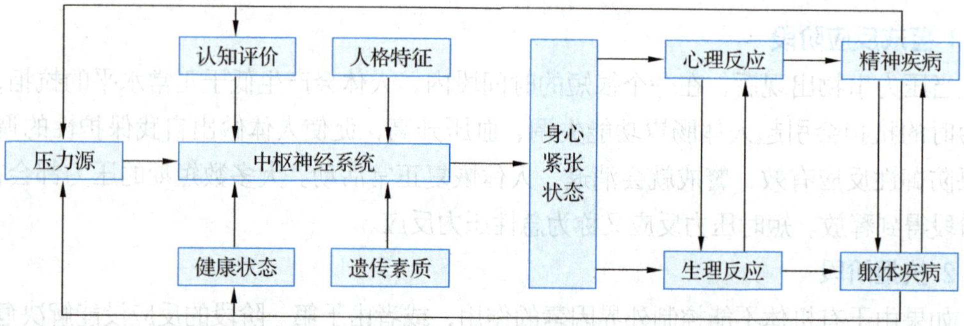

图 7-3　压力源、压力反应与身心疾病的关系

三、压力应对

（一）应对压力的方式

应对压力的关键在于人的韧性和可塑性，即人能够在多大范围内改变自己及自己的生活。当大学生发现压力增大时，就应该思考怎样应对它。

1. 加强自我生活管理

大学生的压力源有相当一部分来自对自己的生活缺乏合理有效的管理，尤其是在时间和金钱上。很多大学生由于没有很好地利用时间和金钱，反而变成时间和金钱的奴隶。在时间管理部分，大学生容易陷入被动的局面，忙碌地迎接紧急事情，而延误了对自己来说更加重要的事情。因此，大学生首先需要学会的是明白什么事情是对自己重要的，并牢记以下几点：把重要且紧急的事情排在首要的位置去做，然后去做重要但不紧急的事情；对于紧急却不重要的事情不必亲为，授权别人去做即可；放弃不重要也不紧急的事情。在金钱管理方面，对大学生来说，重要的是确保不要超支或透支。恰当地管理金钱的步骤为：第一步，分析如何使用自己的金钱；第二步，对开支做优先排序；第三步，制订一个理财计划。

2. 调控自己的情绪，学会暂时性应对

有一些压力是个体无端强加给自己的，这缘于不合理的信念与认知。大学生可以常常告诉自己：“我可以避免或消除压力。”可以问问自己：“如果不能消除压力，自己能减少压力吗？”我可以休息一会儿，或者是放弃这件事吗？”大学生如果不能改变使自己

产生压力的事情，不妨改变自己对这些事情的认知，要让自己的思维更加开放，也让自己的生活更富弹性。

3. 运用生理放松技巧

在应激情境中，大学生可以通过缓慢的深呼吸或简单的放松技巧将心跳与呼吸调整到正常的水平；而在日常的生活中，大学生更要加强生理储备，如健康的饮食、定期足量的锻炼、充足的休息与适当的闲暇。有研究表明，音乐、艺术或宠物能带给人慰藉，有时冲热水澡或大笑会让自己精神抖擞。

4. 建立良好的人际支持系统

大学生应该建立一个强有力的人际支持系统，而不要把自己的人际支持系统放在远方（只能通过电话或网络才能获得）而不使用。当人处在压力下，特别是遭遇逆境时，亲朋好友的关心、安慰、支持和鼓励将是有效缓解压力的良方。大学生要常与亲朋好友保持联系，让他们了解自己的生活、分担自己的痛苦；当自己遇到困难和挫折时，向他们倾诉，寻求理解和帮助，以提升自尊与自信。

（二）压力管理策略

结合实际，大学生可以从以下两个方面进行压力管理。

1. 对压力的认知是对压力有效管理的前奏

有学者对大学生压力管理进行研究发现，大部分大学生对于压力的认知很不全面，多把压力等同于压力事件，很少意识到个体主观心理状态及个体对压力事件的生理反应，并且没有主动意识到个体主观认知在压力产生的过程中所起到的中介作用。

大学生对心理健康知识有一定的了解，但存在不少误区，而大学生对于心理健康的认识程度与其心理健康状况之间存在显著的正相关关系。当大学生没有识别到压力时，很少能主动有效地进行管理，只有当压力积累到一定程度时才会想着加以应对。

2. 加强应对压力的策略训练

压力是一个多维度的概念，包含使人感到紧张的事件或环境刺激，是个体的一种主观的心理状态，是个体对压力事件的一种生理反应。压力管理训练则主要是指个体采取一些方法增强自身应对压力情景、事件和由此引起的负面情绪的能力。

（三）缓解压力的方法

缓解压力的方法主要有适当的运动、呼吸减压法、冥想、卧床休息等。各种方法的效果因人而异，最适合自己的方法就是最有效的方法，可以同时采用多种方法。

1. 适当的运动

适当的运动，如慢跑、爬山等可以调节紧张的情绪，改善生理和心理状态，有助于缓解压力，恢复体力和精力。

2. 呼吸减压法

面对压力，不要抗拒，试着接受它。通过深呼吸调整呼吸频率，放缓心态，使自己不再焦虑紧张。反复进行深呼吸，有利于在短时间内放松心态。

3. 冥想

闭着眼睛冥想能让人身心放松，可以任意想象自己遨游于静谧的空间，屏蔽生活的纷扰，像是处于世外桃源，压力自然就不存在。

4. 卧床休息

如果感觉身心疲惫、充满压力，可以暂时停止所有的学习和工作，平躺在床上休息，这是一种很好的减压方式。

（四）提升沟通能力与语言文字表达能力

1. 沟通技巧

沟通是人们在社会中生存的一项基本能力。在沟通过程中，每个人都需要和他人交流，以获取自己所需要的信息。因此，人们需要学习一些人际沟通技巧。只有掌握了正确的人际沟通技巧，我们在和他人交往的过程中才能达到理想的效果。

（1）学会说话。

① 逻辑清晰。口才是衡量一个人整体素质高低的标准。温和悦耳的语调、富于乐感的节奏、幽默诙谐的言辞，把语言的形式和内容紧密结合起来，既能提高双方的沟通效能，又能增加自身的形象魅力。言谈作为一门艺术，要求人们在社交活动中，根据交际的环境、对象、目的及自己所处的位置，恰当地选择自己的语言。说话时只有发音正确、语速适中、有抑有扬、态度谦和，才能使自己真实的感情得以准确、生动的流露。

② 态度要诚恳。心理学的互惠关系定律是：你对我友善，我也对你友善。真心换来真心，坦诚换来坦诚。了解这一点，就把握了沟通的关键。要想与谈话者合作和坦诚相见，首先自己要有合作和坦诚的态度，这样对方才会有诚意。所以，沟通之前所要做的就是：希望他人如何对待自己，自己就用怎样的方式去对待他人。如果想得到对方的尊重，那么自己首先要尊重对方。

③ 多谈对方感兴趣的事情。一般来说，人人都对自己最感兴趣，人人都对自己所认识的人或所看见过的事物以及所经历过的事情感兴趣。因此，在与别人谈话的时候，不能只谈“我如何如何”，这只会使对方反感和厌烦。明智的做法是提一些对方感兴趣的问题，多让对方谈谈自己。与别人谈话，多说“你”，对自己并没有什么损失，相反，它还会帮助自己获得对方的好感，使自己同他人保持和睦的关系。

④ 重视每一个人。人们在有很多人的谈话中，常常只会跟自己谈得来的人说话，常常有些人搭不上几句话，就被无情地冷落。这种冷落他人的举动是极不明智的做法。如果被冷落的恰巧是对自己将来的事业、前途起关键作用的人物，那么你就有可能要为现

在的举动付出代价。因此，在谈话时，千万不要冷落了任何人，留心每一个人的面部表情和对你谈话的反应，让每个人都有被重视和被尊重的感觉，即使他的言谈举止令人不满意。

（2）赢得人心的技巧。许多人可能会被一个问题长期困扰，那就是自己该怎样做才能赢得别人的心，让别人喜欢自己。以下列举一些赢得人心的技巧。

① 适当赞美对方。任何人都喜欢合其心意的赞美，恰到好处的赞美是一种博得好感与维系好感的有效方法，借助赞美可以获得别人的善意协助。可以说，每个人都有优点，如果你能够发现他们的某些优点，并加以赞美，有时会收到意想不到的效果。当然，在赞扬别人的时候，要恰到好处。如果称赞不当，不仅引不起别人的注意，还会激起别人的疑虑和反感。要使赞美得当，需要掌握他人性格的不同之处，区别对待，不能一概而论。

② 学会有效倾听。在人际沟通过程中，在适当的场合说适当的话是十分重要的，还有一件与之同样重要的事情，那就是倾听。倾听是表现个人魅力的大好时机，是一个人能够给予讲话者的最好礼物。倾听表示听话者对讲话者的谈话充满了兴趣，使对方产生一种被尊重的感觉，从而赢得其好感。在别人说话时，如果听话者心不在焉、哈欠连天，势必影响讲话者的态度。有效的倾听是暂时忘记自己的思想、期待、成见和愿望，全神贯注地理解对方的意思。

③ 从小事上关心别人。每个人都希望被人关心，并且对关心自己的人自然地会产生好感。有一些不起眼的小事，最能够体现对别人的关心，也最能帮一个人赢得人心。这些小事包括记住对方说过的话；记住对方的兴趣、爱好；分别后打个电话问一下对方是否安全到家；指出对方在衣着服饰上的变化；记住对方特别的日子，并送些小礼物、写张贺卡、打个电话表示问候；等等。这些虽然都是不起眼的小事，但若做了就会让别人对自己产生好感，往往会收到意想不到的效果。

2. 语言文字表达能力

（1）多听。这是指在与别人交流的时候多听别人的说话方式，从中学习好的说话技巧，从而提高自己的语言表达能力，也是为多说做准备。

（2）多读好书。培养好的阅读习惯，从书中汲取语言表达的方式方法和技巧，知识会增加语言的素材、增加一个人的气质涵养，而多读也是为多写做准备。

（3）多说。多说并不是逮什么说什么，乱说一气，而是有准备、有计划、有条理地去说，或者是介绍、或者是演讲，要说得好、说得精彩，必须有充分的准备，而这一准备过程和实际说的过程，也就是在练习语言表达的过程。

（4）多写。平日养成多动笔的习惯，把日常的观察、心得以各种形式记录下来，定期进行思维加工和整理，日积月累提高写作技巧。

知识小结

任务三 情绪管理

案例导入

××学院毕业生案例：情绪管理的重要性

小峰是数字媒体专业的大三学生。他特别喜欢漫画，他的理想是当一名漫画家。高中毕业，小峰如愿以偿地考上了数字媒体专业，在校期间积极参加校报策划。大三实习期间，小峰成功进入一家心仪的杂志社做美术编辑。刚开始工作时，他朝气蓬勃、满怀自信，做起事情得心应手，精明干练。主编很器重他，除了本职工作之外，还会让他做一些额外的重要事情，他为此感到特别自豪。可时间不长，他就感觉压力越来越大，每天好像有做不完的事情，心里堵得慌，根本没有自己创作的时间。有时来上班时心情还很好，一旦坐到办公桌前，看到铺天盖地的资料，他就觉得沉重得喘不过气，电话铃声一响就会使他特别烦躁。最近一段时间，他的胃口和睡眠都不佳，整个人处于极端的焦虑和疲惫状态。

从以上案例可以看出，小峰缺乏对自己情绪的正确认识和有效管理，容易让负性情绪扩大化，影响个人生活尤其是人际交往。

思考与讨论

在小峰的案例中，情绪是从哪些方面影响他的工作的？请举例说明。

____

____

____

知识学习

在忙碌的生活和学习中，我们时常会面临各种挑战和压力，这些外部因素往往会引发我们内心的情绪波动。情绪是我们心灵的一面镜子，它反映了我们的内心世界和对外界环境的感知。但情绪并非总是如我们所愿，有时它会像脱缰的野马般难以控制，影响我们的决策、行为和人际关系。因此，情绪管理成为我们日常生活和职场中不可或缺的一项技能。它教会我们如何识别、理解并有效地应对自己的情绪，从而保持内心的平静和稳定，提高生活和工作质量。

一、情绪管理概述

（一）情绪的含义

情绪是人类天性的重要组成部分。普通心理学认为，情绪是指伴随着认知和意识过程产生的对外界事物的态度，是对客观事物和主体需求之间关系的反映，是以个体的愿望和需要为中介的一种心理活动。情绪包含情绪体验、情绪行为、情绪唤醒和对刺激物的认知等复杂成分。

人的情绪有愉快和不愉快之分，愉快情绪以喜乐为主，不愉快情绪以悲愁为主。不愉快情绪一般指焦虑、愤怒、恐惧、沮丧、不满、忧郁、紧张等，被心理学家称为负性情绪、不良情绪或消极情绪。

（二）情绪管理的含义

情绪管理是一种善于掌握自我、善于调节情绪，对生活中矛盾和事件引起的反应能适可而止地排解，能以乐观的态度和幽默的情趣及时缓解紧张的心理状态。情绪管理不是要去除或压制情绪，而是在觉察情绪后，调整情绪的表达方式。有心理学家认为，情绪调节是个体管理和改变自己或他人情绪的过程，在这个过程中，通过一定的策略和机制，使情绪在生理活动、主观体验、表情行为等方面发生一定的变化。

（三）情绪管理的作用

1. 激发心理活动和行为

每个人都有情绪表现，情绪能够以一种动机形式来引导和激发我们的行为。消极情绪若不适时疏导，轻则破坏情致，重则使人走向崩溃，如恐惧和自卑会降低人们活动的积极性，而积极的情绪则会激发人们的热情和潜力。

2. 调节人的身心健康

中国传统医学认为，怒伤肝，喜伤心，思伤脾，忧伤肺，恐伤肾。心理生病，如过度焦虑、情绪不安或不快乐，会导致生理上的疾病。另外，情绪和心血管、肌肉、呼吸、泌尿、新陈代谢、内分泌也都有密切关系。有关研究指出，一个人常常处于负面或消极的情绪中，如愤怒、紧张时，人体内分泌将受影响并导致内分泌失调，从而形成生理上的疾病。由此可见，时常面带微笑，保持愉快的心情，并以乐观的态度面对人生，有助于增进生理健康。

3. 影响人际关系

人际关系取决于一个人情绪表达是否恰当。一个人倘若常在别人面前任由负面情绪泛滥，丝毫不加控制，如乱发脾气，久而久之，别人会视他为难以相处之人，甚至将他作为不与往来的对象。反之，一个人若常面带微笑、多赞美他人，以亲切的态度与别人友善相处，人际关系自然会很和谐。

二、大学生常见的不良情绪

（一）抑郁情绪

抑郁是一种持续时间较长的低落、消沉的情绪体验，它常常与苦闷、不满、烦恼、忧愁等情绪交织在一起，是最常见的情绪障碍之一。抑郁的症状包括自我批评、无望感、自杀思维及无法专心、全面看问题的消极感。在大学生中，有抑郁情绪的人比较多，究其原因，主要是受到了各种不顺心、不顺利及一些负面生活事件的影响，如学习成绩落后、失恋、人际关系紧张等。抑郁容易引起的行为变化包括与他人交往时退缩，不像以往那样可以积极参加许多有益或愉快的活动，也无法振作起来做其他事情。比较严重的抑郁情绪会对大学生正常的学习、工作和生活产生明显的影响。

（二）焦虑情绪

焦虑是指人们在生活中感到一些可怕的、可能造成危险的或者需要付出努力和代价的事物将要来临，而又感到对此无法采取有效措施加以预防和解决，因此产生紧张的心情，表现出忧虑、不安、担心和恐慌。这是大学生所体会到的最令人烦恼的情绪之一。焦虑的生理反应有掌心冒汗、肌肉紧张、心跳加速、双颊发红、头昏眼花和呼吸困难等。

当人们对一件事情情况不明，感到没有把握，无能为力，因而产生担心、紧张的情绪时，就会焦虑。在大学生中，焦虑常常表现为闷闷不乐、性情大变、脾气古怪、注意力不集中等。

（三）自卑情绪

自卑是一种带有自我否定倾向的情绪体验，是对自我的轻视或不满，总觉得自己不如别人，表现为对自己能力或品质评价过低，怀疑自己，看不起自己，担心失去他人尊重的心理状态。一般说来，轻微的自卑大多与某些具体的挫折经历或者失败经历密切相关，经过及时调整，很快可以克服。过度的自卑则可能与屡遭失败有关，而且会自我泛化，即把具体的失败体验无根据地泛化到所有事情上，从而导致长时间的消沉不振。大学生自卑主要表现为害怕失败、遇事退缩、封闭自己等；也有的大学生用别的方式表现出来，如不承认自己的不足并竭力掩饰，以使他人觉察不到自己的自卑，为此常常夸张自己的行为，有时还表现出较强的虚荣心，对自己的不足和别人的评价很敏感。

（四）自负情绪

自负是与自卑相反的一种情绪体验，它是一种过度的自我接受和自我评估，通常表现为自以为是、轻视他人和过度防卫。当一个人只看到自己的优点、看不到自己的缺点时，往往会产生自负的情绪。大学生的自负情绪并不少见，如爱挑别人的毛病，很难对别人进行肯定性评价，对于别人的言行或成绩不屑一顾等。自负情绪的产生往往与自我认知和对他人的评价有关。通常那些家庭条件优越、知识面宽、学习成绩好、个人经历顺利、某方面能力较强的大学生，容易产生自负情绪。也有人因为自我评价过高、对他人评价过低而产生这种情绪。但无论何种原因，自负情绪都会助长自私心理，容易破坏人际交往。

（五）愤怒情绪

愤怒是当客观事物与人的主观愿望相悖时产生的强烈的情绪反应。引发愤怒的事件类别与个人的经历、信念以及生活原则有关。对大学生而言，偶尔的愤怒是正常的，但太频繁的发怒可能成为问题，因为发怒会对一个人的身心健康有害。当人发怒时，心跳加速、心律失常，严重时会导致心搏骤停，甚至猝死。另外，发怒会降低人的理智水平，阻塞思维，导致损物伤人，甚至违法犯罪。

（六）冷漠情绪

冷漠是一种情绪反应强度不足的情绪体验，表现为对人对事漠不关心。处于冷漠情绪之中的大学生，在行为上常表现为对生活没有热情和兴趣；对学习漠然置之，无精打采；对周围的同学冷漠无情，甚至对他人的冷暖无动于衷；对集体生活漠不关心，麻木不仁。从表面上看，冷漠的人似乎对什么都不感兴趣、对周围的人和事总是无动于衷，实际上，他们有一种说不清的压抑感，他们的内心充满痛苦。有心理学家认为，冷漠是个体对挫折情境的一种自我逃避式的退缩性心理反应，带有一定的自我保护或自我防御性质，是一种对环境和现实的自我逃避的减缩性心理反应，会导致当事者萎靡不振、退缩逃避和自我封闭，并严重影响其身心健康。

（七）恐惧情绪

恐惧是一类带有强迫性质的，不能以人自身的意志和愿望为转移的情绪体验。常见的大学生恐惧情绪主要是社交恐惧，也就是大学生在人际交往时，害怕见生人，特别是在人多的场合或有异性在场的情况下，产生紧张、焦虑以致手足无措、语无伦次的情绪反应，从而导致令人尴尬的场面出现。

（八）嫉妒情绪

嫉妒是指他人在某些方面胜过自己而引起的不快甚至是痛苦的情绪体验。嫉妒的主要特征是把别人的优势视为对自己的威胁，因而感到心理不平衡，甚至恐惧和愤怒，于是借助贬低、诽谤以致报复的手段来求得心理的补偿或摆脱恐惧和愤怒的困扰。

三、情绪管理的内容

（一）情绪的自我觉察能力

情绪的自我觉察能力是指了解自己内心的一些想法和心理倾向，以及自己所具有的直觉能力。

自我觉察，即当自己某种情绪刚一出现时便能够察觉，它是情绪智力的核心能力。一个人所具备的能够监控自己的情绪及对经常变化的情绪状态的直觉，是自我理解和心理领悟力的基础。如果一个人不具有这种对情绪的自我觉察能力，就容易听凭自己的情绪摆布，做出许多不合适的事情来。

（二）情绪的自我调控能力

情绪的自我调控能力是指控制自己的情绪活动及抑制情绪冲动的能力，即一个人如何有效地摆脱焦虑、沮丧、激动、愤怒或烦恼等消极情绪的能力。它建立在对情绪状态的自我觉知的基础上。这种能力的高低会影响一个人的工作、学习与生活。当情绪的自我调控能力低下时，自己就处于痛苦的情绪旋涡中；反之，则可以从挫折或失败中迅速调整，控制并摆脱消极情绪。

（三）情绪的自我激励能力

情绪的自我激励能力是指引导或推动自己去达到预定目的的情绪倾向的能力，是一种自我指导能力。它是指一个人为服从自己的某种目标而产生、调动与指挥自己情绪的能力。一个人做任何事情要想成功的话，就要集中注意力，要学会自我激励、自我把握，尽量发挥出自己的创造潜力，这就需要具备对情绪的自我调节与控制能力，能够对自己的需要延迟满足，能够压抑自己的某种情绪冲动。

（四）对他人情绪的识别能力

对他人情绪的识别能力，即觉察他人情绪的能力，就是所谓的同理心，能设身处地站在别人的立场为别人设想。同理心越强的人，越容易进入他人的内心世界，也越能觉察到他人的情感状态。

四、情绪的自我管理方法

（一）自我暗示法

自我暗示法是运用内部语言或书面语言以隐含的方式进行自我调适情绪的方法。自我暗示对人具有很大的影响，它影响人的认识和判断。自我暗示包括积极的自我暗示和消极的自我暗示，前者让人自信乐观，后者令人消沉悲观。积极的心理暗示既可以用来放松十分紧张的情绪，也可以用来自我激励。例如，第一次参加求职面试时，可以在进入面试前做几个深呼吸，告诉自己“放松点儿”“我一定能行”。大学生要学会运用积极的暗示，消除不良的自我印象。特别是对于有自卑情绪的大学生来说，可以经常在心里默念“我能行”“我会发挥得很好”“我一定能成功”等语句，也可以写在纸上，或者找个旷野大声地喊出来。这些对走出自卑、消除怯懦有一定的作用。

（二）注意力转移法

注意力转移法就是把注意力从引起不良情绪反应的刺激情境中，转移到其他事物上或从事其他活动的自我调节方法。当出现情绪不佳的情况时，要把注意力转移到使自己感兴趣的事情上，如外出散步、看看电影或电视、读读书、打打球、下盘棋、找朋友聊天、换换环境等，这些方法有助于使自己的情绪平复下来，在活动中寻找新的快乐。这种转移注意力的方法，一方面终止了不良的刺激源，防止不良情绪泛化、蔓延；另一方面，通过参与新的活动，尤其是自己感兴趣的活动，可以达到强化积极情绪体验的目的。

（三）适度宣泄法

过分压抑只会使情绪困扰加重，而适度宣泄则可以把不良情绪释放出来，从而使紧张情绪得以缓解。因此，遇有不良情绪时，最简单的办法就是宣泄。宣泄一般是在私人空间、在知心朋友面前进行的。采取的形式可以是用过激的言辞抨击、谩骂、抱怨恼怒的对象，或是尽情地向至亲好友倾诉自己认为的不平和委屈等，一旦发泄完毕，心情也就随之平静下来；可以是通过体育运动、劳动等方式来尽情发泄；也可以是到空旷的山林原野，确定一个假想目标，然后大声叫骂，发泄胸中的怨气。这里必须指出，在采取宣泄法来调节自己的不良情绪时，必须增强自制力，不要随便发泄不满或者不愉快的情绪，也不要随意向任何人发泄，要采取正确的方式，选择适当的场合和对象，以免引发不良后果。

（四）自我安慰法

当一个人遭遇不幸或挫折时，为了避免精神上的痛苦或不安，可以找出一种合乎内心需要的理由来说明或辩解。例如，为某次失败找一个适当的理由，用以安慰自己，或寻找理由证明自己各方面都是好的，以此冲淡内心的不安与痛苦。这种方法对帮助人们在巨大挫折面前接受现实、保护自己、避免精神崩溃是很有益处的。因此，当人们遇到情绪问题时，经常用“胜败乃兵家常事”“塞翁失马，焉知非福”等来进行自我安慰。这种方法可以有效摆脱烦恼，缓解矛盾冲突，消除焦虑、抑郁和失望，促进自我激励，有助于保持情绪的稳定。

（五）交往调节法

某些不良情绪常常是由人际关系矛盾和人际交往障碍引起的。因此，当我们遇到不顺心、不如意的事时，能主动地找亲朋好友倾诉、谈心，比一个人独处胡思乱想、自怨自艾要好得多。因此，在情绪不稳定时，找人谈一谈，具有缓和、抚慰、稳定情绪的作用。同时，人际交往还有助于交流思想、沟通情感，增强自己战胜不良情绪的信心和勇气，从而更理智地对待不良情绪。

（六）合理情绪疗法

合理情绪疗法也叫认知疗法，是由美国心理学家阿尔伯特·艾利斯（Albert Elis）所创，主要基本理论是 ABC 理论。在 ABC 理论模型中，A 指诱发性事件，B 指个体在遇到诱发事件之后对这一事件的看法、解释和评价，C 指个体的情绪及行为结果。人们通常认为，情绪的行为反应是直接由诱发性事件 A 引起的，即 A 引起了 C。但 ABC 理论指出，诱发性事件只是引起情绪及行为反应的间接原因，而人们在遇到诱发事件之后对这一事件的看法、解释和评价才是引起人们的情绪及行为反应的更直接的原因。因此，要改善人们的不良情绪及行为，就要劝导干预非理性观念的发生与存在，而代之以理性的观念。等到劝导干预产生了效果，人们会产生积极的情绪及行为，心里的困扰就会因此消除或减弱，人们也就会有愉悦、充实的新感觉产生。

大学生运用合理情绪疗法时要把握三点：第一，要认识到不良情绪不是源于外界，而是自己的非理性信念所造成的；第二，情绪困扰得不到缓解是因为自己仍保持过去的非理性信念；第三，只有改变自己的非理性信念，才能消除情绪困扰。

如果上述方法都没有达到很好的效果，仍不要灰心，在有条件的情况下，可以去找心理医生进行咨询、倾诉，在心理医生的指导、帮助下，克服不良情绪。

课外任务

活动一　压力生命线

实训目的

（1）人们往往不知道是什么使自己感到烦恼，经过分析才知道原来是由生活和学习中的某些压力所致。本活动旨在帮助大学生了解自己的压力源，以便更好地加以应对。

（2）本活动通过让大学生找出自己过去应对压力的经验，使大学生学会以确立目标、找寻例外经验、假设成功等方式找出应对压力的可行策略。

（3）本活动可以使大学生了解自己能够用以应对挫折的资源，并掌握自己最熟悉且最有效的应对挫折的方法。

实训步骤

步骤 1　学生在纸上画一条线代表自己的生命线，起点是 0，终点为自己生命的终点，并在生命线上方用圆点标出不同年龄阶段的重要压力事件。对于压力大的事件，标注的点较高；对于压力小的事件，标注的点较低。将这些点连接成一条自己生命历程中的压力曲线。

步骤 2　学生自己挑选 1 ～ 2 个压力事件及自己曾运用过的应对压力的方式，与小组成员分享。

步骤 3　学生思考：压力的来源是否有相似性？主要集中在哪些方面？如果遇到压力，还可以采取哪些应对方式？你觉得哪种缓解压力的方式最适合自己？

活动二　21天养成一种好习惯

21 天法则是指通过 21 天的正确重复练习能够养成一种好习惯。据研究，大脑构筑一条新的神经通道需要 21 天的时间；人的行为暗示经 21 天以上的重复会形成习惯，而 90 天以上的重复会形成稳定的习惯。

活动规则如下。

（1）与同学一起协商，坚持养成好习惯。

（2）与同学共同设定获得的积分目标以及想得到的奖励（以 7 天为一个周期，分阶段设定积分目标）

（3）每天完成一次好习惯并发微信朋友圈，或者用照片或视频记录。每天休息前用 10 分钟的时间总结今天的计划执行情况及制订明天的计划，具体的项目如下。

① 今天的任务完成得怎么样？

____

____

② 对哪些地方满意？为什么？

____

____

③ 对哪些地方不满意？为什么？

____

____

④ 明天的计划将如何进行调整？

____

____

⑤ 明天的计划是怎样的？

____

____

课外阅读

情绪疗愈的八种方法

情绪疗愈能给自己和他人更多关爱，美国瑜伽教练和冥想教练、畅销书作家谢里安娜·博伊尔在《翻篇：拔掉那根扎在你心里的刺》一书中介绍了八种方法，让你在崩溃、失控、脆弱、状态不好的时候，重新稳定自己的呼吸和情绪，让紧紧巴巴的自己重新得到放空和放松。

1. 活在当下

想要更安逸的生活，首先你要关注自己当前的表现。这意味着你要提高自己观察身体感受的能力，并通过练习来控制情绪。问自己：我表现的目的是什么？你要表现出倾听和尊重的意愿。通过停顿和呼吸提升观察身体感受的能力，是一种尊重内在感受的方式。

2. 一次做一件事

把手机收起来，不要发微信或查看电子邮件，把注意力集中在正在发生的事情上。如有必要，让别人知道你在工作，在一定时期内不会回复信息。最酷的是，你能从自己的存在中获得情绪能量，从而提高工作效率。

3. 知道自己的暂停按钮在哪里

按瑜伽的相关理论，你的暂停按钮不在你的大脑里，而在你的肚脐处。你肚脐周围的区域也被称为你的能量中心。当你被踢到肚子或腹部受凉时，你能充分体会到这个区域的重要性。当你感到不知所措或焦虑时，不妨试着把你的肚脐向脊柱方向收缩，就像踩刹车踏板一样。这将有助于在你的各种思绪之间创造更多的空间，帮你调整呼吸。

4. 发挥想象力

想象力能给你的生活带来更多的安逸。想象一下，一条闪闪发光的水流在自净的同时，净化着这个世界。想象一下，一棵美丽的树，枝条摇曳，在经历疾风骤雨后变得高大强壮。想象一下，大地母亲是多么有奉献精神、多么强大。

5. 做自己喜欢的事情

兴趣爱好可以是一个很好的享受来源，从骑自行车到园艺创作、插花、编织、写作、阅读、跳舞或练习瑜伽。在情绪疗愈期间，可以开始上舞蹈课。为了增强安逸感，当生活变得机械化时，可以腾出时间放松，花时间和朋友在一起，让自己享受在生活的简单快乐中。

6. 整理，井井有条

当你经过一个杂乱的房间时，你是否会感觉自己的心里被堵得满满的，被束缚的情绪就像一堵砖墙？问问自己：在心中储存了什么杂物？这些杂物造成的阻力让自己如何能轻松安逸地继续生活？

7. 用心吃饭

当你学会更流畅地消化你的情绪时，你与食物的关系也会改变。建议你一天中至少选择一顿饭认认真真地吃，不要分心（看电视、打电话等），慢慢咀嚼食物，品尝它们的味道。

8. 培养仪式感

仪式不同于常规。日常生活中有很多我们每天都在做的事情，如刷牙和吃饭，而仪式可以增强我们与他人的联系能力。例如，写下令你感激的事情，留下一张表达爱意的字条，星期天煲一次自己喜欢的汤，都是一种仪式。仪式感会把平和带进你的心房和家庭。仪式感是可以培养的，能帮我们克服很多负能量。

在通勤途中、吃饭时或睡觉前，听听舒缓的音乐；散步，让我们姑且称之为“放手”散步；发挥想象力，想象一股强风吹走你所有的恐惧和忧虑，想象你正在草地上、池塘边或海边轻松地微笑、自在地呼吸；冥想，坐在一个舒适的、光线柔和的房间里，闭上眼睛，感受你的身体和呼吸，不要做出评判，如果你喜欢，你可以练习引导式冥想或听柔和、舒缓的音乐，大自然的声音可以帮助你放松。

资料来源　博伊尔：《情绪疗愈的八种方法》，《北京青年报》，2024 年 3 月 13 日第 B3 版。（收入本书时有改动）

8

项目八 职业适应与发展

学习目标

知识目标

理解职业成长的概念，了解职业成长与职业成功的区别，了解职业成长的分类，掌握职业成长的主要驱动因素。

能力目标

从心理和能力上做好准备，适应从学生到职业人的转变及职业岗位的轮换；认识到职业成长是通往职业成功的必要过程，采取积极的行动促使自己不断成长。

素质目标

认识学生角色和职业角色的区别，提高环境适应能力，树立职业信心。

任务一　大学生职业适应

案例导入

别为“不适应”找“不适合”的借口

20多岁的小奇第一次约见职业指导师时，顶着鸡窝头，穿着卡通印花T恤和沙滩裤，脸上零星的青春痘洋溢着年轻的气息，开口第一句话是“我爸爸让我来找李老师”，然后一脸茫然。

小奇之前有一份工作，在集装箱堆场做验箱员，之所以选择这个职业，是因为家中从事该行业的人很多，经家里帮忙介绍入的行。起初在私营物流公司，绩效颇好，收入也高，后来为求稳定跳槽去了国有物流公司，结果不到3个月，单位让他主动离职。

小奇谈起自己之前的工作说得头头是道：“原来的私营企业提成很高，国有单位就没有这个，现在行业不景气，和前两年比差不少。”当被问到“为什么离职”时，小奇面露难色，似乎不想多说什么，最后轻描淡写地说了一句“这个工作不适合我”。

所谓的“不适合”可能是“不适应”。把“这个工作不适合我”作为离职和跳槽理由的人比比皆是。深究“哪些方面让你觉得不适合”，每个人都有理直气壮的理由，包括“太枯燥了”“没有存在感和成就感”“能力不擅长”“人际沟通问题”等。小奇并没有意识到，在“不适合”的背后有一大部分是“不适应”的问题，期望通过职业选择来解决职场适应的问题，显然治标不治本。

1. 职业的“合”都需要“适”的过程

有的人执着地认为，这个世界上一定有一个跟我的特质非常匹配的职业。这个职业没有不适感，找到就意味着成功、幸福；这个能带给我成功和幸福的职业，我此时此刻就有能力做好它。如果这些假设都成立，那么，寻找到这个职业需要多久？要如何寻找？要付出什么代价？

如果当你终于找到并进入那个“最适合”的职业，你却发现还是有很多你不适应的地方，再次感到“不适合”；或是你的能力不够，再加上竞争激烈，你想要进入的公司和职业暂时还不想要你；又或是为了找到这个职业，你兜兜转转好几家公司，职业生涯没有积累，付出代价太大……你要如何解决和应对这些“适合主义”的风险？

人的生命不是机器零件，必须契合职业的齿轮；也不是一把锁，只能配一把职业的钥匙。职业是不断变化的，个人的特质、兴趣、能力、价值观是在不断发展的，大多数的情况是，职业需要我们去“适”，才能达到“合”的状态。

2. 正向看待职业中的“不适感”

与小奇一样，许多人通过离职、跳槽来应对职业中的不适感，希望通过职业选择“一劳永逸”地获得成功。是什么让我们失去了发展的态度？是压力、对不确定性的恐惧、完美主义，还是对失败的担忧？

如果你是一名职场新人，工作3年以内，在职业中产生了“不适感”，那么我要恭喜你，这说明你正在成长。所谓“不适感”往往是由环境变化引起的，如从学校到职场，就是一个角色的巨大转变，而你对环境变化引发的“不适感”缺乏“应对”能力，就是“不适应”。

好像运动中的“拉伸区”能让自己的肌肉拉伸，提升成绩；“舒适区”的运动量太少，达不到训练目标；“损伤区”是过度训练，会导致身体受损难以恢复。这个让你略感到“不适应”的区域，恰好就是最好的成长区域。

3. 要“适合”还是要“适应”

要“适合”还是要“适应”，根本上取决于你跟社会环境、职业环境的力量对比：到底是你的力量强，还是环境的力量强。如果你现在能力和资源充足，那你可以自由选择“最适合”的职业。

如果你在职业初期，缺少能力和资源，但你能主动“适应”感觉“不适合”的环境，提升“适应能力”，比寻找“最适合”的工作要更重要。而小奇希望通过找到一个“适合”的工作让自己感到“适应”，以至于“舒适区”越来越小，降低了自己的适应能力，并不是一个好的策略。

资料来源 《别为“不适应”找“不适合”的借口》，中国就业网，2023年11月6日。(收入本书时有改动)

思考与讨论

结合案例与分析，谈谈你对职场适应的理解与感悟。

____

____

____

知识学习

一、职业适应的相关概念

随着我国现代化进程的加速，多元化的社会和越来越沉重的工作压力迫使职业者必须学会调整自己，以适应不断变化的职业环境。职业适应成为一个日益突出的问题。

（一）适应能力的概念

适应能力是一组潜能的集合，是从业者在不稳定的环境中得以生存与发展，并取得成功的必要品质。适应能力强的人对于不确定性和模糊性具有较高的容忍度。不同个体的适应能力不同，最终导致他们在发展水平上差异显著。

（二）职业适应的概念

职业适应是指个人所从事的职业与自己的兴趣、能力、需求、愿望等条件相互配合的状态。如果个人所从事的职业与上述各方面的条件全部或大部分配合，即表示个人的职业适应良好，个人与某一特定的职业环境通过互动能达到相互协调、有机统一。职业适应水平在一定程度上决定着毕业生就业的成功率，并且会对他们以后的职业发展产生重要的影响。

（三）职业适应能力的概念

职业适应能力是指能够顺应职业环境的变化，在自身职业发展中面对职业现实和解决职业问题所需具备的多方面的能力。它包括心理规划、冲突管理、持续学习、道德意识、换位思考、团队合作等方面。

二、职业适应的内容

职业适应包括心理适应、能力适应和环境适应三个方面。

视频
试用期六大注意事项

（一）心理适应

1. 在新工作岗位上的心理适应

毕业生在走上新的工作岗位以后容易产生怀旧的心理，常常会以学生的角色来要求自己和对待工作，以学生角色的习惯方式去观察问题、分析问题，导致在工作中总是被动地听从上司的安排和指挥，完全没有独立工作的观念。

在新的工作岗位上，大多数毕业生会思考这样几个问题：“我是否受同事欢迎、受领导重视？”“我的工作对企业的哪些方面具有重要的作用？”“企业对我的具体期望是什么？”“我可以胜任工作、独立判断和创造价值吗？”“我能在企业学到有用的东西并不断发展吗？”毕业生在新的环境中会遇到比较复杂的人际关系和较为沉重的工作压力，这些都需要毕业生很好地进行自我调适以适应工作需要。

2. 面对职业预期与现实差距的心态调整

对于入职不久的新人来说，他们对新的工作岗位充满各种各样的期望。但是，这些期望一般都不理想，往往与现实情况存在较大的差距。当入职前形成的心理预期没能得到满足时，他们就会产生一种失落心理，影响自己的工作抱负和对职业发展前景的看法，动摇自己长期从事本职业的信心。

大学毕业生可以通过改变认知、改善人际交往、学会自我放松及掌握一些情绪调节技巧等，使自己保持乐观向上的心理状态，轻松愉快地工作和生活。同时，在生活中学会扮演多种角色。一个人能够扮演的角色数量越多，就越能适应社会环境的变化。例如，一个人在下属面前是个好上司，在领导面前是个好下属，在同行面前是个好同事，在父母面前是个好孩子，这样的人必定是一个成功的角色扮演者。

（二）能力适应

许多企业反映大学毕业生在工作岗位上对知识的实际应用率不到 40%，大多数大学生不能将所学到的知识转化为岗位上的实际能力。我国的大学毕业生从入职到在岗位上完全自由施展自我才能的周期为一年左右，而发达国家的大学毕业生的这个周期仅为 3 个月左右。大学毕业生只有将已有的知识结构与适应社会需要的各种能力整合起来，使自己的职业能力具有更广的适应性，才能在职场竞争中处于优势地位。

当前的经济形势错综复杂，市场竞争非常激烈，用人单位对毕业生的技能要求也越来越高，希望毕业生能尽快适应工作岗位的要求。职业能力的形成依赖于职业知识的习得，而职业知识具有一定的社会性，个人正是通过参与社会活动来形成自己的职业认识和职业经验的。对于富有挑战性的工作，大学毕业生应主动申请，在执行工作任务中提升自我、展示自我。能力的提升不仅是一种目的，更是一种成长的方式。

（三）环境适应

职场新人在环境适应中经常出现各种各样的问题，集中表现为浮躁焦虑、自由散漫、呆板、眼高手低、好逸恶劳等。这些现象对毕业生适应环境带来明显的不良影响，这些问题得不到很好的纠正和处理，就会导致一些大学生不断跳槽、工作热情不高、工作质量下降。

工作环境的适应就是使员工感知到他与企业之间具有许多共性，并由此产生一种归属感。这种归属感取决于员工与企业的关系程度。由于人们所处的环境（自然环境、地理环境和社会环境）都是在不断变化的，因此适应环境就是要随着环境的变化而变化，在适应中获得更好的发展。目前，大多数大学生的心理状态比较健康，能够积极改变自己的行为或态度，对现实所处的环境能够快速适应，并且能够保持一种乐观平和的心态去面对工作中的问题。

三、职业适应的任务

大学生要适应职业岗位就是要努力胜任工作、融入企业文化、适应现代职业文化和处理好人际关系。

（一）胜任工作

胜任工作是指员工按照要求较好地完成劳动合同中约定的工作任务，并达到一定的工作量，熟练地掌握开展工作的技巧，在工作上取得卓越的成效。刚步入工作岗位的大学毕业生很难直接将书本上学到的知识应用到复杂的现实工作中去，而企业对员工的实际操作技能要求很高，大学毕业生很难做到快速满足工作岗位的要求。

大学毕业生要注意系统地学习新的职业技能和职业行为，收集并获取与工作和企业相关的信息，对新的工作建立全面的认知。大学生要了解企业的组织架构设置、各部门的人员安排、自身的岗位职责、在工作中需要协调的各方关系，以及工作中可能用到的各种资源。这些信息可以从同事、主管、领导、书面材料和日常观察等渠道获得。作为新员工，大学毕业生要想在陌生的环境中迅速开始工作，必然会遇到工作安排不合理、问题考虑不周全等各种各样的困难和挫折。大学毕业生应通过细心的观察、模仿及向周围经验丰富的老员工请教，减少早期焦虑，提高工作技能和工作效率，展示新员工的工作能力和个人才华。

（二）融入企业文化

每家企业都有自己特色的文化观念和历史发展背景。成功的企业都非常重视企业文化的建设。企业文化体现在企业特色、企业的社会声誉、企业的市场竞争、企业的内部竞争等方面。

新入职员工应了解企业的价值观、企业的组织结构和管理规范，在自己的岗位职责范围内将企业文化与管理规范内化为职业行为准则，使自己的职业行为与企业的发展保持一致。参加企业培训是员工了解企业、适应企业文化的一条很好的途径。

新员工首先应尽快了解企业文化，了解企业的经营目标、精神面貌、共同的价值观、行为习惯、规章制度等内容，并尽快要求自己的行为最大限度地符合企业的文化理念，这样才能较快地适应企业文化，使自己真正内化为企业团队中的一员。其次，应提高对企业的认同感，认同并遵循企业文化，将自己与企业的成长紧密联系在一起，形成以企业为中心的向心力，与其他同事一道齐心协力，为共同的奋斗目标而努力。

（三）适应现代职业文化

每种职业的产生都要求有相应的职业文化与之相匹配。职业文化是长期从事一定职业的人在职业活动中逐步形成的，它是以职业人为主体，以社会职业为基本内容，以追求职业主体正确的职业理念、职业行为、职业道德、职业责任、职业纪律为出发点和归宿而构建的文化体系。

职业文化具有显著的历史传承性，受到整个社会文化环境的影响；职业文化又能产生一定的社会效应，影响其他文化生活。不同的职业岗位对员工的职业文化素养的要求存在一定的差别。例如，管理性质的岗位和服务性质的岗位对职业文化素养的要求相对较高，而生产性岗位对职业文化素养的要求相对较低。管理性质的岗位对职业文化素养的要求强调沟通协调能力、爱岗敬业、团队意识和吃苦耐劳，服务性质的岗位对职业文化素养的要求主要是沟通协调能力好、个人气质好和吃苦耐劳，生产性质的岗位对职业文化素养的要求主要是爱岗敬业、吃苦耐劳、品行端正、工作严谨和积极进取。

每种职业都有自身独特的职业文化信念和追求，使从业人员形成共同的职业习惯，遵从相应的职业行为准则。适应现代职业文化，在职业岗位上形成自身的竞争力，毕业生可以大大缩短适应职场的时间，实现从准职业人到职业人的顺利转变。

（四）处理好人际关系

人际关系是个体在人际交往过程中由于相互认识、相互体验而形成的心理相容或心理冲突的主观状况，表现为感情亲疏等特征。人际交往的处理是工作中的一项重要内容。一个人无论在哪一个单位或部门工作，都要注意处理好与同事的关系，因为它直接影响自己的工作状态和工作效果，是形成特定组织心理氛围的重要因素。例如，一名新员工在进入一家企业以后工作得心应手，工资一路攀升，但他与同事之间有隔阂，上司虽然承认他的工作能力，但是并不赏识和重用他。因此，新员工如何给上司留下良好的印象、与同事保持良好的人际关系，是一件非常重要的事情。

作为职场新人，大学毕业生在工作中要谦逊，要尽快适应职业领域中的人际关系。在处理人际关系时，最重要的是学会尊重别人，能够敏感地觉察并理解他人的感受和需要。新员工可以与企业里的老员工或自己的直接上司经常沟通，他们的意见将具有重要的指导意义。

四、大学生职业适应存在的问题

大学毕业生的职业适应期一般为3年，具体根据性别、学生干部经历、学习成绩和专业的不同会有所差别。大学毕业生职业适应存在的问题主要体现在从学生到职业人的适应和职业岗位轮换的适应两个方面。

（一）从学生到职业人的适应

从一名学生转变成一名职业人，这是一个人成长道路上的关键一步。学生从学校到社会是一个巨大的转变，在这一转变中，学生既有对校园、学校的恋恋不舍，也有对未来工作的兴奋、茫然和焦虑。

十多年的学校生活使每个大学生都养成了一种习惯的学习方式和生活方式。刚走上工作岗位时，毕业生总会自觉不自觉地将自己置身于学生的角色当中，习惯以学生的角色来要求自己和对待工作，以学生的思维方式来观察问题、分析问题。

1. 认识学校与社会的差异

大学校园与社会存在很大的差别。学校是一个关系简单的环境，而社会是一个大舞台。现实社会有它复杂的一面及一些不合理的地方，这对于刚刚参加工作的大学毕业生来说在适应上肯定有一些困难。但是，大学毕业生应当相信，社会是进步的，在融入社会的同时应逐步改造社会，使社会变得更加合理、和谐。

2. 了解学生与职业人的区别

学生在学校的主要任务是学习理论知识，掌握专业技能，在学习上可以依靠教师，在生活上可以依赖父母，基本没有负担。

职业人是一个承担责任和履行义务的载体。在企业里面，他要遵守企业的规章制度和劳动纪律，要尽自己的最大努力完成每项工作；对工作要有足够的责任心，每项工作不仅要按时完成，还要尽自己最大的努力高标准完成。这不仅是对工作负责，更是对自己负责。

3. 掌握职场的规则

大学毕业生要了解职场中的要求和标准，并主动适应这些要求和标准。大学毕业生要学会承认现实、接受现实，应当随时调整自己，主动适应工作、配合工作，这样才能迅速成长起来，最终脱颖而出。工作永远不可能适应职业人，所以大学毕业生只有主动去适应工作，才能在适应中获得职业的发展机会。一般来说，在学校当过学生干部的毕业生往往具有工作的主动性和创造性，他们在走上工作岗位以后，工作的主动性比其他同学要强，能够很快地适应工作，得到领导的赏识和重用。

4. 避免不良心理

（1）自卑心理。有些大学生初入职场时，面对新的工作环境往往不知道工作从何着手，总害怕自己做错事，容易产生消极退缩的自卑心理；一些用人单位存在等级分明的上、下级关系，上级居高临下的命令方式也会使部分大学生产生压抑感和自卑感。

（2）眼高手低的心理。一些大学生自认为接受了高等教育、学到了知识，自己就是人才，看不起基层的工作，而作为新员工常常要从基层做起，这部分大学生容易因此产生沮丧情绪，甚至认为干一些不起眼的琐碎工作是大材小用、有失身份。

（3）见异思迁的心理。有些大学毕业生在角色转变中容易表现出不踏实的作风和不安定的浮躁情绪。有些大学生在工作几个月后还未能静下心来，在工作中浮于表面，长时间进入不了工作状态，这山望着那山高，不到两年就换了好几份工作，跳来跳去，总找不到令自己满意的工作。

5. 做好眼前的工作

（1）职业人的转变要经过不断的努力和坚持，慢慢地进行。要着眼于目前，把眼前的每项工作做到最好，接受新知识，提高自身能力，拓展发展空间。

（2）处理好同事关系、上下级关系。懂得与同事团结合作，处事要先考虑他人，以诚待人，建立和谐的人际关系，不能事事以自我为中心，要以全局为重。

（3）在工作过程中不可能不犯错，出了问题以后，应当主动承担责任，从自身找出原因，而不是抱怨、责难其他相关部门或人员，应主动积极寻找解决问题的措施，争取赢得上司的信任。

（4）将目前的工作作为实现自己职业目标和美好前景的一个载体，在工作中不断提升自己的能力和业绩。这样，职业人离梦想就会越来越近。

（二）职业岗位轮换的适应

有些毕业生进入一个新的企业，由于企业开展业务的需要，可能被安排去支援不同的部门，在不同的工作岗位上轮换。在这种情况下，毕业生就需要适应职业岗位的轮换。职业岗位轮换是指员工在企业内部从一个岗位流动到另一个岗位上工作，从事多种不同类型的工作，在多个岗位上轮番接受锤炼。

有些企业为了培养新员工，会在试用期内安排新员工在企业内轮换不同的岗位，这种做法更多的具有培训的性质。新员工应该懂得岗位轮换可以更全面地接触各种业务岗位，在最短的时间里了解各部门的业务工作，开阔自己的职业视野、扩大知识面、提高业务水平和工作技能。轮岗工作可以增强个体对不同岗位和企业环境的适应能力及应变能力，增强其对新的工作环境和业务的了解，补充新的知识和能力，使其对未来的岗位有一个清晰的了解；可以使个体体会到其他岗位职工的甘苦，更好地认识各部门工作的关联性，使其对各自的工作有清晰的了解；可以认识不同岗位工作在内容和作用方面的区别，从而对企业多个方面有所了解，培养其对岗位的适应能力；可以使个体对自身的专业知识和业务能力有一个全新的评价，能够更加准确地判断自己适合哪一个领域的工作。在轮岗工作中找到自己最适合、最喜爱的工作，有助于个体完成对职业生涯的探索和规划。企业所设置的岗位轮换制度能够改变员工“一岗定终身”的现象，可以激发员工的工作和学习的热情，增强工作压力感和工作责任感，有利于员工的职业发展与职位晋升。

有些毕业生在工作中突然被企业安排到一个新的工作环境，会出现心理上的不适应，产生对工作环境的排斥和与周围同事的不融洽等问题，会在工作中感到充满压力，工作起来总觉得不顺心。大学毕业生应该以一种“既来之，则安之”的心态对待岗位轮换，既然已经来到新的工作岗位上，就应该让自己从内心尽快地适应新的工作环境。大学毕业生只有从心理上接受了新的工作，才有可能把工作做好。

五、大学生提高职业适应能力的方法

提高职业适应能力的方法有很多，主要有转变心态、加强团队意识、提升外在形象、增强独立意识等九个方面。

（一）转变心态

在即将离开学校时，每个毕业生对就业前景都会做出一番美好的期盼，但这些仅仅停留在感性的层面，带有纯粹的完美主义思想。毕业生一旦接触现实社会，从单纯的问题处理转向较复杂的人际关系，面对新的单位、崭新的生活方式和陌生的工作环境总会有许多的不习惯。在职场，员工的成绩是通过业绩来考核的，不管员工做了多少的努力，没有业绩成果，就得不到别人的认可。而在学校，学校教育关注的是学生努力学习、储备知识的过程。毕业生应注意环境转变所带来的变化，在就业前就应转变心态，调整好期望值，客观地面对现实。

（二）加强团队意识

毕业生在一个新的工作单位中面对的是一个陌生的环境，加入的是一个陌生的群体，会出现对环境不熟悉、对集体不了解、对新的工作岗位要求不清楚的情况。大学生应加强团队意识，既然来到一个新的组织，就应该主动地融入其中，从心理上认同周围的每个人，加强与同事的交往和协作，这样才能尽快在这个集体中找到自己的位置。团队意识有助于培养真诚合作的人际关系，缩短职业适应期，减少完成工作的难度，减轻心理负担，容易获得事业的成功。

（三）提升外在形象

刚刚参加工作的大学毕业生一定要注意外在形象问题，可以通过参加有关礼仪的培训和阅读相关的书籍来掌握礼仪方面的知识，从着装礼仪、言谈举止、待人接物等各方面提升自己。在工作场合，应选用合适的服饰和发型来展现与大学毕业生身份相符的形象气质和精神面貌，向他人传递积极、正面的交往信息。大学毕业生应利用“首因效应”给他人留下良好的第一印象。在交往中能给他人留下最深刻印象的就是他人最先获得的信息，如第一次见面时的形象。第一印象是最鲜明、最难忘的，它的心理效应最强。第一印象的好坏会影响自己今后的工作能否顺利开展，还会影响别人在今后如何看待自己。

（四）增强独立意识

很多刚刚毕业的大学生还沉湎在单纯、自由的大学生活中，习惯于依赖他人，而在参加工作以后，大学毕业生就要学习承担一定的社会责任，立足于本职工作，增强独立意识。在工作中，同事会把大学毕业生作为一个独立的社会人来看待，大学毕业生要能够在工作中独当一面。因此，大学毕业生应对新的工作有一个比较全面的认识和把握，了解和熟悉工作环境、工作对象，充分把握其特点和规律，平时留意和收集有关的行业信息，如本行业的传统背景和发展现状、本企业的历史传承和经营前景等。在工作的空余时间，大学毕业生还应主动联系上级领导和同事，多与他们来往，增进相互之间的了解和信任。

（五）安心本职工作，培养吃苦耐劳的精神

安心本职工作是实现职业适应的基础。刚毕业的大学生如果不安心工作，整天三心

二意，对角色转换是没有好处的。甘于吃苦是实现角色转换的重要条件，只有甘于吃苦才能很快地适应工作，及时进入角色和实现角色的转换。对于职场新人来说，最重要的不是薪水，而是获得经验。不要太在意自己的得失，不要计较自己的待遇，踏实做事，这样会少走很多弯路。有的大学生缺乏吃苦耐劳的精神，到工作岗位后怕苦怕累，对工作任务挑肥拣瘦，工作不能深入，这必然会影响职业选择的顺利实现。

（六）勇挑重担，乐于奉献

勇挑重担、乐于奉献是完成职场活动的重要标志。大学生走上工作岗位以后，应当从一开始就严格要求自己，树立主人翁意识，增强社会责任感，培养无私奉献的精神，任劳任怨，不计较个人得失，努力承担岗位责任，主动适应工作环境，促使自己更好、更快地适应职场。

（七）放下架子，虚心学习，提高工作能力

事实证明，大学生在学校学到的东西是有限的，大部分知识和能力仍需在工作实践中学习与锻炼。进入工作岗位后，一切要从头学起，大学生应该放下架子，甘当“小学生”，多学多看，虚心学习。对不懂的地方，要敢于提问，主动向有经验的技术人员、领导、同事学习。因为他们在工作岗位上工作多年，具有丰富的专业知识和实践经验，大学生从他们那里可以学到许多认识问题、分析问题和解决问题的方法，学到工作中实际需要的真本领，在业务上有长进，成为真正有用的人才。因此，大学生一定要注意避免骄傲自满的情绪和表现，提高自身的综合素质与能力，尽快实现角色转换。

（八）增强创新意识

作为新时代的大学毕业生同样需要具备创新能力。创新能力主要包括不断发现现存事物的缺陷与不断找出新问题的能力，创造性地解决问题的能力，以及根据工作的需要提出创造性的设想，并具体实践、操作和开发的能力。作为新时代高素质技能人才，大学生需进一步扩大知识面，以适应创新能力的各种要求。第一，批判性思维是职业社会中的一项关键思维能力。批判性思维主要表现为在职业发展中对各种事物进行理性的思考、分析、考虑和决策。批判性思考者不仅善于积累信息，而且知道如何利用这些信息来推断重要的事实和结果。批判性思维能够帮助高素质技能人才不断找出新问题，进而改进决策。第二，职业社会要求大学毕业生从就业型向创新创业型转变。一方面，应在就业中创新，高素质技能人才能够创造性地解决职业中存在的问题，而不是简单完成重复性的生产工作；另一方面，应把握创业机会，根据工作的需要提出创造性的设想，为社会创造更多的就业机会。创造能力可以帮助高素质技能人才实现更高层次、更具社会意义、更能体现个人价值的就业。

（九）合理流动

职业岗位对每个人来说都是相对稳定的，很多人初次选择的职业可能就是终身所要

从事的职业。但是，在当前新形势下，社会分配角色越来越少，职业流动（职业流动是指劳动者在不同职业之间的变动，也属于角色转换的过程）变得更加频繁。初入职场，当发现自己不适应所从事的工作岗位时，可以转换职业，以寻求新的职业目标。科学合理的职业流动不仅能满足社会的需求、促进角色转换，还符合个人对职业理想的追求。但职业选择应当谨慎，盲目的、非科学的职业转换，既会对个人的角色适应产生不利的影响，也可能会对社会造成一定的损失。

知识小结

任务二 大学生职业成长

案例导入

一名青年岗位能手的成长之路

2023 年 11 月 20 日，在钦州供电段供电车间作业场上，29 岁的刘盛荣在认真指导新入路职工开展作业。自 2017 年入路以来，这名小伙子迅速成长为该段最年轻的接触网工技师，先后获得中国铁路南宁局集团有限公司技能比武个人全能第一名、先进生产者、全局技术能手、全国铁路青年岗位能手，近日被国铁集团授予全路技术能手称号。

主动请缨到最艰苦的地方磨炼

入路之初，刘盛荣便赶上了南防线那罗至马皇段电气化改造。2018 年 5 月，他主动请缨到最艰苦的地方磨炼。住宿条件艰苦，交通饮食不便，“刚去时不熟悉情况，干粮带得不够，凌晨干活回来常常饿肚子。”刘盛荣说。

为了尽快提高业务技能，刘盛荣业余时间专业书不离手，谨记老师的教诲“好记性不如烂笔头”，每次默读规章时，他都会在笔记本上记下重点，遇到不懂的问题及时请教，就连盯控作业也笔记本不离身。

接触网作业需要登高作业、攀爬检修、更换设备，最是考验体能。为了保证体能跟得上作业要求，刘盛荣每天雷打不动地跑步，并坚持举25千克重的绝缘子锻炼臂力。

通过近一年的介入施工，刘盛荣的业务技能明显提升。他报名参加职业技能竞赛，通过层层考核，斩获2018年集团公司技能比武接触网工种个人全能第一名。首次出战捧回桂冠，给了刘盛荣极大信心。

在邕北线达标线建设和钦州港东线电气化改造施工介入中，他对照安装图、平面图，学习施工单位先进的工作方法和操作技能，针对施工现场的安全风险，总结提炼出“3456施工安全作业法”和“看、测、紧、调、换、擦、排、记、划”9字作业法，该作业法已在各工区推广使用。

在2020年的职业技能鉴定中，他凭借扎实的业务能力，成为该段最年轻的接触网工技师。

深入作业现场　改良作业方法

在日常工作中，怎样才能提高作业效率？作为“网匠”工作室的骨干成员，刘盛荣牵头组建课题攻关小组，积极深入作业现场调研，改良作业方法。

“我的安全带只能打在这个位置，但还是够不到悬瓶！”一次技能练兵中，一名职工提出困惑。看到这一幕，刘盛荣意识到，一旦线路出故障，作业效率事关安全问题，必须排除隐患。他立即联系“网匠”工作室成员组成课题攻关小组，深入现场调研、改良工具材料，制作出AF线悬瓶更换辅助器，使原本用时15分钟的更换作业在使用辅助器后不到7分钟便可轻松完成。

刘盛荣与工作室成员在现场作业中发现，腕臂安装作业时，在计算机相关系统中录入安装计算公式参数和数据，便能很快测算出准确位置，只需用卷尺一量，便可轻松安装到位。“我们应借助先进的科技手段改进工作流程，提高工作效率。”刘盛荣说。

积极示范引领勇争先

“接触网作业是团体作业，需要大家共同进步。”作为青年岗位能手、车间技教员、段兼职教师，刘盛荣承担着车间职工日常培训工作，在各类培训中积极发挥业务专长。

多年参加技能比武，刘盛荣在不断精进个人技能水平的同时，更是带动了一大批青年职工学技术、练本领。根据阶段性重点工作和业务需求，他开设技术讲堂，确保职工学习覆盖率100%。针对新职工业务薄弱环节，他组织每月一练、每周一课、每日一考，补短板、强基础。经过培训考核，车间有10名接触网工通过高级工考评，2名职工晋升技师。

在南宁局集团公司第九届职业技能竞赛接触网工决赛中，作为教练组成员，刘盛荣带领参赛队伍取得了个人全能第一、第二、第三、第五、第六名的好成绩。

“今年是我入路第六年，很荣幸被评为全路技术能手。”刘盛荣眼神坚定地说，“这是全新的起点，我将继续在岗位中超越自我，迎接新挑战。”

资料来源　谢洋：《一名青年岗位能手的成长之路》，中国青年报客户端，2023年11月23日。(收入本书时有改动)

思考与讨论

从刘盛荣的职业成长过程，谈谈你对职业成长的理解。

____

____

____

知识学习

一、职业成长概述

（一）职业成长的概念

职业成长意味着个人的职位级别提升，拥有更多的权力和权威，薪水报酬增加，工作条件改善，同时工作责任也相应增大。职业成长是个人沿着对自己更有价值的工作系列流动的速度。这一概念描述了员工在工作任务转换过程中的职业成长问题，同时表明了职业成长是一个速度的概念。

（二）职业成长与职业成功的区别

职业成长是在时点上的职业进展状况。职业成长是个人从被动到主动、从依赖到独立、从缺乏自制到自觉自制的转变过程。个人的职业成长可以在不同的组织间流动而实现，也可以在一个组织内部获得。职业成长是一个多维度的概念，它包含职业目标进展、职位晋升和收入增长等。

职业成功反映的是在某一时点，个人在整个职业经历中所累积起来的与工作相关的成果或成就。职业成功是一个人职业经历的结果，它是在任意时点某人的工作经历随着时间的推移所获得的工作成就。

职业成长是一个增量的概念，而职业成功是一个存量的概念。一个人以前的职业成功会影响当前的职业成长，而当前的职业成长会影响其后续的职业成功。

（三）职业成长的分类

职业成长分为组织内职业成长和组织间职业成长。

1. 组织内职业成长

组织内职业成长是指员工在目前所在组织内部的职业进展速度，包括员工在目前单位内的职业能力发展速度、职业目标进展速度、晋升速度与报酬增长速度四个维度。职业能力发展速度主要衡量员工目前的工作是否使其掌握了新的相关技能、相关知识，是否积累了更加丰富的工作经验，以及员工的职业能力是否得到了锻炼和提高。职业目标进展速度主要衡量目前的工作是否使员工距离自己的职业目标更近了，是否与员工的职业目标和职业理想有关联，能否为员工实现职业目标打下基础，能否为员工提供良好的发展机会。晋升速度主要衡量目前单位的职务是否有了快速的提升，职务提升的可能性是否很大，现在单位的职务是否比原来单位的更加理想，职位晋升速度是否比其他同事要快。报酬增长速度主要衡量进入新的工作单位以后，员工的薪酬待遇是否提升得比较快，薪资提升的可能性是否很大，薪资的增加是否比其他同事要快。

2. 组织间职业成长

组织间职业成长是指员工在工作流动过程中所发生的职业成长。有些人通过离职、跳槽等，在职业流动与转换过程中对个人的职业期待、职业性格和职业能力进行探索。一方面，可以丰富个人的工作经历，增加人生体验，不断调整自我与职业环境之间的关系。另一方面，通过对不同职业进行比较、对不同职业类型做出评价，可以加深对自己人格的认识，逐步辨清自己的职业定位、确定自身的职业发展方向。因此，组织间职业成长是追求职业成长的另一种途径。

（四）职业成长中的组织环境与人力资本

职业成长受到个人所在组织环境及个人的人力资本大小的影响。

1. 组织环境

组织环境主要是指企业内部促进员工实现职业目标的一些关键要素，如绩效评价体系、晋升体系、培训体系、薪酬和激励体系等。员工的职业成长需要企业为其提供合适的发展平台和富有挑战性的工作，组织应当通过各种行动支持员工的发展。组织内部的晋升和横向流动可以帮助员工成长。

2. 人力资本

人力资本是指人们长期的知识和技术的积累，由凝聚在劳动者身上具有经济价值的知识、技术、能力和健康状况构成，是劳动者质量的反映。劳动者接受教育可以增加他们所掌握的知识，而拥有健康是劳动者正常工作的保证，健康的劳动者工作效率会更高。

二、职业成长的驱动因素

在个人职业成长中，驱动因素起着重要的助推作用。这些因素分别是工作成就、家庭的支持、较高的自我效能感和心理安全气氛。

（一）工作成就

1. 工作成就的含义

工作成就是个人在特定的社会和工作条件下，在工作中所取得的成绩。工作成就能使个人从做事中获得快乐和满足，从成功中实现对自我价值的认可和肯定。那些在日常工作中勤奋工作、善于思考、善于创造价值、乐于为企业多做事情的员工，能够获得更多的工作乐趣，赢得更好的工作绩效和更多的发展机会。

2. 成就感

成就感是个人对自己的能力和表现所展现出的一种积极的、自信的状态，是个体在自己取得了成绩或成功以后引以为豪的一种感觉。人的精神动力在很大程度上需要由成就感来维持。

3. 工作成就的动力表现

在追求事业的过程中，有无成就感取决于一个人对其当前工作的热爱程度。在工作中曾经取得的成就带给人的是活力和激情；而呆板、机械式的岗位和毫无成就感的工作往往会扼杀优秀人才的冲动。

（二）家庭的支持

家庭是每个人生而固有的，家庭的支持是不可替代的，家庭的支持排在其他各种社会支持的首位。家庭的支持对毕业生的职业成长影响最大，持续时间最长。

1. 物质支持

家庭对大学毕业生在物质上的支持包括经济支持、行动支持和社会资源的支持。有的家庭能够想方设法为毕业生提供多种就业的途径支持，帮助其获得就业的机会。家人更加理解毕业生，能够积极创造有利的条件，为毕业生提供所需的支持，拓展其职业成长的空间。在工作中，家庭的行动支持能够减轻毕业生的工作压力，使他们从处理家务琐事的沉重负担中解脱出来，从客观上保证他们有充足的时间和精力全身心地投入工作当中。

2. 精神支持

家庭的支持让大学毕业生感受到被理解、关爱和尊重，能够有效地对抗工作中的抑郁情绪，从而对工作形成积极的情绪和认知。家庭成员通过日常的沟通交流能够及时了解毕业生的思想动态，能够站在毕业生的角度来思考问题，为毕业生提供亲切的关怀和精神鼓励。当遇到工作上的困难时，毕业生会向家人们诉说。家人是毕业生最信赖的人，家人的观点最容易被他们接受。

3. 信息支持

家庭成员最了解毕业生的性格特点、兴趣爱好、个人特长等情况，能够根据毕业生个人的需求充分利用社会关系网，为毕业生提供有效的求职信息及工作岗位。

（三）较高的自我效能感

自我效能感是指个体以自身为对象，在执行某一任务之前对自己成功地完成特定工作任务的能力信念，以及对自己能够在何种水平上完成该任务所具有的判断。

1. 自我效能感与工作表现

自我效能感直接影响个体在工作中执行活动的表现，影响个人自我调节系统的发挥。自我效能感较高的人会以积极的工作态度和行动来面对工作中的各种挑战，在遇到困难和挫折时更愿意去克服。自我效能感低的人在面对困难时会表现出一种消极的态度和情绪，行为缺乏主动性。

2. 自我效能感与工作投入的关系

自我效能感越高，个体的工作投入程度也相应越高，工作投入程度较高的人有着较高的活力状态和奉献水平。高度的自我效能感促使员工将大量的精力和时间投入工作，他们对工作有较高的满意度，极少出现职业紧张的情况。自我效能感会影响个体在工作中的努力程度。自我效能感高的员工更愿意努力克服工作上的困难，他们会坚持钻研业务，并在本专业领域上坚持较长的时间，从而有更多的机会取得工作上的成就。

3. 自我效能感有助于开发个人潜力

自我效能感有助于开发个人的潜在能力。自我效能感达到足够的强度时可以调动人内在的动力，使人愿意付出艰辛的努力去获取成功，促使个人职业能力的形成和发展。自我效能感高的人会有目的、有意识地不断认识和了解自己及外部环境的行为活动，为自己确定适合的职业目标，主动寻找多种可用于完成任务的资源支持，挖掘并丰富可利用的任务资源。

4. 自我效能感有利于职业生涯发展

良好的自我效能感有利于个体的职业生涯规划。自我效能感高的人会对自己的职业生涯发展更具有信心。在选择职业范围时，他们信心百倍，并有积极的职业行动，更容易做出正确的职业决策，使自己在职业生涯中取得成功。

5. 提高自我效能感的途径

要想提高自我效能感，大学毕业生应注意多获取一些成功经验，提高自己的实际工作能力，提高工作绩效。大学毕业生可以通过个体的自我说服、自我激励来提高自信心。大学毕业生还要注意消除职业倦怠，因为职业倦怠会大大降低劳动者的工作驱动力，那些经历着职业倦怠的工作人员通常在工作方面都陷于一种“困境”当中。他们往往态度消极、精神萎靡，对于工作很少投入精力去提高。他们不能很好地控制自己的情绪，常常发脾气，还会陷入压力过大导致的失眠等亚健康状态中。当发现自己有职业倦怠征兆时，应及时调整自己的心态，清楚自己的压力来源，主动寻求帮助并设法加以消除。

（四）心理安全气氛

从企业组织的角度对心理安全气氛做出定义，即员工对组织政策、规范及运作理念的分享情形，必须通过个体间的相互协调而形成，这种气氛会因为组织的目标或活动的不同而有所不同。员工在心理安全气氛低落时会出现工作态度不佳、迟到、早退、旷工或身体不适等消极反应，甚至会与主管发生冲突。

心理安全气氛是经过企业内部的经验分享、同化和倡导而逐步形成的一种组织氛围。心理安全气氛能影响员工的内部动机和塑造职业角色的心理状态。心理安全气氛营造一种工作环境，使员工在这一环境中能大胆地表达意见而不担心被拒绝或被惩罚。员工在得到上级和同事们的大力支持下，可以大大减少工作的消极情绪，减少在工作中的压抑情感。在这样一种心理安全气氛中，员工会更加忠诚于自己的企业，为企业而努力工作，会积极地表现自己、展示自我，工作绩效会不断得到提升。

三、实现职业成长的途径

为了实现自我职业成长，大学毕业生应注意保持对目标的不懈追求、对工作的积极投入，并不断提升自我职业素养。

（一）对目标的不懈追求

每个人都有自己的职业目标，职业目标是大学毕业生对自己所期望的职业成功的明确决心。有什么样的职业目标，就会有什么样的奋斗历程。

1. 目标的指引

目标给人们指明了前进的方向，不停地鞭策着、激励着人们，使人们获得精神鼓舞。目标是人们坚持努力的动力源泉，促使并引导着人们不懈地坚持下去。目标给予人们美好的愿景，激发人们高度的工作激情和生活热情，使人们不会迷失奋斗的方向。

2. 克服实现目标的困难

在追求目标的过程中难免会遭遇一些困难和挫折，大学毕业生要有不怕困难的精神，勇于面对挫折，敢于接受挑战；要做好充分的思想准备，从精神上到行动上都要斗志昂扬，以勤勉、谦虚、刻苦、务实的作风采取有效可行的措施，并坚持到底。

3. 执着的精神

坚持不懈是对个性的执着，对自己品格的肯定和坚持。只有坚持不懈，才能取得最终的胜利。有的人在职业成长的路上被荆棘和坎坷所阻挡，被迫放弃而前功尽弃；而有的人知难而上，选择坚持下去，经过勤奋不息的劳动，最终收获累累硕果。

（二）对工作的积极投入

工作投入是指一个人认同其工作的重要性，也是工作绩效影响个人自尊的程度。工作投入是员工自我与工作角色相结合，是个体在工作中扮演一定的角色、展现自我的过程。工作倦怠与工作投入是个人与工作情境相匹配的两个极端，个人与工作情境之间匹配得越好，个人就越能够顺利地胜任工作，对工作的投入就越多。工作投入在结构上分为高活跃程度、高度奉献和精力集中三个方面。

1. 高活跃程度

高活跃程度是指个体在工作时具有高水平的能量，工作状态良好，精力充沛，表现出良好的心理韧性，保持自己与其他同事和上级的密切联系，保持对工作的高度敏感性，愿意为自己的工作付出努力而不感觉疲倦，当出现困难时能够积极应对，保证将工作任务按时完成。

2. 高度奉献

高度奉献是一种对工作的高度投入状态，个体具有特定的认知和信念，具有强烈的工作意义的体验、自豪感和饱满的工作热情，经常伴随灵感的迸发。

3. 精力集中

精力集中表现为个体将所有的精力和注意力集中在自己的工作上并以此为乐，完全投入工作的一种状态，并且总感觉时间过得很快，而不愿从自己的工作中脱离开来，达到废寝忘食的程度。工作投入能够促进员工个体绩效的提高，使员工意识到对工作绩效的强烈责任感和承诺意愿，促使员工加倍努力工作，创造更多的绩效。

（三）提升自我职业素养

资料
职业素养的三大核心

职业素养是指劳动者在一定的生理和心理条件的基础上，通过接受教育、劳动实践和自我修养等途径形成与发展，并在职业活动过程中表现出来的一种综合品质。一个人有没有能力，不是看他的学历有多高、掌握多少知识，而是看他在从事某一种职业活动时所表现出来的素养。现在，许多企业已经把职业素养作为对员工进行评价的重要指标。职业素养包括职业道德、职业技能、职业思想、职业作风和职业行为习惯等内容，它是决定一个人职业生涯成败的关键因素。现代职场上的竞争说到底就是个人职业素养的竞争，职业素养已经成为个人的核心竞争力。

职业素养分为外在素养和内在素养两个方面。

1. 外在素养

一个人所拥有的专业知识、职业技能、专业资格等属于外在素养，这些可以通过各种学历证书、职业证书来反映，或者通过专业考试来测试。专业知识是知识结构的核心，大学生应对所从事的专业做到精益求精，深入了解学科的过去、现状和未来，并善于将所学的专业知识与相关专业领域紧密联系起来。职业技能是支撑职业人生的主要手段，个人应该积极参加多种专业技能培训和权威职业资格证书的考核。

2. 内在素养

内在素养主要是指职业道德、职业意识和职业态度。许多企业对员工的职业素养有着较高的要求，尤其是对员工的职业道德方面。企业在评价一名员工时，常常使用以职业道德为代表的基本素养进行表述。目前，不少用人单位均反映部分毕业生职业素养缺失，毕业生往往忽视对自身内在素养的培养。

只有具有良好职业素养的大学毕业生，才能在工作岗位上很好地发挥潜能，不断进取；才能有长远的眼光，做到顾全大局，在追逐个人价值的过程中也重视对社会价值的追求，进而在职场中找到属于自己的一片天地，更好地服务于社会，实现自我价值，赢得最后的胜利。

四、融入职场生活需注意的事项

一名职场新人要想尽快融入同事群体、逐步迈向成功，就必须了解人际关系、把握人际关系，利用人际关系让自己的职业生涯熠熠生辉。

（一）学会与领导相处

作为新员工，每个人都希望与领导搞好关系，得到领导的赏识和器重，以便能得到重用，成就一番事业。然而，很多职场新人由于缺乏经验，往往不知道如何与领导相处，在与领导相处的过程中不懂技巧，甚至与领导关系不融洽。

与领导相处，既不能埋头苦干、默默无闻，跟领导连个照面都不打，也不能与领导称兄道弟、亲密无间。好的上下级关系应该是领导有权威、下属有分寸，大家其乐融融，沟通良好、工作顺畅。与领导相处有以下几条原则。

1. 服从第一

服从领导是每个员工的必备素质，是员工职业精神的精髓。服从是行动的第一步，服从的人就要遵照指示做事，暂时放弃个人的独立自主，全心全意地遵循企业的价值观念。在学习服从的过程中，新员工会对其机构的价值及动作方式有一个更透彻的了解。团队运作的前提条件就是服从，可以说，没有服从就没有一切。大学毕业生刚进入企业必须从零开始，要给自己一个定位，明确自己的职责，完成领导分配的任务。当接收到领导的错误指令时，聪明员工的平衡之道在于事先沟通、事后酌情发挥。具体地说，在执行可能有误的指令之前，一定找领导再确认一遍指令内容，提出自己的疑问（方式要委婉）；如果领导仍旧坚持，建议立即执行、莫乱发挥，按照领导的要求和标准去办最保险。

有时领导发布的指令是很普通的，这种指令往往是员工自我发挥的最佳土壤。这时的平衡点在于锦上添花，但别喧宾夺主。也就是说，将指令作为工作的主体，在各个环节中做到更高标准，或者将自己发挥的内容作为指令的补充部分，切忌将指令改得面目全非。

高明的指令往往让人难有自我发挥的余地，遇到总能发出这样指令的领导，更让想展现能力的职场新人郁闷。在这种条件下的自我发挥决定了自己成长的速度。

2. 学会聆听

新员工在与领导交谈时往往是紧张地注意着他对自己的态度是褒还是贬，构思自己应做的反应，而没有真正去听领导所谈的问题，更没有理解领导的话里蕴含的暗示。因此，对新员工来说，聆听尤为重要。当领导讲话的时候，要排除一切使自己紧张的意念，专心聆听。用眼睛注视着他，不要低着头，必要时做一点记录。待他讲完以后，你可以稍思片刻，也可问一两个问题，真正弄懂其意图，然后概括一下领导的谈话内容，表示你已明白了他的意思。切记，领导不喜欢那种思维迟钝、需要反复叮嘱的人。

3. 了解领导

对领导的背景、工作习惯、奋斗目标及喜好等了如指掌，当然对你大有好处。如果他爱好体育，而在他所在的运动队刚刚失利后，你去请求他解决重要问题，那就是失策。一个精明强干的领导欣赏的是能深刻地了解他，并清楚他的愿望和情绪的员工。

4. 维护领导的形象

良好的形象是领导经营管理的核心和灵魂。你应该向他介绍新的信息，使他掌握自己工作领域的动态和现状。不过，这一切应在开会之前向他汇报，让他在会上谈出来，而不是由你在开会时大声宣扬。当领导形象好的时候，你的形象也就好了。另外，在被领导错怪、领导发火时，不要与他争执。若事关原则问题，一定要在事情过后以邮件或其他方式将事情向领导解释清楚。要始终保持客观的态度，讲清楚事实。采取事后说明这种方式会让领导对你印象深刻。

5. 与领导的关系要适度

自己与领导在单位中的地位是不同的，这一点自己心里要明白，不要使关系过度亲密，以致卷入他的私人生活之中。过分亲密的关系容易模糊上下级，使领导感到互相平等，撼动了权威和尊严，这是冒险的举动；不同寻常的关系会使领导过分地要求你，也会导致同事们的不信任，可能还会有人暗中与你作对。

6. 提意见要讲技巧

怎样才能让自己的提议通过？怎样才能让建议被采纳？具体的做法是：向领导提出方案要以充分的论据和理由加以说明，尽可能多地摆出它的优势。员工如果能提出多种方案供领导选择，就会增加胜算的砝码。你可以举出各种方案的利弊供他权衡，不要直接否定领导提出的建议。他可能从某种角度看问题，看到某些可取之处，也可能没有征求你的意见。如果你认为不合适，最好用提问的方式表示你的异议，如果你的观点基于某些他不知道的数据或情况，效果将会更佳。

（二）学会与同事相处

1. 尊重他人，谦虚谨慎

尊重他人是人生的一门学问，只有尊重同事才能得到同事的尊重。新员工必须重礼貌，即对对方人格上的尊重、工作上的支持认可。谦虚是一个新员工必须做到的，应该虚心向他人请教，虚心对待别人的意见和建议。

资料
大学生如何提高人际交往能力

企业中的新员工一般毕业于高等院校，学历高，思想前卫，观念新潮，方法灵活。但在工作岗位上毕竟没有太多经验，还要从头开始。因此，新员工一定要克服自恃才高、恃才傲物、目中无人、狂妄自大的缺点。

同时，尊重和谦虚并不意味着对他人的行为逢迎。“路遥知马力，日久见人心”，新员工只管认认真真工作、踏踏实实为人，千万不要为了尽快取得同事的好感而改变自己去适应别人。这种做法往往会适得其反，让同事觉得你唯唯诺诺，反而使你更难融入团队之中。

2. 真心地赞美他人

职场中，许多人都不习惯去赞美别人，可是如果不去赞美别人就无法得到别人的赞美，工作和生活就会缺少很多愉快的经历。如果能在工作中适当加点赞美的“作料”，相信会使工作变得多姿多彩，同事间的关系也会更加融洽。例如，一句由衷的赞美或一句得体的建议会使同事感觉到你对他的重视，当然他也会在无形中增加对你的好感。不过，这里需要注意的是，不要盲目赞美或过分赞美，这样容易有献媚之嫌。有的人喜欢对同事品头论足，包括评价他人的为人处世、服装品位、个人习惯等，这是不好的表现。因为每个人都有自己的一套原则，作为同事，你只能尊重个人的权利和隐私。如果超越了自己的身份，就很容易引起同事的反感。

大学毕业参加工作的新员工刚到一个企业，对同事有生疏感和距离感，有的还有初入社会的畏怯感。于是，不敢主动、大胆地和同事们交往，往往只把交往的圈子局限于少数几个同事，或只跟新来的其他大学生交往，这样很不利于自己尽快融入企业这个大集体，很不利于得到更多同事的了解、认可。久而久之，甚至让多数人觉得此人不合群、孤僻，不好接近，不易沟通。

大学生要尽快消除这种生疏感和畏怯感，主动利用各种工作、生活和休闲的机会与同事接触，扩大交往范围。当然，新员工要力戒说长论短、卷入是非、参与小集团或小圈子。一个企业的员工中，年龄有老、中、青之别，学历、职务有高低之分，但人格平等，均应一视同仁。

3. 与同事保持适当距离

“君子之交淡如水，小人之交甘若醴。”与同事交往太过密切，会惹人反感；反之，与人说话，躲躲闪闪，讳莫如深，别人也会心存戒备、少有真诚。

只要有一颗真诚的心，有朴实的聪明劲，新员工依然可以很好地在职场中发挥能力。新员工要保持青年人单纯的心态，少存城府，心地坦率，以真诚的心态去面对，复杂的人际环境也会变得简单、明朗起来。当然，这种简单、单纯并不是毫无戒备、口无遮拦的幼稚天真。既要与同事坦诚相待，又要保持适当的距离，保持一定距离也是对他人习惯、爱好、隐私的尊重。

4. 与同事加强沟通

企业和员工是一个密不可分的整体，企业就像一台机器，员工就是一个个零件，只有各个零件凝聚成一股力量，这台机器才会运转正常。这也是同事之间应该遵循的一种工作精神或职业操守。

其实生活中不难发现，有的企业因为内部斗争，不仅企业本身“伤了元气”，对整个社会舆论也会产生不良的影响。因此，新员工尤其要注意个体和整体的协调统一。因为员工作为企业个体，一方面有自己的个性，另一方面要很好地融入集体，而这种协调和统一很大程度上建立在人的协调和统一的基础上。因此，无论自己处于什么职位，首先需要与同事多沟通，因为个人的视野和经验毕竟有限，要避免给他人留下“独断独行”的印象。况且，随着社会分工的越来越细，这种沟通协调也是必需的。当然，同事之间有摩擦是难免的，即使是对同一件事情有不同的想法，新员工也应具有“对事不对人”的原则，及时有效地调解这种关系。不过从另一角度来看，此时也是新员工展现自我的好机会。用成绩说话，真正令同事刮目相看。

5. 虚心向同事取经

在公司里，那些先来的同事由于工作时间长，相对来说积累了更多的经验，有机会时不妨聆听他们的见解，从他们的成败得失里寻找可以借鉴的经验，这样不仅可以帮助自己少走弯路，而且会让他们感到新员工对他们的尊重，尤其对那些资历老但其他方面比较弱的同事来说，会有更多的感动；而那些能力强的同事，则会认为这位新人积极进取，以后便会乐于关照。

有些职场新人虽然有很强的工作能力，但在企业里自视清高，在为人处世方面傲慢无礼，使老同事很反感，而这些老同事毕竟根基深厚，企业从方方面面都会考虑他们的意见。所以说，初来乍到，在做出成绩之前，最好收敛一下自己的“个性”，每个人都不喜欢那种对自己有“威胁”的人。

6. 不斤斤计较

过于计较自身利益得失的人是无法处理好复杂的职场人际关系的。这种人处处为自己争取好处，难免引起同事们的反感，无法得到大家的尊重，而且趋利避害的自私做法会在无意中伤害其他同事，最后招致被孤立的下场。

事实上，有些蝇头小利未必能给人带来多少好处，反而弄得身心疲惫，并破坏良好的人际关系，得不偿失。对那些细小的、不太影响自己前程的好处多一些谦让，如一些荣誉称号让给即将退休的老同事、与其他人共同分享一笔奖金或一项殊荣等，这种豁达的处世态度无疑会赢得同事的好感，也会增添人格魅力，会带来更好的“回报”。

知识小结

课外任务

大学生活与职场生活的差异

步骤 1　阅读案例，填写表 8-1。

陈晨大学毕业时找工作可谓一帆风顺，没经过太多波折就在南方某市找到了一份理想的工作。在履职的火车上，陈晨的情绪逐渐从离开校园和同学的忧伤转向对未来憧憬的兴奋。同学中像他这么顺利找到好工作的并不多，他的未来是光明的。但接着，工作中的不顺接踵而来：这个城市中的人似乎看不起外地人，虽然周围的一些同事只比自己在这里待的时间长一些，可是他们看自己的眼神就好像自己是彻头彻尾的土包子；还有，顶头上司的脾气古怪，每次挨批，陈晨都不知道自己错在哪里。这难道就是陈晨梦寐以求的工作和生活吗？

表 8-1　大学生活与职场生活的差异

比较项目	大学生活	职场生活
文化的差异		
领导的差异		
学习的差异		
人际关系的差异		
生活的差异		

步骤 2　探究与思考。

（1）陈晨在工作中产生了诸多问题，根源在哪里？

____

____

（2）结合所填表格的内容，你准备如何适应职场生活？

____

____

课外阅读

“适应社会”应是大学必修课

这段时间，“大学生真的很需要这门课”的话题在网络上受到热议，凸显了一个存在已久却被忽视的问题——有些即将步入社会的大学毕业生，短时间内无法很好地适应社会而进入职场角色。第三方调查显示，不少大学生在学习、求职、择业过程中遭遇过金融诈骗、择业歧视、三方违约、用工风险等情形。高学历人群却难以应对生活日常，受过高等教育的大学生、硕士生，甚至是博士生，面对这种风险往往难以“全身而退”，其根源就在于对社会常识与必备技能不了解、未掌握。

调查发现，不少大学生反映，对三方协议、劳动合同相关法规一无所知，对社保缴纳比例不清楚。造成此类问题的原因主要有以下几个方面。

在基础教育阶段，受到高考指挥棒的影响，家长和学校对学生的教育和要求主要集中在学科知识学习与考试成绩上。家庭生活中，家长对孩子进行法治、社会规则等方面的教育欠缺。

进入大学后，大学生依然将主要精力放在专业课学习上，对于职业规划、就业知识、金融常识等关注度和重视程度不高。不少大学虽然开设了劳动教育、就业指导等课程，但往往教学形式单一、教学内容较为滞后，教学覆盖面有限，与大学生实际需求并不接轨，指导性不强。

党的二十大报告指出，坚持以人民为中心发展教育。高校办学也应当坚持“学生为首位”，想学生之所想，尽最大可能满足大学生学习的现实需求，尤其是在开设社会常识类课程时，要广泛征求大学生的意见。

事实上，近年来，为进一步满足大学生的现实需求，很多大学均尝试开设各种各样的实用类课程。例如，东南大学开设“个人理财及证券投资分析”“大学生情感心理学”“烹饪理论与技术”等通识类选修课，其中，在“健康睡眠与幸福人生”课上，老师会带领学生步入杂草丛生、密草缠绕的地方细细寻索具有清肺润燥、平肝明目功能的霜打桑叶，采摘清热利尿、凉血止血的白茅根。又如，南京农业大学开设“运动减脂”课，有学生通过这一课程，4 年从 280 斤减到了 140 多斤。再如，武汉大学开设的“恋爱心理学”受到大学生追捧，因听课学生太多，教室里挤不下，有的大学生在教室外扒窗听课，更有学生自带板凳进入教室。

那么，大学生究竟想学到什么，哪些是大学生眼中“有用”的课程？笔者在调研准毕业生、大学辅导员和就业指导部门工作人员等群体时发现，针对“最希望通过学校获得哪些帮助”这一问题，选择人数最多的是“就业择业”“劳动法律知识”“生活技能”和“出国留学”等选项。绝大多数辅导员和就业指导部门工作人员认为，应当在思想准备、法律知识和生活技能等方面给予大学生指导，除提供信息渠道、普及正规就业平台外，应当拓宽就业实践类课程，开展就业模拟，给予简历投递及面试等方面的专项指导。九成以上的被调查者认为，大学应当对非毕业班学生开设就业指导及金融常识、生活技能等实用类课程。

教育之本在于立德树人，学生的成长目标是既要成才也要成人。因此，建议学生们在校学习期间，多做些“无用之功”，多读些“无用之书”，努力成为一个和谐发展的人。同时，大学是学生转向社会的最后一站，大学课程设置要在立德树人的基础上，充分考虑专业学科与社会需求的连接，在通识教育中加强与社会实际需求的对接与联系。通过劳动教育、社会实践等多类型课程，让大学生提前掌握一些必备的“社会生存攻略”及技能，使其提前了解社会现实，更好地适应社会生活。

高校应当急大学生之所急，解大学生之所需，创设满足大学生多样化发展需求的课程体系，将“实用的课”变得真正有用、解渴。为此，我们提出如下建议。

第一，探索建立实践活动和专业教育相结合的全方位通识课程体系。根据专业特色、学生就业、合作单位用人标准等多方面因素持续追踪社会需求，适时调整课程设置，增加通识类课程、公共艺术课程资源，加强对大学生的必备社会知识的普及。

第二，设置劳动教育课程，将其作为职业素养、道德培养、专业素质提升的重要举措。结合学科和专业特点，设立劳动周、劳动月，推动学生深入企业生产、科研第一线，开展实习实训、社会实践、专业服务等。倡导“工匠精神”，以匠心铸精品，通过劳动解决实际问题，积累职业经验。增强学生团队协作能力、交流沟通能力，提升学生诚实劳动意识，树立正确择业观。

第三，进一步丰富面向就业的学生社团活动，扩大社会实践参与范围。前置考虑毕业生就业工作，面向低年级学生举办“实习专场招聘会”，组织开展“生涯规划”“求职技能”“创新创业”类竞赛和“模拟招聘”“模拟面试”“生涯体验周”等形式多样的社团活动。

第四，多方整合社会资源，积极搭建校地合作平台。加强与司法仲裁、人力资源和社会保障、金融服务等行业的互动合作。充分利用生产企业、事业单位、科研院所资源，创建校外实践基地。开展校企座谈，助推更多大学生走进企业、了解职场。聘请企业相关人士、杰出校友等优秀管理人员担任大学生就业创业、职业生涯规划指导教师，全方位充实教师队伍。

第五，探索开展就业能力提升个性化指导，针对不同专业、不同年级的学生分层分类指导。通过课堂讲授、讲座、面对面个性化指导、团队培训等多种形式，传授就业实践经验，帮助大学生做好职业生涯规划，提高大学生的社会适应能力及防范风险意识。

资料来源 陈波:《“适应社会”应是大学必修课》,《光明日报》, 2022 年 12 月 20 日第 14 版。(收入本书时有改动)

附　录

附录一　霍兰德职业倾向自测量表

指导语：

本测验量表将帮助你发现和确定自己的职业兴趣和能力特长，从而更好地做出求职择业的决策。如果你已经考虑好或选择好了自己的职业，本测验将使你的这种考虑或选择具有理论基础，或向你展示其他合适的职业；如果你至今尚未确定职业方向，本测验将帮助你根据自己的情况选择一个恰当的职业目标。本测验共有六个部分，每部分测验虽然没有时间限制但请你尽快按要求完成。

第1部分　你心目中的理想职业（专业）

对于未来的职业（或升学进修的专业），你得早有考虑，它可能很抽象、很朦胧，也可能很具体、很清晰。不论是哪种情况，现在都请你把自己最想做的三种工作或最想读的三种专业按顺序写下来。

1.____________________

2.____________________

3.____________________

第2部分　你所感兴趣的活动

附表1-1～附表1-6列举了若干种活动，请就这些活动判断你的好恶。喜欢的请在“是”栏里画“√”，不喜欢的请在“否”栏里画“×”。

请按顺序回答全部问题，每个“√”记1分。

附表1-1

R：现实型活动	是	否
1. 装配、修理电器或玩具		
2. 修理自行车		
3. 用木头做东西		
4. 开汽车或摩托车		
5. 用机器做东西		
6. 参加木工技术学习班		
7. 参加制图、描图学习班		
8. 驾驶卡车或拖拉机		
9. 参加机械和电气学习班		
10. 装配、修理机器		

统计“是”一栏总计得分：______

附表1-2

A：艺术型活动	是	否
1. 素描、制图或绘画		
2. 参加话剧、戏剧表演		
3. 设计家具、布置室内		
4. 练习乐器、参加乐队		
5. 欣赏音乐或戏剧		
6. 看小说、读剧本		
7. 从事摄影创作		
8. 写诗或吟诗		
9. 参加艺术（美术、音乐）培训		
10. 练习书法		

统计“是”一栏总计得分：______

附表 1-3

I：研究型活动	是	否
1. 读科技图书和杂志		
2. 在实验室工作		
3. 改良水果品种，培育新的水果		
4. 调查了解土和金属等物质的成分		
5. 研究自己选择的特殊问题		
6. 解算术题或玩数学游戏		
7. 喜欢上物理课		
8. 喜欢上化学课		
9. 喜欢上几何课		
10. 喜欢上生物课		

统计“是”一栏总计得分：______

附表 1-4

S：社会型活动	是	否
1. 参加学校或单位组织的正式活动		
2. 参加某社会团体或俱乐部活动		
3. 帮助别人解决困难		
4. 照顾儿童		
5. 出席晚会、联欢会、茶话会		
6. 和大家一起出去郊游		
7. 想获得关于心理学方面的知识		
8. 参加讲座或辩论会		
9. 观看或参加体育比赛和运动会		
10. 结交新朋友		

统计“是”一栏总计得分：______

附表 1-5

E：企业型活动	是	否
1. 担任学生会干部		
2. 招募志愿者		
3. 参与野外探险		
4. 指导小孩做作业		
5. 做某商品的校园代理		
6. 做俱乐部或社团的负责人		
7. 向领导提出建议或反映意见		
8. 参加辩论		
9. 筹办某项活动		
10. 向往创业		

统计“是”一栏总计得分：______

附表 1-6

C：常规型活动	是	否
1. 整理好桌面和房间		
2. 抄写文件和信件		
3. 为领导写报告或公务信函		
4. 检查个人收支情况		
5. 参加打字培训班		
6. 参加会计、文秘等实务培训		
7. 参加商业会计培训班		
8. 参加情报处理培训班		
9. 整理信件、报告、记录等		
10. 写商业贸易信		

统计“是”一栏总计得分：______

第3部分 你所擅长或胜任的活动

附表 1-7 ~附表 1-12 列举了若干种活动，其中，如果是你能做或大概能做的事，请在“是”栏里画“√”，否则在“否”栏里画“×”。请回答全部问题。

请按顺序回答全部问题，每个“√”记 1 分。

附表 1-7

R：现实型能力	是	否
1. 能用电锯、电钻和锉刀等工具		
2. 知道万用表的使用方法		
3. 能够修理自行车或其他机械		
4. 能使用钻床、磨床或缝纫机		
5. 能给家具和木制品刷漆		

附表 1-8

A：艺术型能力	是	否
1. 能演奏乐器		
2. 能参加二部合唱或四部合唱		
3. 能独唱或独奏		
4. 能扮演剧中角色		
5. 能创作简单的乐曲		

附表 1-7（续）

6. 能看建筑设计图		
7. 能够修理简单的电器用品		
8. 能修理家具		
9. 能修理收录机		
10. 能简单地修理水管		

统计“是”一栏总计得分：______

附表 1-8（续）

6. 会跳舞		
7. 能绘画、素描或写书法		
8. 能雕刻、剪纸或做泥塑		
9. 能设计板报、服装或家具		
10. 能写一手好文章		

统计“是”一栏总计得分：______

附表 1-9

I：研究型能力	是	否
1. 懂得真空管或晶体管的作用		
2. 能够列举三种含蛋白质多的食品		
3. 理解铀的裂变		
4. 能用计算尺、计算器、对数表		
5. 会使用显微镜		
6. 能找到三个星座		
7. 能独立进行调查研究		
8. 能解释简单的化学原理		
9. 理解人造卫星为什么不落地		
10. 经常参加学术会议		

统计“是”一栏总计得分：______

附表 1-10

S：社会型能力	是	否
1. 有向各种人说明解释的能力		
2. 常参加社会福利活动		
3. 能与大家一起友好地工作		
4. 善于与年长者相处		
5. 会邀请人、招待人		
6. 能用简单易懂的话教育儿童		
7. 能安排会议等活动顺序		
8. 善于体察人心和帮助他人		
9. 帮助护理病人和伤员		
10. 安排社团组织的各种事务		

统计“是”一栏总计得分：______

附表 1-11

E：企业型能力	是	否
1. 担任过学生会干部并且干得不错		
2. 工作上能指导和监督他人		
3. 做事充满活力和热情		
4. 有效利用自身的行为调动他人		
5. 销售能力强		
6. 曾做过俱乐部或社团负责人		
7. 善于向领导提出建议或反映意见		
8. 有开创事业的能力		
9. 知道怎样做能成为优秀的领导者		
10. 健谈、善辩		

统计“是”一栏总计得分：______

附表 1-12

C：常规型能力	是	否
1. 会熟练地打印中文文件		
2. 会用外文打字机或复印机		
3. 能快速记笔记和抄写文章		
4. 善于整理保管文件和资料		
5. 善于从事事务性的工作		
6. 会用算盘		
7. 能在短时间内分类和处理大量文件		
8. 能使用计算机		
9. 能收集数据		
10. 善于为自己或集体做财务预算		

统计“是”一栏总计得分：______

第4部分　你所喜欢的职业

附表 1-13 ~ 附表 1-18 列举了多种职业，请逐一认真看，如果是你感兴趣的工作，请在“是”栏里画“√”；如果是你不太喜欢或不太关心的工作，在“否”栏里画“×”。请回答全部问题。

请按顺序回答全部问题，每个“√”记1分。

附表 1–13

R：现实型职业	是	否
1. 飞行员		
2. 野生动物专家		
3. 汽车维修工		
4. 木匠		
5. 测量工程师		
6. 无线电报务员		
7. 园艺师		
8. 长途公共汽车司机		
9. 火车司机		
10. 电工		

统计“是”一栏总计得分：______

附表 1–14

S：社会型职业	是	否
1. 街道、工会或妇联干部		
2. 小学、中学教师		
3. 精神病医生		
4. 婚姻介绍所工作人员		
5. 体育教练		
6. 福利机构负责人		
7. 心理咨询师		
8. 共青团干部		
9. 导游		
10. 国家机关工作人员		

统计“是”一栏总计得分：______

附表 1–15

I：研究型职业	是	否
1. 气象学或天文学者		
2. 生物学者		
3. 医学实验室的技术人员		
4. 人类学者		
5. 动物学者		
6. 化学学者		
7. 数学学者		
8. 科学杂志的编辑或作家		
9. 地质学者		
10. 物理学者		

统计“是”一栏总计得分：______

附表 1–16

E：企业型职业	是	否
1. 厂长		
2. 电视剧制片人		
3. 公司经理		
4. 销售员		
5. 不动产推销员（房地产）		
6. 广告部长		
7. 体育活动主办者		
8. 销售部长		
9. 个体工商业者		
10. 企业管理咨询人员		

统计“是”一栏总计得分：______

附表 1–17

A：艺术型职业	是	否
1. 乐队指挥		
2. 演奏家		
3. 作家		
4. 摄影家		
5. 记者		
6. 画家、书法家		
7. 歌唱家		

附表 1–18

C：常规型职业	是	否
1. 会计师		
2. 银行出纳员		
3. 税收管理员		
4. 计算机操作员		
5. 簿记人员		
6. 成本核算员		
7. 文书档案管理员		

附表 1–17（续）

8. 作曲家		
9. 电影电视演员		
10. 电视节目主持人		

统计“是”一栏总计得分：______

附表 1–18（续）

8. 打字员		
9. 法庭书记员		
10. 人口普查登记员		

统计“是”一栏总计得分：______

第5部分　你的能力类型简评

附表 1–19 ~附表 1–20 是你在六个职业能力方面的自我评定表。你可以先与同龄者比较出自己在每一方面的能力，然后经斟酌后对自己的能力做评估。请在表中适当的位置写数字。数字越大，表示你的能力越强。注意，请勿全部写同样的数字，因为人的每项能力不可能完全一样。

附表 1–19　职业能力自我评定表 A

R型	I型	A型	S型	E型	C型
机械操作能力	科学研究能力	艺术创作能力	解释表达能力	商业洽谈能力	事务执行能力

附表 1–20　职业能力自我评定表 B

R型	I型	A型	S型	E型	C型
体育技能	数学技能	音乐技能	交际技能	领导技能	办公技能

第6部分　统计和确定你的职业倾向

请将第 2 部分至第 5 部分的全部测验分数按前面已统计好的六种职业倾向（R 型、I 型、A 型、S 型、E 型和 C 型）得分填入附表 1-21 中，并做纵向累加。

附表 1-21　职业倾向

测试		R型	I型	A型	S型	E型	C型
第 2 部分							
第 3 部分							
第 4 部分							
第 5 部分	A						
	B						
总分							

请将上表中的六种职业倾向总分按大小顺序依次从左到右排列：

______型、______型、______型、______型、______型、______型。

最高分：______。

最低分：______。

附录二　MBTI性格类型自测量表

MBTI 提供的性格类型描述仅供测试者确定自己的性格类型之用，性格类型没有好坏，只有不同。每一种性格特征都有其价值和优点，也有其缺点和需要注意的地方。清楚地了解自己的性格优劣势，有利于更好地发挥自己的特长，尽可能地在为人处世过程中避免自己性格中的劣势，更好地和他人相处，更好地做重要的决策。

本量表包含四个维度，每个维度用一个表格表示，表格中的每一行有两个独立的特征（附表 2-1 ~附表 2-4）。

第一步，请在两个特征中选择比较适合自己的一项，并在单元格中用“√”表示。每一个表格选择完毕后，计算每列“√”数目，然后在每个表格底部选择“√”数目多的列。

附表 2-1

外向型的人		内向型的人	
与他人在一起时感到兴奋		独自一人时感到兴奋	
希望成为注意的焦点		避免成为注意的焦点	
先行动，再思考		先思考，再行动	
喜欢边想边说出声		在脑中思考	
易于被了解，愿与人共享个人信息		注重隐私，只与少数人共享个人信息	
说的比听的多		听的比说的多	
热情地交流		不把热情表现出来	

附表 2-1（续）

反应迅速，喜欢快节奏		思考之后再反应，喜欢慢节奏	
较之精深更喜欢广博		较之广博更喜欢精深	
外向（E）		**内向（I）**	

附表 2-2

感觉型的人		**直觉型的人**	
相信确定而有形的事物		相信灵感和推理	
喜欢具有实际意义的新主意		喜欢新主意和新概念只出于自己	
崇尚现实主义与常识		崇尚想象力和新事物	
喜欢运用和琢磨已有的技能		喜欢学习新技能，但掌握后又厌倦	
留心特殊的和具体的，喜欢给出细节		留心普遍和有象征性的，使用隐喻	
循序渐进地给出信息		跳跃式地以一种绕圈的方式给出信息	
着眼于现在		着眼于将来	
感觉（S）		**直觉（N）**	

附表 2-3

思考型的人		**情绪型的人**	
后退一步，客观地分析问题		向前看，关心行动给他人带来的影响	
崇尚逻辑、公正和公平，有统一的标准		注重感情与和睦，看到规则的例外性	
自然地发现缺点，有吹毛求疵的倾向		自然地想让别人快乐，易于理解别人	
可能被视为无情、麻木、漠不关心		可能被视为过于感情化、无逻辑、脆弱	
认为诚实比机敏更重要		认为诚实与机敏同样重要	
认为只有合乎逻辑的感情才是正确的		认为所有感情都是正确的，不管是否有意义	
受获得成就欲望的驱使		受情感的驱使与渴望被人理解的驱使	
思考（T）		**情绪（F）**	

附表 2-4

判断型的人		**知觉型的人**	
做完决定后感到快乐		因保留选择的余地而快乐	
具有工作原则，先工作后玩		具有玩的原则，先玩再工作	
确定目标并按时完成任务		当有新的情况时便改变目标	
想知道自己的处境		喜欢适应新环境	
看重结果		看重过程	
通过完成任务获得满足		通过着手新事物而获得满足	
把时间看成有限的资源		把时间看成无限的资源	
判断（J）		**知觉（P）**	

第二步，请在下面的横线上写出符合你的代表字母。

E 或 I　　S 或 N　　T 或 F　　J 或 P

______　　______　　______　　______

第三步，验证你的性格类型。第二步得出的 4 个字母组合就是你的性格类型，如附表 2–5。

附表 2–5

内向感觉思考判断 ISTJ	内向感觉情绪判断 ISFJ	内向直觉情绪判断 INFJ	内向直觉思考判断 INTJ
内向感觉思考知觉 ISTP	内向感觉情绪知觉 ISFP	内向直觉情绪知觉 INFP	内向直觉思考知觉 INTP
外向感觉思考知觉 ESTP	外向感觉情绪知觉 ESFP	外向直觉情绪知觉 ENFP	外向直觉思考知觉 ENTP
外向感觉思考判断 ESTJ	外向感觉情绪判断 ESFJ	外向直觉情绪判断 ENFJ	外向直觉思考判断 ENTJ

附录三　气质类型自测

一、气质类型及特征

气质类型是对人的气质所进行的典型分类。公元前 5 世纪，古希腊医生希波克拉底根据人体内的四种液体——血液、黏液、黄胆汁、黑胆汁的比例不同，划分出了气质的四个类型。这种用体液解释气质类型的观点虽然缺乏坚实的科学根据，但将人的气质分为这样四个类型在今天看来仍具有其合理性。结合巴甫洛夫的高级神经活动类型学说（高级神经活动有四种基本类型），以及对心理活动的观测，现代心理学普遍认为，气质可分为四种类型，同时沿用了希波克拉底当初设计的气质名称，即多血质、胆汁质、黏液质、抑郁质。四种不同的气质类型具有不同的心理特征。

1. 多血质

多血质心理特征属于敏捷而好动的类型。这种类型的人易于适应环境的变化，在新的环境里不感到拘束，性格开朗、热情，善于交际；在群体中精神愉快，朝气蓬勃，常能机智地摆脱窘境；在工作和学习上富有精力而效率高，表现出机敏的工作能力，愿意从事合乎实际的工作，能对工作心驰神往，迅速地把握新事物，在有充分自制能力和纪律性的情况下，会表现出巨大的积极性；兴趣广泛，但情感易变，如果工作不顺利，热情可能消失，不安于循规蹈矩的工作，有时轻诺寡信、见异思迁。

2. 胆汁质

胆汁质心理特征属于兴奋而热烈的类型。这种类型的人在言语、面部表情和体态上都给人以热情直爽、善于交际的印象；有理想，有抱负，反应迅速，行为果断，表里如一，不愿受人指挥而喜欢指挥别人。这种人一旦认准目标，就希望尽快实现，遇到困难也不折不挠，有魄力，敢负责，但往往比较粗心，自制力较差，容易感情用事，比较鲁莽，工作带有明显的周期性，能以极大的热情投身于事业，一旦筋疲力尽，情绪顿时转为沮丧而心灰意冷。

3. 黏液质

黏液质的人又称安静型的人，这种类型的人在生活中是一个坚持而稳健的辛勤工作者。这种类型的人行动缓慢而沉着，严格恪守既定的生活秩序和工作制度，不为无谓的动因而分心，一般不做无把握的事。黏液质的人态度持重，交际适度，不做空泛的轻谈，情感上不易激动，不易发脾气，也不易流露情感，能自制，也不常常显露自己的才能。其不足之处表现为有时做事情不够灵活，不善于转移自己的注意力。惰性使其因循守旧，表现为固定性有余而灵活性不足。

4. 抑郁质

抑郁质的人沉静而羞涩、敏感，精神上难以承受或大或小的神经紧张；情绪体验的方式较少，但内心体验深刻，不易外露；喜欢独处，交往拘束，兴趣爱好少，性格孤僻，遇事三思而后行，怯懦、自卑、优柔寡断，外在行为非常迟缓刻板。

一般来说，各种气质类型的人在从事某些职业时，都会特别有效率，同时各种气质类型的人也都有一些不适合的工作。

胆汁质的人适合从事与人打交道，工作内容和环境充满变化性的工作，如导游、推销员、节目主持人等，而不太适合要求长期安坐、持久耐心细致的工作。

多血质的人适合从事与外界打交道、处事灵活多变、富有刺激性和挑战性的工作，如外交人员、管理人员、记者、律师等，而不太适合做细致单调的机械性工作。

黏液质的人适合做稳定、按部就班的静态的工作，如会计、文员、出纳等，而不太适合做需要经常策划创造的工作。

抑郁质的人适合安静、细致的工作，如编辑、化验员、仓库管理员等，而不太适合热闹的场合。

事实上，属于单一气质类型的人很少，大多数人属于混合型，即以一种气质类型为主，另一种气质类型为辅（如以多血质为主、抑郁质为辅，被称为多血抑郁质类型），甚至有的人气质类型表现不明显（四种气质得分近于平均），难以确定其为何种类型。但无论如何，每个人的气质都有其所长，也有其所短。例如，胆汁质的人既可能是热情积极、勇敢肯干、朝气蓬勃的人，也可能是鲁莽粗暴、不能忍耐、爱发脾气的人。多血质的人既可能是活泼、亲切、富有生气、适应新环境、开创新局面的人，也可能是轻率肤浅、轻举妄动、见异思迁的人。黏液质的人既可能是恬静、沉着、稳定的人，也可能是懒惰、萎靡不振、对一切事物漠不关心的人。抑郁质的人既可能是办事细致、情感深刻而稳定的人，也可能是畏首畏尾、孤僻郁闷的人。

二、测试自己属于何种气质类型

附表3-1中的60道题可以帮助你大致确定自己的气质类型。在回答这些问题时，应实事求是。

看清题目以后，你认为很符合自己情况的计2分，比较符合的计1分，介于符合与不符合之间的计0分，比较不符合的计 −1分，完全不符合的计 −2分。

附表 3-1

问题	得分				
	2	1	0	−1	−2
（1）做事力求稳妥，不做无把握的事					
（2）遇到可气的事就怒不可遏，把心里话全说出来才痛快					
（3）宁可一个人干事，也不愿很多人在一起					
（4）到一个新的环境很快就适应					
（5）厌恶强烈的刺激，如尖叫、噪声、危险镜头等					
（6）与人争吵时，总是先发制人，喜欢挑衅别人					
（7）喜欢安静的环境					
（8）善于和人交往					
（9）羡慕善于克制自己感情的人					
（10）生活有规律，很少违反作息制度					
（11）在多数情况下情绪是乐观的					
（12）碰到陌生人觉得很拘束					
（13）遇到令人气愤的事，能很好地自我克制					
（14）做事总是有旺盛的精力					
（15）遇到问题常常举棋不定、优柔寡断					
（16）在人群中从不觉得过分拘束					
（17）情绪高昂时，觉得做什么都有趣；情绪低落时，又觉得做什么都没意思					
（18）当注意力集中于某一事物时，别的事物就很难使我分心					
（19）理解问题总比别人好					
（20）碰到危险情景时，常有一种极度恐怖感					
（21）对学习、工作、事业怀有很高的热情					
（22）能够长时间做枯燥、单调的工作					

附表 3-1（续）

问题	得分				
	2	1	0	-1	-2
（23）对符合兴趣的事情，干起来劲头十足，否则就不想干					
（24）一点小事就能引起情绪波动					
（25）讨厌做需要耐心、细致的工作					
（26）与人交往不卑不亢					
（27）喜欢参加热烈的活动					
（28）爱看感情细腻、描写人物内心活动的文学作品					
（29）工作、学习时间长了，常感到疲劳					
（30）不喜欢长时间谈论一个问题，愿意实际动手干					
（31）宁愿侃侃而谈，也不愿窃窃私语					
（32）别人说我总是闷闷不乐					
（33）理解问题时常比别人慢些					
（34）疲倦时只要短暂的休息就能精神抖擞，重新投入工作					
（35）心里有事，宁愿自己想，也不愿说出来					
（36）认准一个目标就希望尽快实现，不达目的誓不罢休					
（37）同样和别人学习、工作一段时间后，常比别人更疲倦					
（38）做事有些莽撞，常常不考虑后果					
（39）别人讲授新知识、新技术时，总希望他讲慢些，多重复几遍					
（40）能够很快地忘记不愉快的事情					
（41）做作业或完成一件工作总比别人花的时间多					
（42）喜欢运动量大的剧烈活动，或参加各种文体活动					
（43）不能很快地把注意力从一件事转移到另一件事上去					
（44）接受一个任务后，就希望把它迅速完成					
（45）认为墨守成规比冒风险强些					
（46）能够同时注意几件事物					
（47）当我烦闷时，别人很难使我高兴起来					
（48）爱看情节跌宕起伏、激动人心的小说					
（49）对工作抱认真严谨、始终如一的态度					

附表 3-1（续）

问题	得分				
	2	1	0	-1	-2
（50）和周围人的关系总是相处不好					
（51）喜欢复习学过的知识，重复做已经掌握的工作					
（52）希望做变化大、花样多的工作					
（53）小时候会背的诗歌，我似乎比别人记得更清楚					
（54）别人说我“出口伤人”，可我并不觉得是这样					
（55）在体育活动中，常因反应慢而落后					
（56）反应敏捷，头脑机智					
（57）喜欢有条理而不甚麻烦的工作					
（58）兴奋的事常常使我失眠					
（59）别人讲新概念时，我常常听不懂，但是弄懂以后就很难忘记					
（60）假如工作枯燥无味，马上就会情绪低落					

将每题得分填入附表 3-2 相应“得分栏”内，计算每种气质类型的总分数。

附表 3-2

胆汁质	题号	2	6	9	14	17	21	27	31	36	38	42	48	50	54	58	总分
	得分																
多血质	题号	4	8	11	16	19	23	25	29	34	40	44	46	52	56	60	总分
	得分																
黏液质	题号	1	7	10	13	18	22	26	30	33	39	43	45	49	55	57	总分
	得分																
抑郁质	题号	3	5	12	15	20	24	28	32	35	37	41	47	51	53	59	总分
	得分																

如果其中一种气质得分明显高出其他三种，均高 4 分以上，则可定为属该类气质型。此外，如果该类气质得分超过 20 分，则为典型；如果该类得分为 10 ～ 20 分，则为一般型。如果两种气质类型得分接近，其差异低于 3 分，而且又明显高于其他两种（高出 4 分以上），则可定为这两种气质的混合型。如果三种气质得分均高于第四种，而且接近，则为三种气质的混合型。

附录四　职业价值观自测量表

以下 1 ～ 36 题有 A、B 两种观点与态度，比较同一题中的 A 与 B，如果认可其中的一个或觉得其中一个与自己的情况比较符合，就在附表 4-1 的 A 或 B 旁画“√”，另一个画“×”；如果觉得两者都不符合，两者都画“○”。

请根据自己的实际情况或想法，选择合适的答案。通过测验，你可以大致了解自己的职业价值观念倾向。至于好与不好，不必有任何顾虑。

1. A. 即使现在有所损失，也可以以后再挣回来。
   B. 没有确实可靠的盈利就不着手去做。
2. A. 国家的繁荣是经济力量在发挥作用。
   B. 国家的繁荣是军事力量在发挥作用。
3. A. 想当政治家。
   B. 想当法官。
4. A. 凭衣着打扮或居住条件了解他人。
   B. 不想凭外表推测他人。
5. A. 养精蓄锐，以便大刀阔斧地工作。
   B. 必要时愿意随时献血。
6. A. 想领个孤儿抚养。
   B. 不愿让孤儿留在家中。
7. A. 买汽车时，会买能把家人都装下的大型汽车。
   B. 买汽车时，会买外形美观、颜色适宜的最新型汽车。
8. A. 留意自己和他人的服装。
   B. 无论是自己的事还是他人的事，全都不放在心上。
9. A. 结婚前首先确保自己有房屋。
   B. 不考虑以后的事。
10. A. 被认为是个照顾周到的人。
    B. 被认为是个有判断力的人。
11. A. 生活方式同他人不一样也行。
    B. 其他人家里有的东西我也想凑齐。
12. A. 为能被授予荣誉勋章而奋斗。
    B. 暗地帮助不幸的人。
13. A. 自己的想法比别人的正确。
    B. 必须尊重他人的价值观。
14. A. 婚礼最好能上电视，而且有人赞助。
    B. 把婚礼搞得比别人更有气派。
15. A. 被认为是手腕高、能推断将来的人。
    B. 被认为是处事果断的人。
16. A. 店面虽小，也想自己经营。

B. 不做被人蔑视的工作。
17. A. 对法定的佣金、利息很关心。
B. 关心自己的能力和适应性。
18. A. 在人生的道路上不获胜就感觉到无意义。
B. 认为人与人之间应该互相帮助。
19. A. 社会地位比收入更有吸引力。
B. 与社会地位相比，安定更实惠。
20. A. 不重视社会的惯例。
B. 经常被邀请主持婚礼。
21. A. 愿意同独自生活的老人交谈。
B. 为别人做事嫌麻烦。
22. A. 度过充实的每一天。
B. 在还有生活费时不想干活。
23. A. 有空闲时间就想学习文化知识。
B. 考虑被他人喜欢的方法。
24. A. 想一鸣惊人。
B. 生活平平淡淡，同别人一样就行了。
25. A. 用金钱能买到别人的好意。
B. 在人生中必需的是爱而不是金钱。
26. A. 一考虑到将来就紧张不安。
B. 把将来能否成功置之度外。
27. A. 伺机重新大干一番。
B. 关心发展中国家人们的生活。
28. A. 尽量利用亲戚。
B. 同亲戚友好地互相帮助。
29. A. 如果能托生动物的话，愿意变成狮子。
B. 如果能托生动物的话，愿意变为熊猫。
30. A. 严格遵照作息表，生活有规律。
B. 不想忙忙碌碌，愿意轻轻松松地生活。
31. A. 有空的话，会读成功者的传记。
B. 有空的话，会看看电视和睡觉。
32. A. 做不赚钱的事是没意思的。
B. 时常请客送礼给他人。
33. A. 擅长做决得出胜负的事情。
B. 擅长改变家室布局和修理东西。

34. A. 对自己的行动有信心。

B. 注意与对方合作。

35. A. 有借于人，但不借物于人。

B. 忘记借进、借出的东西。

36. A. 不认为人生由命运决定。

B. 被命运摆布也很有趣。

填写附表 4-1。画“√”者得 2 分，画“○”者得 1 分，画“×”者不得分。把所有的得分分别按纵向累加，记入“合计”（合计的总分应为 72 分）。

附表 4-1

题号	一	二	三	四	五	六	七	八	九
1	A	B							
2		A	B						
3			A	B					
4				A	B				
5					A	B			
6						A	B		
7							A	B	
8								A	B
9							A		B
10						A		B	
11					A		B		
12				A		B			
13			A		B				
14		A		B					
15	A		B						
16	A			B					
17		A			B				
18			A			B			
19		A				B			
20					A			B	
21						A			B
22									B
23				A				B	
24			A						
25			A						
26	A				B				

附表 4-1（续）

题号	一	二	三	四	五	六	七	八	九
27	A					B			
28		A					B		
29			A					B	
30				A					B
31			A						B
32		A						B	
33	A						B		
34	A							B	
35		A							B
36	A								B
合计									

价值倾向不同，得分也不同，从职业价值观测定得分表中的各种类型价值观合计栏选出得分最高者，就是你的职业价值观。附表 4-1 中汉字数字相应代表的职业价值观具体说明如下。

一、独立经营型

这种类型的人不受别人指使，凭自己的能力拥有自己的小“城堡”，不愿受他人干涉，想充分施展本领。

二、经济型

这种类型的人确信世界上的所有幸福都可用金钱买到，认为人与人之间的关系是金钱关系，连父母对子女的爱也带有金钱的烙印。

三、支配型

这种类型的人想当上组织的一把手，飞扬跋扈，为所欲为，无视他人的想法，且视此为快乐。

四、自尊型

这种类型的人受尊敬欲望很强，爱慕虚荣，渴望社会地位和名誉，欲望得不到满足时会很自卑。

五、自我实现型

这种类型的人追求真理，不考虑收入、地位及他人对自己的看法，尽力挖掘自己的潜力，施展自己的本领，并视此为有意义的生活。

六、志愿型

这种类型的人富有同情心，把他人的痛苦视为自己的痛苦，不愿做表面上哗众取宠的事情，把默默地帮助不幸的人视作无比的快乐。

七、家庭学校型

这种类型的人过着十分平凡但又安定的生活，珍视同家人的团聚，为人踏实，生活态度保守，不敢冒险。

八、才能型

这种类型的人单纯，爱戴高帽子，把深受周围人的欢迎视为乐趣，以不凡的谈吐、新颖的服装博得众人好感，以滑稽的表情使周围气氛活跃。

九、自由型

这种类型的人一开始做事无目的和计划，但能适时地使自己的行动适应当时的气氛，并能承担有限的责任，不麻烦他人，无拘无束，生活随意。

请在附表 5-1 中适合自己的选项里打“√”。

附录五　职业能力测评

附表 5-1

（一）一般学习能力倾向（G）	强	较强	一般	较弱	弱
1. 快而容易地学习新内容					
2. 快而正确地解数学题					
3. 学习成绩					
4. 对课文的字、词、段落篇章的理解、分析和综合能力					
5. 对学习过的知识的记忆能力					
（二）言语能力倾向（V）	强	较强	一般	较弱	弱
1. 善于表达自己的观点					
2. 阅读速度和理解能力					
3. 掌握词汇量的程度					
4. 语文成绩					
5. 文学创作能力					
（三）算术能力倾向（N）	强	较强	一般	较弱	弱
1. 做出精确的测量					
2. 笔算能力					
3. 口算能力					
4. 打算盘					
5. 数学成绩					
（四）空间判断能力倾向（S）	强	较强	一般	较弱	弱
1. 解决立体几何方面的习题					

附表 5-1（续）

2. 画二维度的立体图形					
3. 看几何图形的立体感					
4. 想象盒子展开后的平面图					
5. 想象三维度的物体					
（五）形态知觉能力倾向（P）	强	较强	一般	较弱	弱
1. 发现相同图形中的细微差别					
2. 识别物体的形状差异					
3. 注意物体的细节部分					
4. 观察物体的图案是否正确					
5. 对物体的细微描述					
（六）书写知觉能力倾向（Q）	强	较强	一般	较弱	弱
1. 快速而准确地抄写资料（如姓名、日期、电话号码等）					
2. 发现错别字					
3. 发现计算错误					
4. 能很快查找编码卡片					
5. 自我控制能力（如较长时间抄写资料）					
（七）眼手运动协调能力倾向（K）	强	较强	一般	较弱	弱
1. 玩电子游戏					
2. 打篮球、排球，踢足球一类的活动					
3. 打乒乓球、羽毛球					
4. 打算盘的能力					
5. 打字能力					
（八）手指灵巧度（F）	强	较强	一般	较弱	弱
1. 灵巧地使用很小的工具					
2. 穿针眼、编织等使用手指的活动					
3. 用手指做一件小工艺品					
4. 使用计算器的灵巧程度					
5. 弹琴					
（九）手腕灵巧度（M）	强	较强	一般	较弱	弱
1. 用手把东西分类					
2. 在推拉东西时手的灵活度					
3. 很快地削水果					
4. 灵活地使用手工工具					
5. 在绘画、雕刻等手工活动中的灵活性					

统计分数的方法：

1. 对每一类能力倾向计算总分数。对每一道题目，我们采取“强”“较强”“一般”“较弱”“弱”五等级，供你自评。每组5道题完成后，分别统计各等级选择的次数总和，然后用下面公式计算出该类的总计次数（把“强”定为第一项，以此类推，“弱”定为第五项；第一项之和就是选“强”的次数和）。总计次数：（第一项之和 × 1）+（第二项之和 × 2）+（第三项之和 × 3）+（第四项之和 × 4）+（第五项之和 × 5）。

2. 计算每一类能力倾向的自评等级。自评等级 = 总计次数 / 5。

3. 将自评等级填入附表 5-2 中。

附表 5-2

职业能力倾向	自评等级	职业能力倾向	自评等级
G		Q	
V		K	
N		F	
S		M	
P			

根据结果对照附表 5-3，可找到适合你的职业。

附表 5-3

职业类型	职业能力倾向								
	G	V	N	S	P	Q	K	F	M
生物学家	1	1	1	2	2	3	3	2	3
建筑师	1	1	1	1	2	3	3	3	3
测量员	2	2	2	2	2	3	3	3	3
测量辅导员	4	4	4	4	4	4	3	4	3
制图员	2	3	2	2	2	3	2	2	3
建筑和工程技术员	2	2	2	2	2	3	3	3	3
建筑和工程技术专家	2	3	3	3	3	3	3	3	3
物理科学技术专家	2	2	2	2	3	3	3	3	3
物理科学技术员	2	3	3	3	2	3	3	3	3
农业、生物、动物、植物学的技术专家	2	2	2	2	3	3	3	3	3
农业、生物、动物、植物学的技术员	2	3	3	3	2	3	3	3	3
数学家和统计学家	1	1	1	3	3	2	4	4	4

附表 5–3（续）

职业类型	职业能力倾向								
	G	V	N	S	P	Q	K	F	M
系统分析和计算机程序编制者	2	2	2	2	3	3	4	4	4
经济学家	1	1	1	4	4	2	4	4	4
社会学家、人类学者	1	1	2	2	2	3	4	4	4
心理学家	1	1	3	4	4	3	4	4	4
历史学家	1	1	4	3	3	3	4	4	4
哲学家	1	1	3	2	2	3	4	4	4
政治学家	1	1	3	4	4	3	4	4	4
政治、经济学家	2	2	2	3	3	3	3	3	5
社会工作者	2	2	3	4	4	3	4	4	4
社会服务助理人员	3	3	3	4	4	3	4	4	4
法官	1	1	3	4	3	3	4	4	4
律师	1	1	3	4	3	4	4	4	4
公证人	2	2	3	4	4	3	4	4	4
图书管理学专家	2	2	3	3	4	2	3	4	4
图书馆、博物馆和档案管理员	3	3	3	2	2	4	3	2	3
职业指导者	2	2	3	4	4	3	4	4	4
大学教师	1	1	3	3	2	3	4	4	4
中学教师	2	2	3	4	3	3	4	4	4
小学和幼儿园教师	2	2	3	3	3	3	3	3	3
职业学校教师（职业课）	2	2	2	3	3	3	3	3	3
职业学校教师（普通课）	2	2	3	4	3	3	4	4	4
内科、外科、牙科医生	1	1	2	1	2	3	2	2	2
兽医学家	1	1	2	1	2	3	2	2	2
护士	2	2	3	3	3	3	3	3	3
护士助手	2	4	4	4	4	2	2	3	2
工业药剂师	2	1	2	3	2	2	3	2	3
医院药剂师	2	2	2	4	3	2	3	2	3

附表 5-3（续）

职业类型	职业能力倾向								
	G	V	N	S	P	Q	K	F	M
营养学家	2	2	2	3	3	3	4	4	4
配镜师（医）	2	2	2	2	2	3	3	3	3
配眼镜商	3	3	3	3	3	4	3	2	3
放射科技术人员	3	3	3	3	3	3	3	3	3
药物实验室技术专家	2	2	2	3	2	3	3	2	3
药物实验室技术员	2	3	3	3	3	3	3	3	3
画家、雕刻家	2	3	4	2	2	5	2	1	2
产品设计和内部装饰者	2	2	3	2	2	4	2	2	3
舞蹈家	2	2	4	3	4	4	4	4	4
演员	2	2	3	4	4	3	4	4	4
电台播音员	2	2	3	2	2	4	2	2	3
作家和编辑	2	1	3	3	3	3	4	4	4
翻译人员	2	1	4	4	4	3	4	4	4
体育教练	2	2	2	4	4	3	4	4	4
运动员	3	3	4	2	3	4	2	2	2
秘书	3	3	3	4	3	2	3	3	3
打字员	3	3	4	4	4	3	3	3	3
会计	3	3	3	4	4	2	3	3	4
出纳	3	3	3	4	4	2	3	3	4
统计员	3	3	2	4	3	2	3	3	4
电话接线员	3	3	4	4	4	3	3	3	3
办公室职员	3	4	3	4	4	3	3	4	4
商业经营管理	2	2	3	4	4	3	4	4	4
售货员	3	3	3	4	4	3	4	4	4
警察	3	3	3	4	3	3	3	4	3
门卫	4	4	5	4	4	4	4	4	4
厨师	4	4	4	4	3	4	3	3	3

附表 5-3（续）

职业类型	职业能力倾向								
	G	V	N	S	P	Q	K	F	M
招待员	3	3	4	4	4	4	3	4	3
理发员	3	3	4	4	3	4	2	2	2
导游	3	3	4	3	3	5	3	3	3
驾驶员	3	3	3	3	3	3	3	4	3
农民	3	4	4	4	4	4	4	4	4
动物饲养员	3	4	4	4	4	4	4	4	4
渔民	4	4	4	4	4	5	3	4	3
矿工	3	4	4	3	4	5	3	4	3
纺织工人	4	4	4	4	3	5	3	3	3
机床操作工	3	4	4	3	3	4	3	4	3
锻工	3	4	4	4	3	4	3	4	3
无线电修理工	3	3	3	3	2	4	3	3	3
细木工	3	3	3	3	3	4	3	4	4
家具木工	3	3	3	3	3	4	3	4	3
一般木工	3	4	4	3	4	4	3	4	3
电工	3	3	3	3	3	4	3	3	3
裁缝	3	3	4	3	3	4	3	2	3

参考文献

References

[1] 戴裕崴 . 高职生职业生涯规划与就业创业指导 [M] . 5 版 . 北京：高等教育出版社，2022.

[2] 李泊，龙安华，洪涛 . 科学规划，“职”引未来：大学生职业生涯规划与就业指导 [M] . 徐州：中国矿业大学出版社，2022.

[3] 蒲波 . 大学生职业发展与就业指导 [M] . 北京：清华大学出版社，2021.

[4] 王浩，田刚 . 大学生职业生涯规划 [M] . 成都：西南财经大学出版社，2022.

[5] 赵放辉，王晓琼，窦雅琴 . 高职职业发展与就业指导教程 [M] . 2 版 . 青岛：中国石油大学出版社，2023.

[6] 周士锋，刘琨 . 职业素养训练与提升教程 [M] . 上海：上海交通大学出版社，2021.